Jonge Turk

Moris Farhi

Jonge Turk

UIT HET ENGELS VERTAALD
DOOR FRANS VAN DELFT

DE GEUS

Oorspronkelijke titel *Young Turk*, verschenen bij Saqi Books, Londen
Oorspronkelijke tekst © Moris Farhi 2004
Nederlandse vertaling © Frans van Delft en De Geus BV, Breda 2005
Uitgave in samenwerking met Novib
Omslagontwerp Mijke Wondergem
Omslagillustratie © Hans Georg Roth/Corbis/TCS
Druk Koninklijke Wöhrmann BV, Zutphen
ISBN 90 445 0606 4
NUR 302

Verspreiding in België via Libridis NV, Industriepark-Noord 5a,
9100 Sint-Niklaas

Voor Nina

die bij me was voordat ik haar leerde kennen

Ter nagedachtenis aan:
Anthony Masters (14 december 1940-4 april 2003)
Tomasz Mirkowicz (9 juli 1953-7 mei 2003)

Dankwoord

Met dank aan mijn familie voor hun liefde: Ceki, Viviane, Deborah, Yael Farhi; Marcelle Farhi; Nicole Farhi; Rachel Sievers en Hamish MacGillivray; Eric, Danièle, Sara, Nathaniel Gould; Phil, Rachel, Samuel, Joshua, Kezia, Joseph Gould; Jessica Gould; Emmanuel, Yael en Noam Gould; Guy en Rebecca Granot; Silvio (Jacques) Hull.

Met dank aan Barry Proner, aan wiens inzichten in de mysteriën ik nog steeds veel heb.

Met dank aan mijn vrienden en mentoren voor hun wenken: Ian Davidson; Peter Day; Anthony Dinner; Tamar Fox; Mai Ghoussoub; Saime Göksu-Timms; Robin Lloyd-Jones; David Mayall; Christopher New; Saliha Paker; Maureen Rissik; Bernice Rubens; Anthony Rudolf; Hazem Saghie; Evelyn Toynton; Vedat Türkali; Enis Üser.

Met dank aan mijn geestverwanten voor hun niet aflatende steun: Tricia Barnett; Selim en Nadia Baruh; Erol, Eti, David Baruh; Anthea Davidson; Rio, Karen en Liam Fanning; Kağan, Yaprak en Temmuz Güner; Jennifer Kavanagh; Michael en Diana Lazarus; Julian en Karen Lewis; Robina Masters; Asher en Elizabeth Mayer; Faith Miles; Richard en Ceinwen Morgan; Christa New; Adem en Pırıl Öner; Kerim Paker; Lucy Popescu; Paul en Gabriele Preston; Nick, Maggie en Rosa Rankin; Paula Rego; Christopher en Bridget Robbie; Hazel Robinson; Elon Salmon: Nick, Jeanine, Isabella en William Sawyer; Edward Timms; Diana Tyler; Paul en Cindy Williams.

Met dank aan mijn alter ego's in verre landen voor hun solidariteit: Ergun en Rengin Avunduk; Attila Çelikiz; Ayşem

Çelikiz; José Çiprut; Rajko Djuric; Ahmad Ebrahimi; Bensiyon Eskenazi; Agop en Brigitte Hacikyan; Bracha Hadar; Ziv Lewis; Bill en Sue Mansill; Julita Mirkowicz; Barış Pirhasan; Donné Raffat; Ilan Stavans; Martin Tucker; Deniz Türkali; Andrew Graham-Yooll.

Met dank aan mijn nieuwe kameraden voor hun vertrouwen: Petra Eggers; Nina Kossman; Semra Eren-Nijar, Indirjit en Ilayda Nijar; Zbigniew en Maria Kanski; Sharon Olinka; Ros Schwartz; Osman Streater; Ateş Wise; Jessica Woollard.

Met dank aan mijn beschermengelen bij Saqi Books voor hun toewijding: Mitch Albert; Sarah al-Hamad; André en Salwa Gaspard; Jana Gough; Anna Wilson.

Inhoud

Over de uitspraak

De afwijkende letters en klanken in het Turks die in dit boek voorkomen zijn:

c wordt uitgesproken als de *j* in *jam*
ç wordt uitgesproken als de *tsj* in *Tsjaad*
ğ wordt niet uitgesproken; verlengt de voorafgaande klinker
ı is vergelijkbaar met de *u* in *radium*
ö wordt uitgesproken als de *ö* in het Duitse woord *König*
ş is vergelijkbaar met sj in *sjaal*
ü wordt uitgesproken als de *u* in het Franse *tu*

1: Rıfat

In den beginne

In den beginne is er de Dood.

Alle wezens ontmoeten hem bij de geboorte. Dieren vergeten de ontmoeting nooit. Wij mensen wél altijd, op een enkele uitzondering na, al worstelen we er verschillende keren per dag mee. Die omgang verloopt nooit zoals je zou verwachten via het verstand of het hart, maar altijd via de geslachtsdelen. De tintelingen tussen onze benen worden niet altijd veroorzaakt door seksueel verlangen of angst. Meestal zijn het registraties van onze contacten met het Klepperende Skelet.

Dit zijn feiten. Ze komen rechtstreeks uit de mond van Mahmut de Simurg. Dat is de Turkmeense verhalenverteller uit het circus die, zoals zijn bijnaam al zegt, op een vogel lijkt zo groot en donker als een regenwolk. En ook al begeleidt hij zichzelf op een *kemençe* met maar twee in plaats van de gebruikelijke vier snaren, hij ontlokt er klanken aan die van een andere wereld lijken te komen. Zij die hem in duizend-en-een afleveringen de geschiedenis van de mensheid hebben horen bezingen, zullen bevestigen dat hij inderdaad, zoals hijzelf beweert, de enige man ter wereld is die de waarheid kent.

Soms loopt de ontmoeting tussen de Dood en zijn slachtoffer uit op geweld. Toen Alexander de Grote terwijl hij uit Olympias werd geboren, de Dood zag rondspoken, trok hij meteen zijn zwaard en stormde op hem af. De Dood kon maar net wegkomen. Hij durfde drieëndertig jaar niet meer in de buurt van Alexander te komen; totdat hij erin slaagde een mug uit Babylon om te kopen, die de nobele koning zou vergiftigen.

Het fenomenale en vaak veronachtzaamde aspect van dit

verhaal, beklemtoont Mahmut de Simurg – het wordt zelfs over het hoofd gezien in *Iskendernâme*, Nizâmi's onovertroffen lofzang op Alexander – is niet dat het pasgeboren kind de moed had de Dood aan te vallen – zoiets verwacht men nu eenmaal van een goddelijke held – maar dat elke generatie vele gewone individuen voortbrengt die de Hoeder van het Stof kunnen zien. Die doodzeggers, met zeven ogen, zeven breinen en de moed om slachtoffers van de Dood te redden – Hercules, Atatürk en Churchill, om er een paar te noemen – worden *Pîrs* genoemd.

(Terzijde: de Dood is, zoals bekend, een dienaar van Allah. Maar anders dan de andere dienaren van Allah is hij ook een vijand. Zodra hij kan, verzamelt hij niet de zielen die kunnen terugkijken op een volledig leven en rijp zijn voor een ander oord, en haalt hij er evenmin verdorvenen uit die de dood verdienen, maar rukt hij jonge, goede of getalenteerde mensen weg, zelfs hele volkeren. Vaak haalt hij, lang voordat hun tijd gekomen is, mensen weg van wie Allah zelve zielsveel houdt. Zo vernedert hij de Almachtige. En dat is de zonde der zonde. Laat een tuin zijn eigen planten doodgaan? *Het spijt me, Efendi, alle rozen zijn vandaag heengegaan; sorry, Hanım, vanaf morgen zijn de tulpen uitgestorven; helaas, Ağa, de lelies zijn gisteren uitgeroeid!* Natuurlijk moest Allah ingrijpen. Vandaar dat Hij de Pîrs creëerde.)

Zoals ik al zei, kent Mahmut de Simurg altijd de waarheid. Toen hij zingend zijn onthullingen deed over de Pîr, besefte ik dat mijn buurmeisje, Gül de Taranto, er ook een was.

De bijna dertienjarige Gül was vier jaar ouder dan ik. Haar broer Naim, de leider van de plaatselijke bende, was van mijn leeftijd. Gül en ik werden allebei door deze bende gemeden omdat we 'niet normaal waren'. Gül niet alleen omdat ze een meisje was, maar ook omdat ze praktisch volwassen was – ze was al met bloeden begonnen. Nog onvergeeflijker was dat ze

ondanks haar fijngevoelige naam, die 'roos' betekent, jongensachtig was: het lied 'There Are No Roses without Fire' had
goed voor haar gecomponeerd kunnen zijn. Ze overtrof in elke
sport iedere jongen uit het district, inclusief boksen. Volgens
haar gymleraar zou ze, als ze haar zinnen erop zou zetten, het
jaar daarop mee kunnen doen aan de Olympische Spelen in
Berlijn. Ik daarentegen was een dikkerdje – ik was bijna dood-
gegaan toen ik voor de tweede keer difterie had gekregen, en in
een poging mij op krachten te brengen had mijn moeder mij
gedwongen te eten, alsof ik een gans was. Dikke jongens
werden nooit lid van een bende.

Zoals Mahmut de Simurg zou zeggen: ook miskleunen
moeten leven. Dus gingen Gül en ik uiteindelijk samen dingen
doen.

Het begon allemaal op de dag van mijn besnijdenis.

Ik zat op mijn kamer in mijn ceremoniële witsatijnen *camise*
met bijbehorende hoed op, mijn angst te onderdrukken voor
de ophanden zijnde ingreep en me af te vragen of ik de aanslag
wel zou overleven op mijn 'sleutel naar de hemel', zoals Mahmut de Simurg de penis noemt. Plotseling kwam tot mijn
verrassing Gül – en niet haar broer Naim zoals ik had kunnen
verwachten – even op bezoek om me sterkte toe te wensen. Na
de allerkortst gehouden plichtplegingen vroeg ze me heel
zakelijk of ze mijn onbesneden lid mocht zien. In ruil daarvoor
was ze bereid mij haar geheimzinnige spleetje te tonen, dat ze
nog nooit aan iemand had laten zien, behalve aan haar broer
Naim, enkele andere familieleden en Naims luitenant Bilâl. Ze
wilde mijn 'ding' vergelijken met die van Naim en Bilâl, die
allebei volgens joods gebruik acht dagen na hun geboorte
waren besneden.

Natuurlijk stemde ik enthousiast toe – daarbij mijns inziens
wijselijk de waarschuwing van Mahmut de Simurg in de wind
slaand dat de vagina meer mannen tot slaaf heeft gemaakt dan
alle tirannen uit de geschiedenis samen.

En dus trok ik mijn camise omhoog en liet zij haar broekje zakken.

Aarzelend en met kloppend hart bekeek ik haar gleuf, raakte die zelfs aan.

Zij daarentegen onderzocht me onaangedaan, alsof ik een medisch studieobject was. (Eens had ze mijn moeder, die verpleegster was, toevertrouwd dat ze later als ze groot was dokter wilde worden.) 'Ze zeggen dat een besneden piemel superieur is aan een onbesneden exemplaar. En dat christelijke vrouwen daardoor altijd in het nadeel zijn. Klopt dat?'

Ik deed alsof ik het antwoord wist. 'Absoluut.'

Nauwgezet bestudeerde ze mijn penis. 'Niet zo mooi als eentje die is besneden.'

'Hij wordt mooi. Na vandaag.'

'Maar je hebt een grotere dan Naim. En dan Bilâl.'

Dat deed me goed. Ik mocht dan dik zijn en nooit bendelid worden, ik was groot geschapen. Zelfs op zo'n jonge leeftijd betekende zoiets in de mannenwereld dat ik iemand was. 'O, ja…'

'Komt dat omdat jij moslim bent en zij joods?'

'Waarschijnlijk…'

'Maar ik heb gehoord dat jij geen echte moslim bent.'

'Dat ben ik wél.'

'Jij bent toch *dönme*?'

Dönme betekent letterlijk 'bekeerd'. Als naam van een volk verwijst de term naar de volgelingen van Sabetay Zevi, de zeventiende-eeuwse joodse wijsgeer die beweerde dat hij de langverwachte Messias was. Sultan Mehmet IV, bijgenaamd de Jager, had Zevi gearresteerd wegens onruststokerij en had hem gevraagd of hij zijn messiasschap wilde bewijzen door de pijlen te overleven die zijn drie beste boogschutters op hem zouden afschieten. Zevi, die zo verstandig was om deze test te weigeren, had zich meteen tot de islam bekeerd. Zijn volgelingen, die deze bekering interpreteerden als een volgende stap in de

16

vervulling van zijn messianistische profetie, hadden zich ook en masse bekeerd. In de eeuwen daarna waren ze echter hun geloof trouw gebleven en voerden ze in het geheim hun joodse riten uit.

'Wie zegt dat?'

'Iedereen die je familie kent.'

'Kunnen ze dat bewijzen?'

'Ze tellen één en één bij elkaar op…'

'Hoezo?'

'Jullie hebben veel joodse vrienden. De meeste van je familieleden gaan weg op joodse feestdagen. En je grootouders blijven maar op de joden vitten – wat veel bekeerlingen doen om hun joods zijn te verbergen.'

Ik bloosde. Ze had gelijk. Mijn grootouders, vooral mijn oma, leken zo onverdraagzaam naar de joden dat ze van antisemitisme werden beschuldigd. En inderdaad waren zij joden-in-het-geheim die er op feestdagen altijd vandoor gingen naar een niet nader genoemde locatie. En zorgvuldig verborgen ze elk spoor van hun joods zijn, vooral hun Hebreeuwse boeken, voor iedereen, ook voor mij.

Maar mijn ouders waren niet zo. Mijn ouders waren echte bekeerlingen – door en door islamitisch. Dat kon je aan hun vrome namen al zien: Kenan 'bescheiden' (mijn vader), Mukaddes 'heilig' (mijn moeder).

'Nou, ze hebben het bij het verkeerde eind. We hebben dan wel een dönme-achtergrond, maar wij zijn echte moslims.'

Gül haalde lachend haar schouders op. 'Niet dat het wat uitmaakt. Volgens Atatürk zijn we allemaal gelijk.'

'Ja.'

Ze wees naar haar vagina. 'Genoeg gezien?'

'Nee…'

Ze trok haar broekje op. 'Dat heb je wel, ja!'

Beteuterd liet ik mijn camise zakken. Ik besefte dat ik verliefd op haar was geworden. En ik fantaseerde dat we, nu we

elkaar onze geslachtsdelen hadden getoond, onszelf als getrouwd mochten beschouwen – tenminste officieus. Op slag
werd ik jaloers. 'Waarom heb je jezelf aan Bilâl laten zien?'

Ze lachte. 'Omdat ik van hem hou.'

'Dus je houdt nu ook van mij?'

'Jij bent te jong.'

'En Bilâl dan?'

'Die is joods.'

Ik wenste dat ik ook joods was. 'Is het omdat ik dik ben?'

Ze schudde haar hoofd. 'Nee. Alleen te jong. Ik moet nu
gaan. Veel sterkte.'

'Dankjewel.'

Bij de deur wierp ze me een kushand toe. 'Als je joods was
geweest, stond je nu te lachen. Dan had je het al achter de rug.'

Dat ergerde me. Ik wilde ertegen ingaan. Maar ze was al
vertrokken.

Dus schreef ik haar een brief waarin ik de vele redenen
aangaf waarom de besnijdenis voor een moslim zo belangrijk
was. Dat het de belangrijkste initiatie is in een jongensleven en
als zodanig moet worden gerespecteerd. Dat wij moslims,
anders dan joodse jongens die worden ontkapt wanneer ze
nog niet weten wie of wat ze zijn – om niet te zeggen dat het
geen kunst is om op je achtste dag te worden besneden – de
besnijdenis bewust ondergaan vlak voordat we in de puberteit
komen, als we al een beetje weten hoe het leven in elkaar zit en
wat we ervan kunnen verwachten. Dat, waar joodse jongens tot
na hun bar mitswa op hun dertiende moeten wachten voordat
ze als man worden beschouwd, wíj onze mannelijkheid bereiken zodra we onze voorhuid van ons hebben afgeschud. Dat
het uitvoeren van de besnijdenis als we oud genoeg zijn om het
belang van het ritueel te begrijpen, ons dwingt te streven naar
de perfectie van de profeet Mohammed, ook al is dat doel
onhaalbaar omdat de profeet Mohammed, gezegend is Zijn
naam, perfect werd geboren en dus de enige man was die

besneden ter wereld kwam. Dat de besnijdenis een van de vijf reinigingsmiddelen is die ons mentaal en moreel rechtschapen maken; vandaar dat we in onbesneden staat niet in een moskee mogen bidden, de hadj niet kunnen ondernemen en zelfs niet mogen trouwen.

Door het schrijven van de brief werden mijn angsten minder. Toen ik me naar het park begaf waar de gemeenschappelijke besnijdenissen werden uitgevoerd en daarna de festiviteiten zouden plaatsvinden, paradeerde ik over straat alsof mijn bespottelijke camise en hoed het uniform waren van Mehmetcik, onze eigen nationale soldaat die zelfs door zijn Britse tegenvoeter Tommy onoverwinnelijk werd geacht. Om de moed erin te houden zag ik weer voor me hoe Güls donzige vagina naar me glimlachte, als twee helften van een glanzende perzik. En ik dacht weer aan haar zachte hand om mijn penis. Mijn penis, die tot dan toe alleen maar kon plassen en steevast op de verkeerde momenten hard werd, was – dat mocht ik niet vergeten – groter dan die van Naim én van Bilâl!

Toen ik in de rij ging staan achter mijn ritebroeders voor de tent van de besnijder en de zegen ontving van Cemil Ağa, de plaatselijke rijkaard die bij wijze van jaarlijkse liefdadigheidsplicht de kosten van het feest op zich had genomen, beschaamde ik mezelf door een erectie op te wekken die een jongen van mijn leeftijd niet behoort te hebben.

Gül was, zoals ik al heb gezegd, een Pîr.

Dat ontdekte ik de zomer daarna.

We speelden voetbal op het strand van Suadiye. (Gül mocht niet zwemmen. Haar ogen waren allergisch voor het jodium in de zee.)

De moeder van Bilâl, Ester, was in haar eentje aan het zwemmen; ze was een heel eind weg, al halverwege naar Burgaz, het tweede Prinsesseneiland. De moeder van Gül, Lisa, een goede vriendin van Ester, lag uitgestrekt onder een parasol een boek te lezen. (Mijn moeder, Mukaddes, het derde lid van dit setje Gratiën, had een beurs gekregen voor een cursus verloskunde en zat in Ankara.)

Normaalgesproken zwommen Ester, Lisa en mijn moeder samen. Voordat ze getrouwd waren en kinderen kregen, waren ze een keer naar alle vier de Prinsesseneilanden gezwommen. Ze hadden zelfs een paar keer geprobeerd om de hele lengte van de Bosporus af te zwemmen, maar moesten dat telkens opgeven wegens de scheepvaart van en naar de Zwarte Zee. Maar Lisa mocht een paar dagen niet zwemmen, omdat ze tegen de pokken was ingeënt. (Bilâl was God mag weten waar. Naim en hij waren te stoer om met hun moeders gezien te willen worden.)

Gül dribbelde om me heen met de bal totdat ze daar plotseling mee ophield en naar de horizon wees. 'Ester is in gevaar!'

Ik keek de kant op waar ze naar wees. Ester – of beter gezegd haar rode badmuts – was een stip in de zee.

Gül rende naar het water. 'Ze wordt naar beneden getrokken!'

'Hoezo, naar beneden getrokken?'

Gül liep het water in en zwaaide als een dolle, jankte als een hond die werd mishandeld. 'Iemand moet haar redden!'

Terwijl Lisa opsprong, schopte ik mijn sandalen uit. 'Ik ga al! Ik kan goed zwemmen!'

Ik dook het water in. Ester was te ver weg en ik maakte geen enkele kans haar te redden, maar ik moest het proberen. Ik zwom als een bezetene.

Toen zag ik een andere zwemmer in het water van richting veranderen en naar Ester zwemmen.

Ik hoorde Gül schreeuwen. 'Ze wordt gered. Ze is nu veilig.'

De andere zwemmer was nu bij Ester.

Even later was ik ook bij hen.

De zwemmer bleek Deniz te zijn, familie van me aan vaderskant. Een van mijn droomvrouwen. Toen ze ging trouwen – ik was toen amper vier jaar oud – kreeg ik een monsterlijke woedeaanval, noemde haar man een ezel en smeekte haar van hem te scheiden en met mij te trouwen. Deniz' echtgenoot, een lieve en goedaardige man, had me kalm geweerd. Sindsdien had ik haar opgesloten in mijn fantasiewereld en haalde ik me ongehoorde dingen met haar voor de geest.

Ester had last van maagkrampen. Een vrouwenprobleem, vertelde Gül me later.

Deniz en ik sleepten haar om beurten terug. Dat was zwaar, maar niet zonder beloning. Terwijl we uit alle macht Ester in bedwang probeerden te houden, die wild om zich heen sloeg alsof ze ons allemaal wilde laten verdrinken, schuurde ik regelmatig tegen Deniz' grote borsten aan.

Op het strand, nog steeds verkrampt, omhelsde Ester ons. 'Hoe wisten jullie dat ik bijna verdronk?'

Lisa wees naar Gül, die de bal had opgepakt en ingewikkeld voetenwerk oefende. 'Zij zag jou.'

Deniz knikte. 'Ja, ik hoorde Gül schreeuwen! Dus draaide ik me om en zag ik Ester.'

Ik was verbijsterd. 'Hoe kon je haar hebben gehoord? Je was veel te ver weg.'

'Al sla je me dood. Maar ik kon haar horen.'

Gül trok me weg. 'Kom op, laten we nog even voetballen.'

Later, tijdens de siësta, pakten Gül en ik de fiets. De hitte van de middag trotseren met zware inspanningen was onze manier om te laten zien hoe stoer we waren. We fietsten door de Gouden Hoorn en terwijl we ons verbeeldden dat we in de Tour de France reden en bergen beklommen als de Tourmalet, de Aubisque en de Izoard, trapten we als bezetenen de heuvels op en af. Gül, de snelste van ons, had zichzelf allang de *maillot jaune* toebedacht en droeg altijd een gele trui.

Toen we stopten om vijgen te plukken van de bomen langs de laan naar het Grieks patriarchaat, vroeg ik haar: 'Hoe kon Deniz jou hebben gehoord? Je schreeuwde niet eens!'

Gül dacht lang na. 'Vreemd, vind je ook niet?'
'Telepathisch, zou ik eerder zeggen.'
'Misschien.'
'Wat kan het anders zijn?'
Gül trok me naar haar toe. 'Kun je een geheim bewaren?'
'Dat weet je.'
'Je mag het aan niemand vertellen.'
'Zeg op.'
'Het is als telepathie, maar dan sterker. Ik voel – zie – dingen aankomen. Gevaarlijke dingen. Vlak voordat ze gaan gebeuren...'
'Doe niet zo raar...'
'Ik kan de Dood zien... Als hij te dichtbij komt...'
'Dat kan niet...'
Ze keek me geërgerd aan. 'Dat kan wél! Ik heb de Dood al zo vaak verjaagd. Bijvoorbeeld toen hij voor jou kwam...'
'Voor mij?'
'Toen je voor de tweede keer difterie had.'
'Ik kreeg nog een keer difterie omdat ze me op school hadden ingeënt voordat ik van de eerste keer was genezen!'
'Maar toch, hij kwam voor jou, de Dood... Hij draalde drie nachten om je heen...'
Ik herinnerde me die nachten nog. Mijn luchtpijp zat zo verstopt dat ik nauwelijks kon ademen. Mijn moeder had een zuurstoffles van het ziekenhuis kunnen regelen – destijds waarschijnlijk de enige zuurstoffles in Istanbul – maar zelfs dat had niet mogen baten. Ze hadden een tracheotomie moeten uitvoeren.
'Ik ben door die tracheotomie gered.'
Gül lachte besmuikt. 'Die had je aan mij te danken.'
Ik lachte geforceerd. 'Ja, dat zal wel!'
'Ik bleef schreeuwen naar alle doktoren die ik maar kon bedenken! Vanbinnen – zoals ik vanochtend naar Deniz heb geschreeuwd: Doe iets! Doe iets! En toen voerden ze de tracheotomie uit.'

Ik keek haar aan in de verwachting dat ze ging giechelen en zou toegeven dat het maar een grapje was.

Uitdagend keek ze naar me terug. 'Je gelooft me zeker niet.'

Dat deed ik wél. En toch ook niet. Ik knikte onzeker.

'Je houdt het voor je – dat heb je beloofd!'

Ik knikte weer.

Ze wreef in haar handen. 'Goed. Maar denk niet dat de Dood je heeft vergeten. Hij is altijd in de buurt. Dus wordt het tijd dat je heel sterk wordt. Dat je dat vet omzet in spieren. Doe je aan worstelen?'

'Nee…'

'Dat is de beste manier. Kom maar op, ik daag je uit!'

Ik keek haar verbijsterd aan. 'Worstelen, met jou?'

'Waarom niet? Ben je soms bang dat je van me verliest?'

'Je bent een meisje…'

'Ik zal het aan niemand vertellen, wees maar gerust.' We stonden bij een braakliggend terrein. Ze trok me mee en tekende een vierkant in de grond. 'Dit is de mat…'

En al worstelend, terwijl ik mijn armen om haar gespierde dijen klemde en haar billen voelde, die stevig waren als gespannen biceps, besloot ik dat ik hoe dan ook met haar zou trouwen, te jong of niet. Ik zwoer zelfs dat ik haar nooit meer ontrouw zou zijn in mijn fantasieën en droomvrouwen als Deniz niet meer zou begeren – een onmogelijkheid, zoals ik snel zou ontdekken.

Hoe graag ik ook met haar stoeide, ik vond het niet prettig om telkens van Gül te verliezen als we worstelden. Dus ging ik bij de junioren van Fenerbahçe en begon ik na school serieus te trainen.

Ik verbaasde iedereen, in de eerste plaats mijzelf, met mijn kennelijk sportieve aanleg. Na ongeveer een jaar krachttraining had ik bijna al mijn vet omgezet in spieren en was ik zichtbaar sterker, zo sterk zelfs dat ik hoopte dat ze me zouden vragen lid te worden van de bende van Naim. Wat niet gebeurde. Vooroordelen zijn hardnekkig. Bovendien werd ik, omdat ik bevriend was met Gül, gezien als een meidengek.

Weer een jaar later kon ik eindelijk Gül eens verslaan. Daarna verloor ik nooit meer van haar.

Terugkijkend moet ik bekennen dat ik naar mijn gevoel veel te snel en te gemakkelijk van haar had gewonnen. Achteraf schrijf ik dit toe aan het feit dat Gül, omdat ze steeds meer verstrikt raakte in haar doodzeggerswereld, haar interesse in de gewone wereld had verloren.

Ook moet ik bekennen dat ik me diep in mijn hart van deze dislocatie bewust was. Maar ik nam liever aan dat haar onthechtheid betekende dat ze zich geen zorgen meer om mijn gezondheid hoefde te maken. Alsof dat niet erg genoeg was, negeerde ik ook de waarschuwende verhalen van Mahmut de Simurg over waarzegsters als de Pythia en Cassandra, de Sibylle en de Sfinx. Deze ziereressen, legde de verteller van de waarheid uit, gaan vroeg of laat ten onder aan een staat die bekendstaat als 'de ziekte van de Pîr'. Dat is een verstarring van de geest die de Pîr treft als hij of zij te vaak de Dood heeft gezien. Gül, die ik aan de verhalenverteller had voorgesteld, was een uitzonderlijke Pîr, waarschuwde hij me, en viel misschien eerder ten prooi aan deze verstarring dan de meeste andere.

Nog onvergeeflijker was dat ik niet zag hoe zwaar Gül eronder leed toen ze me voor het eerst over haar angsten vertelde.

Het was een nationale feestdag, 19 mei, de dag waarop we de aankomst vieren van Atatürk in Samsun in 1919, het begin van de Onafhankelijkheidsoorlog. We waren naar het park gegaan waar de kermis al volop bezig was. Hoewel we deze keer met de bende hadden kunnen meegaan – Naim lag in bed met geelzucht en Bilâl, zijn plaatsvervanger, had duidelijk een even groot zwak voor Gül als zij voor hem – deden we dat niet. Gül, nog dieper dan normaal verzonken in haar binnenwereld, stond erop dat we alleen zouden gaan.

En zo liepen we langs schiettenten, de rupsbaan, draaimolens, acrobaten, jongleurs enzovoort. Mijn pogingen om haar op te beuren mislukten jammerlijk.

Maar toen we aankwamen bij de zigeuners, leefde ze op. Ze nam me bij de hand en bestudeerde de zigeunertenten. Bij één tent bleef ze plotseling staan en staarde naar het uithangbord. Onder een afbeelding van kruiden en kristallen bollen stond:

* FATMA * HEALER * MEDIUM *

'Hier wil ik in, Rıfat.'

Ik trok haar weg. 'Straks.'

Mijn aandacht was getrokken door het terrein van een berenleider die vroeg of er nog 'dappere kerels' waren onder de toeschouwers die durfden te vechten tegen deze enorme beer, die Yavru heette, 'zoogkind'. En dat voor maar tien *kuruş* – terug te vorderen wanneer het de uitdager lukte zich een minuut lang staande te houden.

Ik stootte Gül aan. 'Zal ik?'

'Ach nee, da's geldverspilling.'

'Wat is nou tien kuruş?'

'Dat is een tiende van een lira. En met een lira kunnen we samen naar de film.'

'Maar dit is een uitdaging...'

'O, goed dan. Maar dan mag ik straks naar Fatma, het medium.'

'Natuurlijk.'

Ze trok een vies gezicht. 'Wat stinkt die beer!'

'Nou? Zal ik het doen? Ik kan me haast niet inhouden...'

'Ga dan. Laat zien wat je kunt!'

Ik trok mijn overhemd uit en betaalde tien kuruş.

Meteen toen ik naar de ring liep, ging Yavru op zijn achterpoten staan. Hij leek ineens twee keer zo groot.

De berenleider rammelde aan Yavru's ketting.

De beer gromde.

Ik stond perplex, was plotseling doodsbang.

De beer viel aan. Het ging zo snel dat ik niet eens kon terugdeinzen of weglopen. Al na een paar seconden lag ik op de grond en stond de beer met zijn voorpoten triomfantelijk op mijn borst.

De berenleider floot hem.

Loom liep Yavru weg.

Ik stond op, schaamde me omdat mijn poging zo jammerlijk was mislukt.

De berenleider gaf me een hand. 'Jij hebt tenminste lef.' Hij wees naar de menigte. 'Dat zijn allemaal bangeschijters!'

Gül kuste me op mijn wang. 'Ik ben trots op je!' Toen haalde ze haar zakdoekje te voorschijn en depte mijn borst. 'Hij heeft je gekrabd!'

Gefrustreerd riep ik: 'Hij had me kunnen vermoorden.'

'Dan zou ik zijn gewaarschuwd.'

'Wat?'

'Als je in gevaar zou komen had ik dat voorzien.'

'Ach ja, natuurlijk...'

'Ik zie dat soort dingen... Dat heb ik je toch ooit verteld? Weet je dat niet meer?'

Ik knikte halfhartig. Aangezien ik nog steeds treurde om mijn nederlaag liet ik me niet zomaar overtuigen. Ik trok mijn hemd aan en liep weg.

Ze wees naar het uithangbord van Fatma, het medium. 'Wacht! Daar moet ik heen.'

'Moet dat echt?' mompelde ik.

'Ja. Ik ben zo terug.'

Ik wachtte, mijn weetlust won het van mijn geïrriteerdheid.

Toen ze een paar minuten later naar buiten kwam, glimlachte ze – voor het eerst die dag.

Dat maakte me nieuwsgierig. 'Voor wie heb je dat medium geraadpleegd?'

'Ze is niet zomaar een medium. Ze kan ook mensen genezen.'

'Ja, en?'

'Voor Naim.'

'Maar waarom in vredesnaam?'

'Laten we een ijsje eten. Dan vertel ik het je.'

We kochten een ijsje en gingen op een bankje zitten. Güls glimlach was verdwenen. Ze staarde schijnbaar in het niets, met opengesperde ogen.

Ze zag er zo kwetsbaar uit dat mijn pesthumeur verdween. Ik streek door haar haren. 'Ik luister.'

Tot mijn verrassing pakte ze mijn hand vast. 'Ik ben bang.'

'Omdat Naim ziek is? Het is maar geelzucht.'

'Hij heeft het al langer dan een maand. Hij is nu heel zwak. Het zal erger worden…'

'Ach, kom nou…'

'Ik vergis me nooit in dit soort zaken. Ik kan in de toekomst kijken – ik kan zien wat er gaat gebeuren. De rampen. Het is heel beangstigend. Naim heeft een alternatieve genezer nodig. Fatma kan hem beter maken.'

'Zouden je ouders dat wel goed vinden?'

Ze sneerde. 'Mijn ouders? Hun zoon toevertrouwen aan een zigeunerin? Nooit van hun leven.'

'Dan hebben we een probleem.'

'We moeten het stiekem doen. Ik zal Fatma het huis in moeten smokkelen.'

'Dat is vragen om moeilijkheden!'

'Je moet me helpen…'

'Ik? O, nee! Ik bedoel, een alternatieve genezeres die dingen doet met Naim! Terwijl er genoeg goede doktoren zijn…'

'Alsjeblieft. Ik heb je hulp nodig. Als Fatma Naim niet behandelt, gaat hij dood!'

'Doe niet zo raar!'

'Ik zweer het je! Ik kan de Dood zien! Ik kan zien hoe Naim

zal lijden! Alle afschuwelijke details!' Ze begon te huilen. 'Naim gaat dood als we niets doen! Geloof me!'

Ik dacht terug aan die dag op het strand van Suadiye toen ze op de een of andere manier met Deniz had gecommuniceerd om Ester te redden. Ook moest ik denken aan haar bewering dat ze mij had gered toen ik voor de tweede keer difterie had gekregen, doordat ze een arts een tracheotomie had laten uitvoeren. 'Ik kan het nauwelijks bevatten…'

'Dat weet ik. Maar het is echt zo. Ik zie dit soort dingen aankomen. Ik zie de Dood. Daarom ben ik zo bang.'

Ik gaf me gewonnen en geloofde haar. 'Wat gaat de zigeunerin doen?'

'Wat denk je? Wat zigeuners zoal doen. Hand opleggen. Kruiden toedienen…'

'Is dat alles?'

'Hoezo alles? Wil je me nou helpen?'

Hoe kon ik dat weigeren? 'Wat moet ik doen?'

'Vanavond laat, als iedereen op bed ligt, breng jij Fatma naar ons huis. Ik laat jullie binnen. Ze zei dat ze maar een paar minuten nodig heeft…'

Ik knikte, maar bleef gespannen.

Ze kuste me. 'Je bent een echte vriend!'

'Nog één vraag. Zie jij ook dingen over jezelf?'

'Gelukkig niet. Waarom?'

'Stel dat er iets misgaat vanavond?'

'Wees maar niet bang. Jij bent erbij. Ik heb niks met jou zien gebeuren.'

Gül woonde in een huisje aan zee aan het einde van een boulevard met cafés waarvan de clientèle voornamelijk bestond uit de werknemers en passagiers van Haydarpaşa, het spoorwegstation voor de bestemming Anatolië en de landen die daarachter liggen. Vandaar dat het dag en nacht druk was in die buurt en niemand – zelfs niet de nachtwakers – naar Fatma en mij omkeek toen we in alle vroegte over straat liepen.

Gül had bij het raam op de uitkijk gestaan en deed meteen de deur open toen we bij haar huis aankwamen.

Met een zaklamp voor ons uit lopend bracht ze ons naar de kamer van haar broer.

Naim, klam van het zweet, lag onrustig te slapen.

Fatma streek een lucifer af, pakte een scheermes en hield dat in de vlam.

Dat maakte me nerveus. 'Wat ben je aan het doen?' fluisterde ik.

Fatma mompelde. 'Ik steriliseer het mes.' Ik moest van haar aan de andere kant van het bed staan. 'Hou hem bij zijn schouders vast. Gül, jij pakt hem bij zijn hoofd.'

Ik stamelde ontzet. 'Je gaat toch niet in hem snijden?'

Ongeduldig snauwde Fatma: 'Pak hem nou maar bij zijn schouders, ja!'

Gül, die met beide handen Naims hoofd krampachtig vasthield, siste boos. 'Doe nou gewoon wat ze zegt, Rıfat!'

Verbijsterd hield ik Naims schouders klem.

Naim schrok wakker. Toen hij ons zag – drie schaduwen achter het zwakke licht van de zaklamp – raakte hij in paniek en wilde hij gaan schreeuwen.

Fatma hield haar hand voor zijn mond. Met haar andere hand maakte ze bliksemsnel drie parallelle sneetjes in zijn voorhoofd van ongeveer twee centimeter lang en een halve centimeter van elkaar af.

Naim spartelde krachtig tegen.

Gül probeerde hem te kalmeren. 'Sssst! Niet bang zijn! Het komt allemaal goed!'

Toen Naim het bloed over zijn gezicht voelde stromen raakte hij nog meer in paniek. Met zijn laatste krachten duwde hij ons van zich af en begon te schreeuwen.

Rustig borg Fatma haar mes op. 'We kunnen gaan.'

Maar voordat we een stap konden zetten, ging het licht aan

in de kamer en stormden Naims ouders, Lisa en Sami, naar binnen.

Geschrokken stonden we elkaar aan te kijken.

Naim, die nog steeds schreeuwde, kroop het bed uit en rende op hen af. 'Mama! Papa!'

Toen Lisa het bloed zag op Naims voorhoofd, begon ze te gillen.

Sami keek ons ontzet aan. 'Wat hebben jullie met hem gedaan?'

Fatma gaf een klopje op zijn schouder. 'Alles komt goed met hem. Ik heb het gif eruit gehaald.'

Sami staarde naar zijn zoon. 'Wát heb je met hem gedaan!?'

'Het gif waardoor hij zo geel was. Ik heb het door zijn derde oog laten wegvloeien. Over drie dagen is hij beter.'

Terwijl Naim nog steeds aan haar lijf hing, barstte Lisa uit in tranen. 'Haal de politie erbij. Haal de politie erbij!'

Gül schreeuwde. 'Nee, ze heeft alleen maar Naims leven gered!'

Lisa en Sami keken haar aan alsof ze niet goed bij haar hoofd was.

Gül wees naar Naims sneetjes. 'Kijk, drie kleine sneetjes maar. Dat is alles. Het bloed droogt al op.'

Lisa begon weer te schreeuwen. 'Sami, de politie. Haal de politie erbij!'

Gül hield haar vader tegen. 'Nee, papa! Geloof me. Ik kan het je uitleggen…' Ze draaide zich om naar Fatma en mij. 'Gaan jullie maar! Dank jullie wel.'

We maakten ons uit de voeten.

De volgende dag had iedereen het over onze duivelskunsten. Pas toen de huisarts, die er in allerijl was bij gehaald, verklaarde dat de sneetjes die Fatma in Naim had aangebracht oppervlakkig en niet ontstoken waren, zagen Lisa en Sami ervan af ons aan te geven bij de politie.

Op de derde dag was Naims geelzucht verdwenen, alsof

engelen de ziekte tijdens zijn slaap hadden weggeveegd.

Een week later, toen hij op krachten begon te komen, was hij weer het haantje van voorheen.

In de maanden daarna werden Fatma, Gül en ik – vooral Gül – gezien als 'anders'. Als mensen voor wie je op je hoede moet zijn.

Fatma kon het nauwelijks wat schelen. Zigeuners werden altijd al argwanend bekeken.

Maar ik kreeg er steeds meer spijt van. Vooral omdat, toen ik vroeg of ik eindelijk lid mocht worden van de bende, alleen Bilâl achter me stond. Ik confronteerde Naim: niet alleen had ik een belangrijke rol gespeeld in de redding van zijn leven, ook was ik inmiddels, omdat ik serieus was gaan worstelen, sterker dan de meeste andere jongens, sterker zelfs dan hij. Dat was hij met me eens, maar hij bedacht een slap excuus: ik had geworsteld met een beer; dat maakte mij zo smerig als een zigeuner. (Ik had hem tegen zijn derde oog moeten slaan, maar dat kwam niet in me op. Ik ben nooit zo ad rem geweest.)

Gül verging het slechter. In plaats van geprezen te worden om haar kordate reddingspoging van Naim, werd ze door iedereen aangekeken alsof ze geprobeerd had haar broer te vermoorden. Boze tongen beweerden dat ze een dochter was van Şeytan, de Duivel – dat ze zelfs omgang met hem had. Gül negeerde deze geruchten of lachte erom. Maar ik kon zien dat ze eronder leed. Ik kon zien dat ze met de dag sterker in de greep kwam van de 'ziekte van de Pîr'.

De tijd verstreek.

We bleven bevriend, maar met iets meer afstand. Ik bleef verzot op haar. We zagen elkaar steeds minder vaak. Ze was nauw bevriend geraakt met Handan Ramazan, het meisje dat naast de bakker woonde en *kanun* speelde, dat magische instrument dat volgens Handans vader, de beste speler van het land, met zijn tweeënzeventig snaren elk hemels geluid kan voortbrengen. Ze waren tieners geworden en hadden een passie ontwikkeld voor dansmuziek en films. Ik had míjn religie gevonden: worstelen.

Ongeveer twee jaar later, op een andere nationale feestdag, 30 augustus, de Dag van de Overwinning, kwamen we elkaar weer tegen in het park. Als uit respect voor ons vorige bezoek, waren we, ieder apart, naar het terrein van de berenleider gegaan.

Ze plaagde me. 'Kom je revanche nemen?'

Ik glimlachte en trok mijn hemd uit. 'Waarom niet?'

Ik liep de arena in. Maar deze keer was ik er beter op voorbereid. Toen de beer aanviel, sprong ik opzij en klom ik op zijn rug. Met alle trucs die ik had geleerd probeerde ik hem uit zijn evenwicht te brengen. Natuurlijk schudde de beer me uiteindelijk van zich af. Maar ik had veel langer dan de vereiste minuut standgehouden.

Daarna gingen we, nog steeds in een nostalgische stemming, een ijsje halen. We zeiden niet veel. Ik genoot nog na van mijn geslaagde gevecht tegen de beer. Ze staarde naar haar handen – een teken dat ze opging in haar eigen wereld. Uiteindelijk, verward door onze stilte – we zouden elkaar toch veel te vertellen moeten hebben – stonden we op om te gaan.

'Het ga je goed, Rıfat. En wees voorzichtig.'

'Natuurlijk.'

'Er staan verschrikkelijke dingen te gebeuren. In Europa. China. Het wordt steeds erger.'

'Heb je weer dingen gezien?'

'Een hele stortvloed. De hele tijd. De Dood, overal. Niet alleen joden. Iedereen. Zelfs onze vriend...'

'Onze vriend? Wie?'

'Ik weet het nog niet zeker...'

'Als ik het wist, dan zou ik kunnen proberen het te voor-komen...'

Ze streek met haar hand over mijn wang. 'Wat ben je toch een lieve jongen. Het is nu nog heel vaag. En misschien heb ik het helemaal mis. Maar aan verwarring – onzekerheid – hebben we niets. Daar word ik alleen maar gekker van.'

'Kan ik iets voor je doen? Ergens mee helpen?'

'Kun je me in slaap sussen? En zorgen dat ik nooit meer wakker word?'

'Misschien zouden we elkaar wat vaker moeten zien…'

Ze kuste me op mijn mond. 'Wees voorzichtig. Altijd.'

Toen liep ze weg.

Twee dagen later viel Duitsland Polen binnen.

Het werd winter. En het zou een van de koudste winters van de eeuw worden. In sommige delen van Anatolië zakten de temperaturen tot beneden de min dertig graden Celsius.

Op 26 december 1939 ging mijn moeder naar Erzincan, in Oost-Turkije.

Zoals ik al zei, had mijn moeder een opleiding tot vroedvrouw gevolgd. Ze werd zo goed in dit vak dat ze al snel beter was dan de meeste verloskundigen die in het buitenland hadden gestudeerd. In 1938 kreeg ze, dankzij de hoogste aanbevelingen, van het ministerie van Volksgezondheid de opdracht een landelijke verloskundigenopleiding op te zetten.

De belangrijkste aanbeveling voor mijn moeder was afkomstig van niemand minder dan professor Albert Eckstein, een Duitse joodse kinderarts die van Atatürk persoonlijk asiel had gekregen als vluchteling uit Hitlers Duitsland, en die in de loop der jaren de status van heilige had verworven binnen het Nümune-ziekenhuis in Ankara – het instituut dat model staat voor alle ziekenhuizen in het land. Het was dankzij de goedkeuring van deze professor dat mijn moeder de zuurstoffles had meegekregen toen ik voor de tweede keer difterie had, en op zijn advies had mijn huisarts destijds de tracheotomie uitgevoerd. Ik weet dit omdat Gül me eens vertelde dat hij een van de artsen was geweest die ze op telepathische wijze had gesmeekt mij te redden.

(Atatürks asielaanbod aan degenen die door de nazi's werden vervolgd – een aanbod dat niet alleen talloze Europese kunstenaars, wetenschappers en intellectuelen redde van een wisse dood, maar hen ook in staat stelde hun loopbaan voort te zetten – was in navolging van sultan Beyazıt, die bijna vijfhonderd jaar daarvoor de grenzen van het rijk had geopend voor de grote aantallen joden en moren die op de vlucht waren geslagen voor de Spaanse Inquisitie. Professor Eckstein, moet ik erbij zeggen, werd aanvankelijk door het Derde Rijk vervolgd omdat hij tegen het nazi-regime was – wat je in die tijd meteen tot communist maakte – en niet omdat hij joods was. Zoals mijn vader eens opmerkte, het feit dat de goede professor buitengewoon gerespecteerd werd door een Turkse regering die zelf de Communistische Partij van het land onwettig had verklaard en bijna alle leden daarvan gevangen had gezet, geeft aan hoezeer Turkije door tegenstrijdigheden werd gekenmerkt – wat nog steeds het geval is.)

Mijn moeder moest onvermijdelijk veel reizen. Hoewel ik daar niet blij mee was, kon mijn vader er sportief in berusten. Als onderzoeksbotanicus aan de Landbouwhogeschool in Çiftlik, onder de rook van Ankara, begreep hij maar al te goed dat een land dat binnen een paar decennia van de achttiende naar de twintigste eeuw wilde springen, prioriteiten moest stellen. Dus maakten ze beiden van elke thuiskomst een feestje en hadden ze een huwelijk dat al hun vrienden afgunstig maakte. (Helaas zullen mijn grootouders aan vaderskant tot op de dag van vandaag iedereen vertellen dat door mijn moeders uithuizigheid mijn ontwikkeling ernstig was verstoord en mijn belangstelling werd afgeleid door sport en niet uitging naar de oude vertrouwde handel. Maar zij camoufleren dan ook zo fanatiek hun dönme-achtergrond dat ze op elk non-conformistisch gedrag kritiek zouden hebben. En ze hebben natuurlijk het rijk voor zich alleen. Mijn grootouders aan moederskant, ook dönme maar vrijzinnig, waren in 1922 omgekomen bij de slag om Izmir.)

Zoals ik al zei ging mijn moeder op 26 december naar Erzincan. Ongeveer om negen uur 's avonds kwam ze daar aan – een feit dat mijn vader had achterhaald uit de dienstregeling van de bus die haar vanuit Erzurum daarnaartoe had gebracht. Vrijwel meteen gaf ze een lezing in het stadsziekenhuis. De volgende ochtend zou ze een groep schoolverlaters van de middenschool toespreken die verloskundige wilden worden.

Ongeveer op het moment van haar aankomst stormde Gül ons appartement binnen en riep dat mijn moeder in gevaar was.

Huilend en opgewonden smeekte ze mijn vader en grootouders om onmiddellijk contact op te nemen met mijn moeder en haar te zeggen dat ze Erzincan moest verlaten en zo ver mogelijk naar het noorden moest gaan.

Mijn vader en grootvader hadden uiteraard wel eens over Güls profetische gaven gehoord. Maar er was voor hen geen reden aan te nemen dat mijn moeder in levensgevaar was.

Voor mij wel. En voor mijn grootmoeder ook, die geloofde in alles wat occult was. En samen zetten we mijn vader en grootvader onder druk om contact op te nemen met mijn moeder.

Gehaast gingen ze de deur uit om een telefoon te vinden – geen eenvoudige taak op een bitterkoude winteravond in Istanbul in 1939 – terwijl we maar hoopten dat het verouderde telefoonnetwerk van het land wonder boven wonder de elementen zou trotseren en door het bergachtige oosten heen kwam.

Rond elf uur 's avonds, terwijl mijn vader en grootvader nog steeds buiten waren, werd Gül rustig. Helemaal uitgeput keek ze ons aan. 'Het is te laat. Ze heeft geen tijd meer om eraan te ontsnappen.'

Ik wilde haar niet geloven. Maar mijn krachten ebden weg. Ik zakte neer op de vloer en kromp ineen.

Gül kroop in een hoekje en staarde voor zich uit.

Na een nachtmerrieachtige stilte van een uur kwamen mijn vader en grootvader terug. Ze hadden heel Istanbul afgestruind op zoek naar een telefoon. Uiteindelijk was mijn vader op het idee gekomen om naar zijn vrijmetselaarsloge te gaan, waar een centrale was. Ze moesten er de nachtportier voor wekken en na wat een eeuwigheid leek te duren, kregen ze eindelijk contact met mijn moeder op haar verblijfplaats. Hoewel ze had ge-klonken alsof alles goed met haar ging, meende mijn vader dat het telefoontje haar ongerust had gemaakt.

Gül zei niets. Ze raakte nog dieper in zichzelf verzonken.

We sleepten ons naar bed.

Rond twee uur 's nachts begon Gül weer te gillen. 'Ze is dood! Verpletterd! Dood! Dood!'

Panisch sprongen we uit bed.

Mijn grootmoeder, die altijd rustig bleef wanneer ze onder druk stond, zette de radio aan.

En na vele martelende uren, heen en weer geslingerd tussen hoop en wanhoop, vernamen we de eerste berichten over de aardbeving bij Erzincan. Acht op de schaal van Richter – slechts een graad onder het maximum. De beving begon om 01.57 uur en duurde tweeënvijftig seconden – een eeuwig-heid voor degenen die erdoor getroffen werden. Volgens een overlevende was het alsof de duivel de aarde schudde als een dobbelsteen tijdens een spannend spelletje backgammon. Heel Erzincan en vele omliggende dorpen werden met de grond gelijkgemaakt. Omdat telefoon- en telegrafielijnen waren ver-nietigd duurde het zo lang voordat het nieuws doorkwam. Gebieden tot honderden kilometers voorbij het epicentrum werden getroffen. (In Ankara kraaide het vierjarige zoontje van een familielid van plezier toen zijn ledikantje van muur naar muur schoof, omdat hij dacht dat de trillingen een nieuw spelletje waren.)

Het dodental liep op tot drieëndertigduizend. Naar schatting werden er honderdtwintigduizend huizen verwoest.

Het lichaam van mijn moeder is nooit gevonden. De grond waarop haar accommodatie stond, was opengescheurd en had alle gebouwen opgeslokt; daarna, alsof hij zich schuldig voelde om wat hij had gedaan, ging hij weer dicht, nauwelijks een spoor achterlatend.

In de weken daarna zag ik Gül nog maar één keer. Ze kwam langs om me een paar krantenknipsels te laten zien waarin stond dat op de radio in nazi-Duitsland de ramp in Erzincan een goddelijke wraakactie werd genoemd; misschien zou Turkije zich nu aansluiten bij de asmogendheden en de betrekkingen met Engeland en Frankrijk beëindigen. Hoewel ik zag dat Gül, als joods meisje, uitermate verontrust was door deze krankzinnige tirades van de nazi's, had ik niet de gevoeligheid om haar te troosten. Ik ging te zeer op in mijn eigen verdriet, werd gekweld door de wanhoop waarmee kinderen proberen het leven zonder een ouder te accepteren.

Later, op zaterdag 3 februari 1940, ontving ik een brief van Gül: *'God zij geprezen! Ik weet nu hoe ik de visioenen kan stoppen.'*

Ik rende naar haar huis. Haar moeder vertelde dat ze het weekend bij haar vriendin Handan logeerde. Ze wilden naar een film gaan.

Ik ging naar het huis van Handan. Gül had helemaal niet bij hen gelogeerd. Handan had haar zelfs al een paar dagen niet gezien.

Intuïtief ging ik naar het park waar 's zomers de kermis werd gehouden. Als een slaapwandelaar liep ik naar het bankje waarop we ooit een ijsje hadden gegeten.

37

Daar lag ze. Plat op de bank. Als Sneeuwwitje. Vredig. Ogenschijnlijk in slaap. Maar verduurzaamd in wit ijs. Ze was doodgevroren.

Ze was gestorven met een glimlach om haar mond. Of verbeeldde ik me dat maar?

2: Musa

Linzen in het paradijs

Het paradijs was een geschenk van Sofi aan Selim en mij. Ze nam ons er regelmatig mee naartoe. Ik, Musa, was ongeveer zeven; Selim een jaartje ouder. Het paradijs was de hamam, het Turkse badhuis, voor vrouwen in Ankara.

Ik zie nog voor me hoe Sofi uit een ooghoek de wacht hield terwijl Selim en ik ons in extase overgaven – ze glimlachte daarbij, dat weet ik zeker, achter dat litteken dat schuin over haar mond liep. (Jaren later noemde mijn Griekse geliefde Eleftheria – haar naam betekent 'vrijheid' – die er trots op was dat ze vele vrouwen in zich verenigde, onze extase 'de hekserij van tien dansen', een duidelijk hellenistische woordspeling op 'decadentie'.)

Sofi sloot ons in haar armen alsof we haar eigen kinderen waren; en wij hielden evenveel van haar. We hielden zelfs meer van haar dan van onze eigen moeders, durf ik nu te bekennen. We redeneerden dat, omdat zij geenszins de verplichting had op ons gesteld te zijn, maar dat wél was, wij haar genegenheid dus hadden verdiend. Daardoor geloofden we die domme praatjes niet van onze ouders en mensen uit de buurt, die beweerden dat, aangezien iedere vrouw volgens de natuur een moederinstinct heeft, Sofi, wier lot het was om ongetrouwd en kinderloos te blijven, onwillekeurig de behoefte had ieder kind dat op haar pad kwam in haar armen te sluiten, zelfs schoffies als Selim en ik. (Ik herinner me het refrein van een buurman: 'Ze mag dan nog wel maagd zijn, maar wie wil nou een meisje met zo'n kras in haar gezicht?' En wij schoffies, Selim en ik, schreeuwden in koor, wijselijk buiten gehoorsafstand: 'Wacht maar tot we ouder zijn!')

Sofi was een van de vele jonge vrouwen uit het Anatolische achterland die na verlies van huis en haard hun toevlucht zochten in een baan als dienstmeisje in de stad. De beloning voor dit werk was vaak niet meer dan de kost en een bed in een hoekje op de gang; het loon, als dat er al aan vastzat, bedroeg zelden meer dan één of twee armzalige lira per maand. Maar begin jaren veertig, toen Turkije door zijn neutraliteit in de Tweede Wereldoorlog ernstig in de economische problemen kwam, was zelfs dit soort werk moeilijk te vinden; in de grotere steden, Istanbul, Izmir, Adana en de nieuwe hoofdstad Ankara, deden talloze huiveringwekkende verhalen de ronde over de lotgevallen van de vele ongetrouwde vrouwen van het platteland die het niet gelukt was om zo'n baantje te vinden.

Ondanks het voortdurende gevecht om de eindjes aan elkaar te knopen betaalden mijn ouders, kan ik gelukkig zeggen, een fatsoenlijk salaris uit. Want Sofi was een Armeense, behoorde tot een volk dat net als de joden al meer dan genoeg ellende had meegemaakt. Sofi was, waar haar vroeg grijs geworden haar en diepe litteken van getuigden, een overlevende van het Lijden waaronder de Armeniërs in het Ottomaanse rijk tijdens de Eerste Wereldoorlog gebukt gingen.

Selim en ik weigerden Sofi te beschouwen als een dienstmeisje. Met de wijsheid van kinderen wezen we die aanduiding af als neerbuigend. We noemden haar *abla*, 'oudere zus'. Omdat Selim geen broer van me was, maar een vriendje uit de buurt, stond ik er aanvankelijk op dat ze alleen míjn abla was, maar Sofi, die ons alles bijbracht wat nobel is in de mens, maakte van deze gelegenheid gebruik ons iets te leren over ware gerechtigheid. Terwijl ze zacht over mijn voorhoofd streek – en terwijl Selim met behulp van een paar deurbellen die we hadden gevonden op een vuilnishoop een telegraaf in elkaar flanste waarmee we de wereld kond zouden doen van haar superieure boodschap – doordrong ze ons ervan dat Selim en ik, aangezien we al sinds onze peutertijd onafscheidelijk waren, inmiddels verstandig genoeg moesten zijn om kinderachtige impulsen als hebzucht en bezitterigheid uit onze ziel te bannen. Ze was van ons allebei, dat was toch wel zo natuurlijk? Wat neerkwam op 'allen voor één, en één voor allen'. Dus luistert, luistert allen! Volgt ons na! En deel op natuurlijke wijze alles wat u hebt. Amen.

En luistert, luistert allen! Eet goed, help mee aan de opbouw van de wereld en laat op natuurlijke wijze uw vleugels groeien, zoals de zijderups, die zich te goed doet aan de bladeren van de moerbeiboom, een cocon weeft en zich ontpopt als vlinder. Nogmaals amen. 'Natuurlijk' was haar lievelingswoord. En moge het oog al het goede en mooie zien, op natuurlijke wijze, zoals het water stroomt. Amen.

En luistert, luistert, in het paradijs zagen we met eigen ogen, op natuurlijke wijze, zoals het water stroomt, alles wat goed en mooi was.

Het voorval dat voor ons de poort opende naar de vrouwenbaden vond plaats, bijna alsof het zo was voorbestemd, op de dag dat Sofi bij ons kwam wonen.

Ze kwam uit de Anatolische provincie Kars in het oosten. De reis – grotendeels afgelegd op boerenkarren; soms, tegen betaling van haar laatste luttele kuruş, in een aftands busje – had haar ongeveer een week gekost. En daarna moest ze nog een week overnachten in koude kelders die meevoelende streekgenoten voor haar hadden geregeld, vaak zonder dat de eigenaren ervan wisten – totdat ze opving dat ze eens bij mijn moeder moest aankloppen. Ze had zich gewassen bij de drinkkranen op de markt waar ze elke dag naartoe ging om kliekjes te zoeken; maar omdat ze geen extra kleren bezat, had ze haar van zweet doortrokken vodden niet kunnen verschonen. Dus kwam ze aan in onze flat met de penetrante geur van angst en armoede om zich heen.

Mijn moeder, die wel wist wat desinfecteren was – ze verzorgde altijd mijn vader als hij met verlof was uit het leger – haalde meteen uit haar eigen garderobe schone kleren en nam Sofi mee naar de douche, de enige plek waar je je kon wassen. (Die douche, moet ik erbij zeggen, was, hoe trots mijn vader ook was op deze nieuwigheid uit het Westen, een primitief geval: hij was bevestigd boven het oriëntaals toilet en bestond uit een kleine douchekop – waar de dunst denkbare straaltjes uit kwamen – aan het boveneind van twee gammele leidingen waarvan er een in de zomer altijd begon te roesten omdat we alleen 's winters warm water hadden.)

Nauwelijks zaten we goed en wel in de woonkamer – we hadden op dat moment bezoek, herinner ik me: Selims ouders, een paar mensen uit de buurt en uiteraard Selim – of we hoorden Sofi lachen. Mijn moeder, die Sofi op het eerste gezicht al mocht, keek innig tevreden; ongetwijfeld interpreteerde ze haar gelach als een goed voorteken.

Even later veranderde het gelach in gegiechel. Het gegiechel veranderde in gegil en het gegil escaleerde in gekrijs.

Toen we met zijn allen de gang in renden, bang dat Sofi zich had verbrand – wat niet kon omdat het zomer was en we geen warm water hadden – vloog de wc-deur open en stormde Sofi naar buiten, nat, naakt en hysterisch.

Selims vader wist haar tot bedaren wist te brengen. Terwijl mijn moeder herhaaldelijk vroeg wat er aan de hand was, sloeg hij een regenjas om Sofi heen en hield hij haar als een worstelaar vast totdat haar geschreeuw overging in huilerige, snikkende uithalen. Pas toen ze ineengekrompen op de vloer lag, kon ze de vraag van mijn moeder tot zich laten doordringen. Alsof ze een woestijngeest had gezien, antwoordde ze hees fluisterend: 'Het kietelt! Dat water kietelt!'

Door het daaropvolgende gelach, dat zowel opluchting als vrolijkheid uitdrukte, had ze zich beledigd kunnen voelen, maar dat was ze helemaal niet. Sofi, zo zouden we snel ontdekken, geloofde in de genezende kracht van de lach en had respect voor iedereen die met humor was gezegend. Maar het was nooit in haar opgekomen dat ze zelf grappig zou kunnen zijn. Die ontdekking ontroerde haar. Zoals ze me later zou toevertrouwen, deed het feit dat ze ons aan het lachen kon maken haar besluiten ons als haar eigen familie te aanvaarden. Maar haar beslissing om bij ons te komen werken kan niet makkelijk voor haar zijn geweest. Iemand die onze douche een duivelse uitvinding had genoemd, moet ertegen hebben opgezien dagelijks naar de wc te gaan en als vrouw onder die stille, dreigende douchekop neer te hurken.

Die middag kwam tot een goed einde. Toen Sofi aarzelend vroeg of ze zich verder mocht wassen bij de keukenkraan, nam mijn moeder – ondanks haar tekortkomingen werkelijk een vrouw met een gouden hart – haar samen met de andere vrouwelijke bezoekers meteen mee naar de hamam.

Vanaf toen was Sofi een liefhebster van het Turkse badhuis. En ze gebruikte elk excuus, onder andere het vuil dat Selim en ik regelmatig op straat opdeden, om ons mee te nemen. Mijn moeder maakte nooit bezwaar tegen deze verwennerij: de entreeprijs tot de hamam was laag – kinderen mochten gratis – en Sofi, Selim en ik, die glansden van al dat water en die zeep, leken permanent het adagium te bevestigen dat 'alleen zij die schoon zijn door God worden omhelsd'.

In die tijd konden Turkse baden hun Ottomaanse grandeur nauwelijks ophouden. Vooral in Ankara was de verwaarlozing evident. Dit eens eenvoudige stadje dat, met uitzondering van een oud kasteel op een heuvel, nauwelijks door de geschiedenis was aangeraakt, groeide snel uit tot het symbool van het nieuwe, moderne Turkije. Sommige 'progressieve' puristen beschouwden de baden daarom als een afkeurenswaardig oriëntaals atavisme en probeerden hun populariteit af te zwakken door westerse voorzieningen te promoten.

Maar toch, hier en daar won de mystiek het. Want hoe zou

het collectieve geheugen kunnen vergeten dat de spectaculaire baden van de Verheven Porte eeuwenlang massa's wereldwijze Europeanen hadden overweldigd en geïmponeerd?

En zo bleef de traditie bestaan: discreet op sommige plaatsen, openlijk, provocatief zelfs, op andere. En toen er nieuwe badhuizen werden gebouwd – en de meeste badhuizen in Ankara waren nieuw – werd van alles geprobeerd om aan de hoogste eisen te voldoen.

Twee cruciale normen zijn het vermelden waard.

De eerste norm schrijft voor dat het basismateriaal voor het binnenste heiligdom, het wasgedeelte zelf, marmer moet zijn, het gesteente dat volgens de legende de zachte briesjes koestert en precies om die reden wordt uitgekozen door koningen voor hun paleizen en door goden voor hun tempels. (Begin jaren vijftig ging het gerucht dat een bepaald badhuis in Ankara, exclusief voor diplomaten en leden van het parlement, in een poging om alle concurrenten te overtreffen schitterend marmer liet leggen met roze, blauwe en zilveren tinten, dat speciaal geïmporteerd was uit landen met vreemde namen.)

De tweede norm stipuleert de volgende architectonische kenmerken: een koepel, een aantal kloeke zuilen en een gordel van hoge ramen; want deze combinatie zal het binnenste heiligdom een glans geven die doet denken aan de mystieke aura van een moskee. Bovendien moeten de hoge ramen, die een Apollinisch licht naar binnen laten vallen, voyeurs ontmoedigen. (Ondanks deze bepaling deden er vele verhalen de ronde over hoogtewerkers die tot de duizelingwekkende hoogte van de ramen waren geklommen om een glimp van de baadsters op te vangen. Ik herinner me de gruwelijke anekdote over drie *delikanlı* – dit vaak met genegenheid gebruikte woord betekent letterlijk 'jongemannen met krankzinnig bloed' – die, terwijl het vijfendertig graden vroor, in het kader van een weddenschap tot aan de ramen op het dak van een hamam in Konya waren geklommen, daaraan waren vastgevroren en om het leven waren gekomen; reddingswerkers hadden tot het voorjaar moeten wachten om ze van de koepel af te pellen.)

Ons vrouwenbadhuis, dat aan deze normen voldoet, heette een van de beste in het land te zijn. Het was voor Selim en mij het toppunt van luxe.

Laat me je stap voor stap mee naar binnen nemen.

De ingang, het meest discrete kenmerk, is een kleine giet-ijzeren deur midden in zo'n hoge muur waarachter meisjes-scholen schuilgaan.

De hal is overdadig. De donkerpaarse gordijnen beloven meteen verrukkelijke sensuele traktaties. (Houdt mijn geheugen me voor de gek? Hingen die paarse gordijnen niet in de *maisons de rendez-vous* die ik jaren later regelmatig in Istanbul bezocht?)

Rechts in de hal staat een laag podium met een hokje. Daarin zit de beheerster, Teyze Hanım, ofwel de 'Deftige Tante', wier omvang de bron had kunnen zijn van de Turkse uitdrukking 'gebouwd als een werkpaard'. Zij int de entree-gelden en verhuurt artikelen als zeep, handdoeken, kommen en de traditionele Turkse klompen, de *nalıns*. (Hoe stoïcijns Sofi ook bleef onder de grilligheden van het leven, ze zag streng toe op hygiëne en zorgde er altijd voor dat we onze eigen badspullen meenamen.)

Helemaal aan het eind van de hal leidt een deur naar de ruime gemeenschappelijke kleedruimte. Dit is, als om de spanningen nog hoger op te voeren, een eenvoudige ruimte met witgesausde muren, houten zitbankjes en grote rieten manden om je kleren in te doen.

Een andere deur komt uit in een gang met planken op de vloer. Als je hieroverheen loopt, roffelen je klompen een op-zwepend ritme. Voor je is de boog die naar de marmeren beschutting van de baden leidt.

Het volgende moment is het alsof je getuige bent van een

metamorfose. De combinatie van hitte en stoom heeft een doorzichtige mist gecreëerd; het onophoudelijke gekabbel van stromend water op de achtergrond is zaligmakend; en de witte nevelige vormen die door de ruimte lijken te zweven, wekken caleidoscopische fantasieën in je op. Misschien ziet zo het begin der tijden eruit – of het einde. Hoe dan ook, als je gek op vrouwen bent en het verlangen hebt je met ieder van hen te verstrengelen, is het een beeld dat voor de rest van je leven op je netvlies staat gebrand.

Daarna begin je langzaam de details te ontwaren.

Je ziet dat het heiligdom rond is (ovaal in feite). Dat verheugt je. Want als het zoals in sommige badhuizen rechthoekig was geweest, zou het een mannelijke uitstraling hebben gehad.

Je ziet de grote marmeren steen die dienstdoet als pièce de milieu. Dit is de *göbek taşı*, de 'buiksteen', waar de baadster op gaat zitten om uit te zweten. De grootte van de buiksteen vormt een indicatie voor de reputatie van het badhuis; een grote steen, zoals die in ons vrouwenbadhuis, waar buren of enkele familieleden op kunnen zitten en buurten – zelfs picknicken – wijst op een grote populariteit.

Rondom de buiksteen zie je de baden. In elk deel staat een marmeren kuip – de *kurna* – waarin warm en koud water, stromend uit twee aparte kranen, wordt gemengd. Je ziet dat rondom elke kurna ruimte is voor een aantal mensen, meestal familieleden of een groepje buurtgenoten. Deze klanten zitten op stenen krukjes, eveneens van marmer, die eruitzien als moderne beeldhouwwerken – Brancusi's *Tafel van stilte* schiet te binnen – en wassen zich door hun kommen te vullen vanuit de kurna en het water over hun lichaam te gieten. Degenen die behoefte hebben aan een grondige wasbeurt kunnen tegen betaling van een flinke fooi gebruikmaken van de diensten van een van de medewerkers.

Je ziet dat achter het binnenste heiligdom nog een paar kamers zijn die, doordat ze dichter bij de stookkelder liggen, warmer zijn. Deze ruimten worden *halvet* genoemd, een woord dat 'alleen zijn' impliceert, en daarin kunnen degenen die alleen willen baden of gemasseerd wensen te worden zich terugtrekken. De belangrijkste klanten worden door de Deftige Tante zelve gemasseerd.

Aangezien dit een van de betere badhuizen in de stad is, heeft het nog twee baden. Het eerste is de Sedir, ofwel de 'Wijkplaats', die, zoals de naam al doet vermoeden, de mogelijkheid biedt zich uit de algemene hamam terug te trekken, bedoeld voor degenen die er de hele dag doorbrengen. Het andere bad, de Soğukluk, ofwel de 'Koude Ruimte', is voor mensen die oververhit zijn en willen afkoelen. Opgelucht constateer je dat op een paar uitzonderingen onder de oudere bezoekers na, weinigen zich blootstellen aan deze bijzondere vorm van masochisme.

Maar vooral zie je natuurlijk overal badende vrouwen, de overvloed aan borsten in alle soorten en maten. Vrouwen voor wie bescheidenheid onder alle omstandigheden een deugd is, dragen een *peştamal*, een doorzichtige schort die de glorie van hun vlees eerder op pikante wijze benadrukt dan verbergt. De overige vrouwen zijn op armbanden en ringen na helemaal naakt en lijken met goud te zijn besprenkeld. Groot of klein, jong of oud, ze zijn allemaal even Rubensachtig. Zelfs magere vrouwen lijken voluptueus. Geurend naar kruidige parfums en henna lopen sommige vrouwen vrijmoedig zwanger rond, zonder enige gêne om hun stevige, zachte, kinddragende lichamen. Ze zijn, besef je, trots op hun vrouwelijkheid, ondanks het feit – of misschien juist daardoor – dat ze in een maatschappij leven waarin de man het absoluut voor het zeggen heeft. Maar als ze zien of denken dat iemand naar hen kijkt, worden ze verlegen en houden ze hun waskommen voor hun schaamdelen. Je ziet ook kleine meisjes, maar als je zelf een kleine jongen bent, zoals Selim en ik, interesseren die je niet. Hun ontluikende schatten had je al aanschouwd tijdens afgezaagde spelletjes als 'vadertje en moedertje' of 'doktertje'. (Het volgende is, in het kort, het evangelie volgens Eleftheria: het menselijk lichaam, hoe oud, dik of dun het ook is, heeft altijd, zelfs bij mismaaktheid, iets bekoorlijks. De mooiste pik die ze ooit had gezien was van een man met een lam armpje.)

Ik heb het gevoel alsof ik over onze toelating tot het paradijs heb verteld alsof het iets heel gewoons was, alsof in het Turkije van de jaren veertig alle regels inzake sekse niet opgingen voor kleine jongens. Nou, dat is maar ten dele waar. Zeker, door de jaren heen heb ik vele mannen ontmoet van mijn generatie – en uit verschillende delen van Turkije – die als jongen naar het vrouwenbadhuis waren meegenomen, door een dienstmeisje of oppas of door hun grootmoeder of ander ouder vrouwelijk familielid – hoewel nooit door hun moeders; dat taboe lijkt intact te zijn gebleven.

In feite bestonden er geen vaste regels voor toelating van jongens tot de hamam voor vrouwen. De beslissing hing af van een aantal overwegingen: de reputatie van het huis, de status van de clientèle, of iemand of een groep personen tot de vaste klanten behoorde, de grootte van de fooi aan het personeel en niet het minst, de oordeelkundigheid van de Deftige Tante.

In ons geval viel dankzij dat laatste de beslissing in ons voordeel uit. Wij werden toegelaten omdat de Deftige Tante die het etablissement runde een goede kijk had op puberteits-kwesties. Ze had vastgesteld dat onze testikels nog niet waren 'gevallen', zoals zij dat noemde, en bracht deze informatie wanneer dat maar nodig was over op haar vaste klanten. Die moesten daar altijd wreed om lachen en geloofden wat ze zei. (Genadiglijk legde dan die lieve Sofi, woedend om dit botte gebrek aan discretie over de intieme delen van haar jongens, haar handen op onze oren en duwde ons voor zich uit.)

Het hoeft geen betoog dat Selim en ik heel opgelucht waren dat onze testikels nog intact waren. Maar het vooruitzicht dat ze

48

er op een dag af zouden vallen – er af moesten vallen – boezemde ons grote angst in. Vandaar dat we een tijdlang elke dag elkaars kruis inspecteerden om ons ervan te verzekeren dat onze manlijkheid niet alleen nog op zijn plek hing, maar ook nog even lekker aanvoelde als toen we er die ochtend bij het ontwaken voor het laatst mee hadden gespeeld. Ook op straat zochten we om ons heen, zelfs waar onze ouders bij waren, in de hoop ergens een gevallen testikel te vinden. Met een paar reservetestikels, dachten we, konden we misschien de onze vervangen wanneer het noodlot eenmaal toesloeg. Het feit dat we nooit eerder een gevallen balzak op de grond hadden zien liggen, ontmoedigde ons niet; we namen eenvoudigweg aan dat andere jongens, die in hetzelfde schuitje zaten, ze al hadden opgeraapt. Toen we maar niet één testikel konden vinden, raakten we er stilaan van overtuigd dat deze organen stevig aan ons lichaam vastzaten en nooit zouden loslaten – daar had God ongetwijfeld voor gezorgd! En we besloten dat deze sinistere 'leugen' was verspreid door vrouwen die aanstoot hadden genomen aan onze vroegrijpheid en ons wilden bang maken.

En vroegrijp waren we. We hadden goede leraren gehad.

Selim en ik woonden dicht bij de Bomonti-brouwerij, in de buitenwijken van Ankara, in een nieuwe wijk met betonnen flatgebouwen die de aankondigers moesten zijn van de toekomstige welvaart. Daarachter strekten zich de zuidelijke vlakten uit, met hier en daar een zigeunerkamp.

Zigeuners, dat hoeft geen betoog, leiden een weinig benijdenswaardig bestaan, waar ze ook wonen. Door aloude vooroordelen kunnen ze nauwelijks aan een vaste baan komen. Dat was in Ankara niet anders. Mannen konden aan de slag in de seizoensgebonden fruitpluk, het boerenbedrijf, de wegenbouw of als sjouwers van zware lasten. (Eens zag ik drie mannen met een vleugelpiano op hun gekromde ruggen sjouwen en die zo ongeveer vier kilometer vervoeren.) Zigeunervrouwen verging het beter: zij werden vaak gevraagd als waarzegster, kruidenvrouw of gebedsgenezeres; en ze namen altijd hun dochters mee om hen, op jonge leeftijd, in te wijden in de fijne kneepjes van het waarzeggen. Het incidentele extraatje dat de zigeuners soms ten deel viel, kwam van de jongens die bedelden op drukke locaties als de markt, het bus- en spoorwegstation, het stadion en de rosse buurt.

Dat was de beste plek. De in de oude stad, aan de voet van het kasteel gelegen hoerenbuurt bestond uit ongeveer zestig bouwvallige woningen, op elkaar gepakt in een wirwar van nauwe straatjes. Elk huis had een voordeur met een raampje waardoor klanten mochten kijken om de aangeboden dames te beoordelen. Hier, op de sleetse trottoirs, stonden ze te bedelen. Ze wisten dat een man die net een prostituee had bezocht, vooral als hij getrouwd was, zich vies of zondig zou voelen; en dus boden zij hem meteen de kans zijn schuld af te kopen door te smeken om een paar kuruş, zodat hij Allah kon laten zien dat hij, zoals het een vrome moslim betaamde, gulle aalmoezen gaf.

Met een paar van deze bijdehante zigeunerjongens raakten we bevriend. Wanneer we maar konden – dat wil zeggen, wanneer ze niet aan het bedelen of venten waren – spraken we ergens af. Ze verwelkomden ons altijd – ik denk dat wij hun als stadsjongens intrigeerden – en nodigden ons in hun tenten uit. Helaas konden wij hen niet even gastvrij onthalen; we mochten van onze ouders niet omgaan met 'dat uitschot'.

Ze leerden ons een hoop, onze vrienden.

Vooral leerden ze ons veel over vreemde seksuele technieken, doordat ze alle suggesties tussen klanten en prostituees die ze hadden afgeluisterd, aan ons overbriefden: de bijzondere, om niet te zeggen grappige standjes; de luimen van de betrokken lichaamsdelen en de talloze eigenaardigheden die niemand begreep of die nog jarenlang een mysterie zouden blijven.

En deze onschatbare kennis diende als basis voor nader onderzoek in de hamam.

Borsten, billen en schaamhaar – of, zoals bij laatstgenoemde zo vaak het geval was, de afwezigheid ervan – vormden de belangrijkste studieobjecten. Niet al te moeilijk, zul je zeggen. Omdat deze delen van het lichaam voor iedereen zichtbaar waren, hoefden we niet de steelse blikken te werpen die je zo vaak zag in spionagefilms uit die tijd; ook hoefden we ons gelukkig niet in allerlei bochten te wringen om de indruk te vermijden dat we loerden.

Onze zigeunervrienden hadden ons geleerd dat de borsten de seksualiteit van de vrouw bepaalden. De tepelhof gaf de mate van passie aan. Vrouwen met grote tepelhoven waren onverzadigbaar; degenen die iets hadden wat op een moedervlekje leek, kon je maar beter met rust laten want die waren frigide. (Wat betekende het woord 'frigide' voor ons in die tijd, vraag ik me nu af?) We hielden deze mythen voor onomstotelijke waarheden – misschien doen we dat diep in ons hart nog steeds – en wezen ieder bewijs van het tegendeel resoluut af. Voor de goede orde: de vrouw met de grootste tepelhoven die we ooit hadden gezien, was ongetwijfeld de lethargie in eigen persoon; zij werd door de Deftige Tante 'het paard van de melkboer' genoemd en leek permanent in slaap te sukkelen, ook als ze gewoon liep. De actiefste vrouw daarentegen die we ooit hadden geobserveerd – een weduwe die ons niet alleen een gulle en langdurige blik op haar vagina had gegund, maar ook plezier in haar exhibitionisme scheen te hebben – had praktisch helemaal geen tepelhoven, alleen maar spitse borstjes en stoppelige, puntige tepels als champignonsteeltjes.

En billen, hadden we geleerd, gaven het karakter weer. Ze waren expressief, net als gezichten. Strenge billen konden meteen worden herkend: schrale hammen met een spleet zo dun als een pluk haar over de kale schedel van een man wezen op mensen die alle plezier hadden opgegeven. Blije billen lachten altijd; of ze trilden, alsof ze verkrampt waren door een schuddebuikende lach. Verdrietige billen, al waren ze gevormd als hemelse bollen, leken verlaten, eenzaam en wanhopig. En dan had je nog billen die zo van het leven hielden dat ze schommelden als tamarindegelei en je deden watertanden. Billen lieten ook winden; en de vorm en trilling van de omgeleide lucht waren even veelzeggend over het karakter. Ronde, luide, geurloze scheten schetterden uit gelukkige, extroverte mensen; bij verrassing gelaten winden, die de vorm hadden van een vraagteken, hoorden bij gevoelige, onzekere geliefden; piepscheten waren afkomstig van gemene, gierige mensen.

Wat dat schaamhaar betreft, daar kregen we, zoals gezegd, maar weinig van te zien. In Turkije, zoals in de meeste moslimlanden, had de oude traditie van de bedoeïenen, volgens welke vrouwen bij hun huwelijk hun schaamhaar afscheren, zo ongeveer de status gekregen van een hygiënisch voorschrift. Aangezien de meeste vrouwen in het badhuis getrouwd waren, zag je alleen wat bij de weinige tienermeisjes of bij oudere vrouwen die alle voorschriften aan hun laars lapten of het niet meer konden opbrengen zich regelmatig te scheren, maar hun haar was op een paar dunne plukjes na toch al bijna helemaal uitgevallen.

Ons schaamhaaronderzoek bleek, afgezien van het inherente genot, een sociologische les te bevatten. Geschoren pudenda wezen niet alleen op de huwelijkse status van de betreffende vrouw, maar gaven ook een indicatie van haar positie in de samenleving. Dat wil zeggen, altijd gladgeschoren vrouwen waren rijk genoeg om vrije tijd – en behulpzame dienstmeisjes – tot hun beschikking te hebben en behoorden dus tot de aristocratie of tot de nouveaux riches. Vrouwen met stoppels verrieden een bescheidener achtergrond: door kinderen, het huishouden of een carrière hadden ze niet veel tijd voor ontharing. En vrouwen die tijdens de menstruatie ongeschoren bleven, hadden vaak een religieuze achtergrond.

Tot onze verbazing – alsof de klus minder vervelend was wanneer die in gezelschap werd geklaard – werd er veel geschoren in de baden. Later ontdekten we daar de reden van: voor een klein bedrag kon een vrouw dat door een medewerker laten doen, veel beter dan ze het zelf kon, zodat ze tijd overhield om met vriendinnen of familieleden te roddelen. (Toen Selim en ik voor het eerst een vrouw zichzelf zagen scheren – op een onhandige manier waarbij ze zich een paar keer sneed – kwamen we op het idee de volgende keer aluin mee te nemen, zodat we dit konden aanbieden aan iemand die bloedde en wij nóg dichterbij konden komen. We zagen hiervan af toen onze zigeunervrienden betoogden dat we met deze geste alleen maar onze belangstelling voor het vrouwelijk geslachtsorgaan zouden verraden en dat de Deftige Tante ons na de klachten die hierop zouden komen voortaan zou weren. Een goed advies.)

Onze hoofdstudie – voor ons uiteindelijk de raison d'être om naar de baden te gaan – richtte zich op de schaamlippen en de clitoris. Ook deze wonderen waren met mythen omgeven. Onze zigeunervrienden brachten ons op de hoogte.

De mythen over de labia draaiden om hun geprononceerdheid en wijze van neerhangen. Dikke lippen, die naar men zei op de lippen leken van Afrikaanse volkeren, waren met zekerheid, net als het zwarte ras, ongeremd en gepassioneerd. (Wat betekenden die adjectieven voor ons? En wat wisten wij van het zwarte ras?) Dunne lippen duidden, omdat ze open gewrikt moesten worden, op een kleine kern. Kwablippen hoorden bij moeders; zigeunse vroedvrouwen, zo werd ons verzekerd, konden simpelweg aan de manier waarop de lippen hingen zien hoeveel kinderen een vrouw had gebaard. Vrouwen zonder kinderen maar met neerhangende lippen waren beklagenswaardig, want zij voelden zich in het algemeen zo onweerstaanbaar tot mannen aangetrokken dat ze hun genegenheid nooit tot één persoon konden beperken; daarom had Allah hun, om ze te helpen kuis te blijven, schaamlippen gegeven die aan elkaar konden worden genaaid.

De perfecte labia bolden niet alleen wellustig naar beneden

op, maar liepen ook taps toe naar een punt in het midden, waardoor ze veel weg hadden van delicate gespjes. Deze labia bezaten magische krachten: de man die er zijn tong omheen kon strengelen zou onze tweelingwereld kunnen zien die aan de andere kant van de zon ligt, waar het leven het tegendeel is van het leven op aarde – waar het niet voortdurend oorlog is, maar voortdurend vrede.

Over de clitoris is algemeen bekend dat die, net als de penis, in grootte kan variëren. Ook is algemeen bekend dat de Turken, die zijn beïnvloed door het vijfde deel van Aristoteles' bekende werk *Lichaamsdelen van dieren*, ze in drie grootten hebben onderverdeeld en elke categorie naar een populaire etenswaar hebben genoemd. (Volgens Eleftheria, die ook classica was, bestond het genoemde werk van Aristoteles slechts uit vier delen. Niettemin erkende ze de mogelijkheden dat a: de wijsgeer het manuscript van het vijfde boek misschien had uitgeleend aan Alexander de Grote, zodat hij, zijn droom najagend om het Oosten met het Westen te verenigen, zijn soldaten erop kon voorbereiden de vrouwen van de Hindu Kush als echtgenotes te accepteren, en b: het manuscript daarna mogelijk ergens in het Midden-Oosten was zoek geraakt en uiteindelijk door de Turken werd gevonden.)

Dit waren de categorieën: *susam*, 'sesamzaadjes', voor kleine clitorissen; *mercimek*, 'linzen' (in Turkije zouden dit bruine linzen zijn), voor de middelgrote, die, aangezien negentig procent van de kittelaars deze grootte had, als normaal werden beschouwd; en *nohut*, 'kikkererwten', voor het grote kaliber.

Vrouwen met een sesamzaadje waren altijd knorrig. Omdat ze het kleine formaat van hun clitoris beschouwden als een gebrek aan vrouwelijkheid – hoewel ze gewoon in staat waren van seks te genieten – begonnen ze uiteindelijk te twijfelen aan hun moederlijke gevoelens. Gebukt gaande onder dit afschuwelijke minderwaardigheidscomplex, reageerden zij zich af op kinderen, vooral op kinderen die tot het badhuis werden toegelaten. Vrouwen die met linzen waren gezegend, hadden daar ook de kenmerken van: ze vormden het basisvoedsel in Turkije. Vandaar dat de perfecte ronde vorm van 'linzige' vrouwen niet alleen esthetisch gesproken prettig was, maar ook buitengewoon voedzaam; eigenlijk hadden ze de man alles te bieden wat hij in een vrouw zocht: liefde, passie, gehoorzaamheid en de kunst van het koken. Zij die met een kikkererwt waren geschapen, zagen zich genoodzaakt hun seksuele activiteiten te rantsoeneren omdat de abnormale omvang van hun clitoris zo'n intens genot veroorzaakte dat regelmatige seks onvermijdelijk schadelijk zou zijn voor hun hart; omdat zij alleen maar omwille van de conceptie gemeenschap mochten hebben, vonden deze vrouwen troost in het geestelijk leven. En zij konden zulke hoge pieken in hun vroomheid bereiken, dat ze tijdens de bevalling zachtjes met hun kikkererwt een gebedsdeukje in het voorhoofd van hun baby's drukten en hen zo bestemden voor belangrijke religieuze taken.

Sommige lezers zullen inmiddels een vies gezicht getrokken hebben (Eleftheria deed dat wél toen ik haar voor het eerst deze dingen vertelde. 'Zwijn,' schreeuwde ze, 'de clitoris heeft een kapje. Zelfs als de clitoris zo groot is als een paasei, moet je er heel wat voor doen om hem te zien! Je moet ten eerste: het geluk hebben recht tegenover je geliefde te zitten; ten tweede: weten hoe je onder dat kapje moet kijken; ten derde: mans genoeg zijn om te blijven kijken; en ten vierde: de boon of de hazelnoot of hoe je het ook noemen wilt, de illusie kunnen geven dat zij voor jou de enige realiteit is in het leven en dat al het andere schijn is.')

Dus laat me, voordat je me voor een leugenaar houdt, bekennen dat Selim en ik hoogstwaarschijnlijk niet één clitoris hadden gezien. Dat dachten we maar. En we hadden er niet toevallig één gezien, maar dankzij dat unieke geluk dat alleen schoffies ten deel valt, wel honderd. En hoe meer we er dachten te zien, hoe meer we ons in rare bochten wrongen, vanuit gekke posities loerden en tuurden, steeds dichterbij schoven om dit of dat te pakken voor een of andere matrone. We gedroegen ons in feite als jonge beertjes rondom een pot honing.

Natuurlijk moet ik achteraf erkennen dat we schoonheidspukkels, sproeten, pigment- of moedervlekken gezien moeten hebben en ongetwijfeld af en toe ook een puist, wrat of scheerwondje.

Uiteraard geloofden onze vrienden ons, vooral onze zigeunervrienden, wanneer we hun vertelden over alles waaraan onze blikken zich hadden verlustigd. En daardoor voelden we ons belangrijk. En als we bij het slapengaan geen schapen maar kittelaars telden, voelden we ons subliem. En als we wakker werden en voelden dat onze genitaliën nog even monter trilden als de avond daarvoor, bleven we in ultiem genot nog even liggen.

Een terzijde, als het mag. Het klinkt misschien ongeloofwaardig, maar Sofi's kenmerken hebben we nooit onderzocht. Zij was dan ook familie, en dus ongerept, dus aseksueel. Op oude foto's zie ik nu dat ze tamelijk aantrekkelijk was. Ze had de zijdeachtige, olijfkleurige huid die Armeniërs tot zo'n knap volk maakt. Bovendien had ze geen kinderen en was ze dus nog niet, zoals men in de hamam zei, 'verbruikt'. Daardoor was ze, hoewel ze al halverwege de dertig was, nog steeds strak en stevig, nog steeds een vrouw in haar bloei.

Toen wij met ons gezin naar Ankara verhuisden, kort na mijn bar mitswa, ging Sofi werken als kamermeisje in een groot hotel. We hielden contact. In 1976 stopte ze plotseling met haar werk en verdween ze. Haar baas, die zeer op haar gesteld was, vertelde dat ze ernstig ziek was geworden en nam aan dat ze naar haar geboortedorp was vertrokken om te sterven in het gezelschap van haar voorouderlijke geesten. Omdat niemand van ons wist uit welk dorp in de provincie Kars ze oorspronkelijk vandaan kwam, liepen onze pogingen haar op te sporen snel op niets uit.

Maar ik gaf de hoop dat ik haar terug zou vinden nooit op. Altijd als ik Armeniërs ontmoette vroeg ik of ze Sofi kenden of anders in hun kring van familieleden, vrienden en kennissen eens navraag naar haar wilden doen.

Toen schreef op een dag een vriend uit Canada mij over Kirkor Hovanesyan, een kwakkelende zestigjarige Armeense immigrant uit Turkije die, toen hij weduwnaar werd, had besloten terug te gaan naar zijn eigen land en de rest van zijn leven raki te drinken en *mezes* te eten aan de Bosporus. Maar nauwelijks had hij onze kust bereikt of hij viel ten prooi aan onze beruchte bureaucratie en werd opgeroepen voor militaire dienst die hij als jongeman had ontdoken. Prompt werd hij naar het oosten gestuurd, naar Kars; maar vanwege zijn leeftijd had hij gediend als knecht in een eetzaal voor officieren. In die periode was niet alleen zijn gezondheid hersteld, maar had hij ook een verhouding gekregen met een ver familielid. Toen hij uit het leger afzwaaide, trouwde hij met deze vrouw en had hij, nadat ze weer naar Istanbul waren verhuisd, een bekend Roemeens restaurant dat bij een brand was verwoest, opgekocht en verbouwd.

Met deze informatie haastte ik me naar het genoemde restaurant.

En tot mijn grote vreugde was Sofi daar.

Haar man, Kirkor, is al lang overleden, maar Sofi leeft nog – al is ze behoorlijk oud. Ze wordt goed verzorgd door Kirkors kinderen uit zijn eerste huwelijk en natuurlijk door haar eigen zoons – door Selim en mij.

Helaas duurde onze tijd in het paradijs nog geen jaar.

We werden er even plotseling en onverwacht uit verdreven als Adam en Eva uit Eden. En even wreed.

Het geschiedde op 5 juli. Die datum staat in mijn geheugen gegrift omdat het toevallig ook mijn verjaardag is. Eigenlijk was het bezoek aan de hamam die dag een cadeautje van Sofi.

Een paar dagen eerder had ze gevraagd waar ze me het meest mee kon verwennen, doelend op een speciaal gerecht of een cake die ze voor me zou kunnen bakken, en ze was geamuseerd geweest door mijn besliste voorkeur voor de hamam. Maar ze stemde er moeiteloos mee in, vond het zelfs een goede keus; mijn favoriete gerechten maakte ze toch al zo vaak klaar.

De zomers in Ankara zijn snikheet; en die bewuste 5 juli was het uitzonderlijk benauwd; niet bepaald een dag, zou je zeggen, om mensen aan te raden beschutting te zoeken in een Turks badhuis. Maar echt. Om te beginnen leek het koeler in de hamam dan waar ook; er was tenminste beschutting tegen de zon, die genadeloos van plan leek onze hersens aan de kook te brengen. Ten tweede deed de Wijkplaats op het heetst van het seizoen zijn naam eer aan door te veranderen in een oase. Ten derde zou volgens mensen die naar eigen zeggen een wetenschappelijke aard hebben, door een grondige wasbeurt – zo grondig dat je er op zijn minst een paar uur voor moest baden – het afkoelmechanisme beter gaan functioneren doordat alle lichaamsporiën open gaan staan.

Vandaar dat het die vijfde juli uitzonderlijk druk was in het vrouwenbadhuis. (Misschien had ik dat geweten, gehoord of aangevoeld.) Selim en ik wisten niet welke kant we moesten op kijken. We waren zo opgewonden dat we geen moment met onze ogen knipperden. (Nog steeds hebben we, als we ons ergens op concentreren wat ons fascineert, die opengesperde blik.) Het was eigenlijk de beste tijd die we ooit in de baden hadden gehad. (Gezien het feit dat dit ook ons laatste bezoek was, overdrijf ik misschien een beetje. Dat heb je zo met nostalgie.)

We moeten er al een tijd gezeten hebben toen we tot onze schrik zagen dat een van de vrouwen een medewerker aanhield en haar, naar ons wijzend, opdroeg de Deftige Tante erbij te halen. Het duurde een eeuwigheid voordat tot ons doordrong dat deze in aanzwellend fortissimo gillende nimf nou net de godin was die Selim en ik adoreerden en verafgoodden, wier lichaam wij perfect en voluptueus hadden gevonden – we gebruikten nooit één adjectief als we ruimte hadden voor twee – en die we daarom 'Nilüfer' hadden gedoopt, naar de waterlelie die men in die tijd de mooiste bloem ter wereld vond.

En voordat we de tegenwoordigheid van geest hadden om de andere kant op te kijken – of zelfs maar de ogen neer te slaan – stonden Nilüfer en de Deftige Tante al naast ons te schreeuwen tegen die lieve Sofi, die bij de kurna lag te slapen.

Nu moet ik erbij vertellen dat Selim en ik, omdat we Nilüfer maandenlang hadden bespied, heel goed wisten dat ze opvliegend van aard was. We hadden haar ontelbare ruzies zien uitlokken, niet alleen met de Deftige Tante en de medewerkers, maar ook met een groot deel van de klanten. De oudere vrouwen vergeleken haar met een Barbarijse merrie – en gezien de souplesse waarmee ze op haar vlezige maar atletische benen liep, een bijzonder wellustige ook nog – schreven haar lichtgeraaktheid toe aan haar jonge huwelijk en beschouwden haar grillen als de nasmeulende kolen van een vrouw die haar bestaan in handen heeft gegeven van haar man, zoals het een vrouw betaamt; op een dag, een week of misschien maanden later, wanneer ze eenmaal die schok voelde die de conceptie aankondigt, zou ze zo mak worden als een schaap.

En op die vijfde juli zaten Selim en ik te wachten op een uitbrander van Nilüfer – hoewel niet tegen ons uiteraard. (Het curieuze feit dat ze nog nooit tegen ons was uitgevallen – niet eens de moeite nam tegenover ons wat kuiser te zijn – betekende, hadden we geconcludeerd, dat ze ons mocht en ons wilde behagen.) Het was ons opgevallen dat ze al bij binnenkomst onrustig was: ze kon niet stilzitten en zich niet ontspannen met de vrouwen die met haar mee waren gekomen; ook hield ze het niet lang uit in de Wijkplaats, waar ze om de haverklap naartoe ging. En ze bleef maar klagen over de zware migraine waar ze door die vervloekte hitte last van had. (Haar migraine, wist Sofi ons later te vertellen, wierp een licht op de ware oorzaak van Nilüfers opvliegendheid: bij sommige vrouwen kondigt een migraine het begin aan van hun periode; wat het waarschijnlijk nog erger maakte voor Nilüfer – vergeet niet dat ze pas getrouwd was – was haar teleurstelling dat het haar die maand weer niet gelukt was om zwanger te worden.)

Het duurde even voordat Nilüfers beschuldigingen tot ons doordrongen. Ze betichtte ons ervan dat we met onze genitaliën speelden, dat we die beroerden als volwassen mannen. (Ik weet zeker dat we dat deden, maar ik weet ook zeker dat we dat stiekem deden. Had ze ons bespied zoals wij de vrouwen bespiedden, schijnbaar met de ogen dicht?)

Sofi, gezegend zij haar goede ziel, verdedigde ons als een leeuwin. 'Mijn jongens', zei ze, 'kunnen al lezen en schrijven. Ze hoeven niet meer met zichzelf te spelen.'

Deze non sequitur maakte Nilüfer alleen maar nog woedender. Zich naar ons vooroverbuigend pakte ze onze penissen, één in elke hand, en toonde die aan de Deftige Tante. 'Kijk,' gilde ze, 'ze zijn bijna hard. Je ziet dat ze bijna hard zijn!'

(Was dat zo? Ik weet het niet. Maar, zoals Selim later zou beamen, het was wél een grote sensatie om stevig door haar hand te worden vastgehouden.)

De Deftige Tante wierp een kritische blik op de bewijsstukken. 'Dat kan niet. Hun testikels zijn nog niet *gevallen...*'

'Nou. Fijn dat je daar nog eens op wijst', loeide Sofi. 'Hun testikels zijn nog niet gevallen!'

'Nee, nog niet!' merkte Selim onverschrokken op. 'Dat zouden we moeten weten, toch?'

Nilüfer gilde zwaaiend met onze penissen nog een decibel harder naar de Deftige Tante. 'Controleer het zelf! Hou ze zelf maar vast! Hou ze maar vast!'

Schouderophalend als een lijdzame bediende knielde de Deftige Tante naast ons neer. Nilüfer gaf onze penissen aan haar door alsof het estafettestokjes waren. De Deftige Tante had waarschijnlijk veel meer ervaring in het inspecteren van het mannelijk lid, want toen haar vingers ons zacht en warm en o zo heerlijk omvatten, kregen we een stijve – of leek het alsof we die kregen.

We verwachtten dat de Deftige Tante de hele tent bij elkaar zou schreeuwen. In plaats daarvan stond ze glimlachend vanuit hurkstand op en wendde zich tot Sofi. 'Ze zijn hard. Voel zelf maar.'

Sofi schudde ongelovig haar hoofd.

Nilüfer vierde haar triomf door langs de baden te paraderen en te roepen: 'Het zijn geen jongens meer! Het zijn mannen!'

Sofi bleef ongelovig met haar hoofd schudden.

De Deftige Tante klopte haar op de schouders en slofte toen weg. 'Breng ze maar naar huis. Ze horen hier niet.'

Sofi, plotseling met haar mond vol tanden, staarde naar de baadsters. Ze zag dat sommigen hun naaktheid al bedekten.

Nog steeds in de war draaide ze zich naar ons om; toen pakte ze impulsief onze penissen vast. Alsof onze geslachtsdelen op dat teken hadden gewacht schrompelden ze spontaan ineen en kropen ze terug in hun schulp.

Sofi, die het nu zeker wist, riep naar de gasten van het badhuis: 'Ze zijn niet hard! Helemaal niet!'

Haar stem weerkaatste tegen de marmeren muren. Maar niemand keek naar haar om.

Ze was zelfs nog verontwaardigd toen de Deftige Tante ons uitgeleide deed. 'Ik neem ze weer mee, de volgende keer! Wij komen terug!'

De Deftige Tante bulderde van het lachen. 'Natuurlijk! En neem hun vaders ook mee, waarom niet?'

Toen viel met een klap de deur achter ons dicht.

En hoewel Sofi ons koppig nog een paar keer mee terugnam, mochten wij nooit meer naar binnen.

3: Robbie

Twee steden

De maand juli van 1942 was volgens de bewoners van Istanbul de warmste die ze zich konden heugen. Rondom het Sultan Ahmet Plein, waar de Blauwe Moskee en de Byzantijnse monumenten tegenover elkaar een geschiedkundig debat aangingen, hadden de traditionele *çayhanes* elk schaduwplekje onderling verdeeld. De klanten van deze theehuizen gaven Şeytan de schuld van deze hitte: het land bruiste van de verzen en composities van jonge dichters, en de Aartsdemon, die jaloers was op het vermogen van de Turken om overal poëzie of muziek van te maken, gaf lucht aan zijn verbolgenheid. De waterpijprokers, meestal vrome mannen die men respecteerde als hoeders van het geloof, waren het daar niet mee eens: deze temperaturen had je alleen maar wanneer heilige imams de schending van de koranwet betreurden; en onder deze heidense regering, deze zogenaamde republiek, hadden zij veel te betreuren, niet het minst het groeiend aantal vrouwen dat buitenshuis werk ging zoeken in alle beroepsgroepen – en tevens streefde naar gelijkheid met de man. Maar aan de voet van de heuvel, in de *meyhanes* aan de kust, waar het plechtig innemen van raki een staat van verlichting teweegbracht die superieur was aan die van thee of opium, gaven de ouderen, veteranen uit de Eerste Wereldoorlog, een dwingender oorzaak. Verwijzend naar het geronnen bloed van de recente veldslagen in Europa dat als stof neerdaalde op deze stad, die Allah had aangelegd als een tuin der lusten voor elk ras en elke godsdienst, beweerden zij dat de mens zélf, die aanbidder van ellende, de atmosfeer met zijn kanonnen weer eens oververhitte.

Wij geloofden de drinkers. Nou ja, we hadden zojuist onze tienerjaren bereikt of stonden net als Bilâl op de drempel der volwassenheid en wisten met de wijsheid van die leeftijd dat oude soldaten, vooral als ze aan het woord waren met alcohol in hun kraag, altijd de waarheid spraken. Bovendien had Bilâl – of eigenlijk Ester, zijn moeder – ons met informatie uit de eerste hand op de hoogte gehouden van het bloedbad dat in Europa werd aangericht. In Griekenland, waar Ester was geboren, haalde de Dood een recordoogst binnen. In de brieven van Fortuna, Esters zus in Thessaloniki, stonden de wreedheden beschreven. Hoewel deze verslagen vaak balanceerden op de rand van de waanzin – en vaak als overdreven van de hand werden gewezen, zelfs ook door joden – werden ze met prozaïsche details bevestigd door de advocaat van de familie. Toen Ester ongeveer vijftien jaar daarvoor Griekenland had verlaten om in Turkije te trouwen had deze man, die Sotirios Kasapoglou heette, beloofd regelmatig verslag uit te brengen over het welzijn van haar familie.

Nog ontdaan van het laatste bericht van deze advocaat kwamen Bilâl, Naim en Can, ook een lid van onze bende, naar me toe. Je hebt al kunnen opmaken uit mijn beschrijving van Esters zorgen om haar familie, dat Bilâl – en inderdaad ook Naim en Can – joods was; en misschien ben je verbaasd over hun moslimnamen. Daar is een eenvoudige verklaring voor: Atatürk, die vond dat de nieuwe republiek afstand moest nemen van de oude zonden van het Ottomaanse rijk, wilde dat zijn volk trots was op zijn 'turksheid'. Daardoor werden alle minderheden verplicht hun kinderen een Turkse naam te geven naast hun etnische naam. En zo stond naast Benjamin Bilâl; naast Nehemiah Naim, en naast Jacob Can.

Ik herinner me nog precies de datum van hun bezoek: maandag 27 juli 1942. Ik was met mijn ouders in het suffe Florya, een vakantieoord zo'n vijftig kilometer ten westen van Istanbul, aan de Europese kust van de Zee van Marmara, waar de Britse ambassade in de zomermaanden een ruime villa huurde voor het personeel. We hadden zojuist gehoord dat de RAF Hamburg had gebombardeerd en op de een of andere manier was dit nieuws een veel grotere opkikker voor het moreel van het corps diplomatique dan de veel belangrijkere wapenfeiten in die maand, zoals het standhouden van de linie bij El Alamein en de bombardementen op de onderzeeër-havens in Danzig. Plotseling was het hele Britse gezantschap ervan overtuigd dat we de oorlog zouden winnen en mijn vader, Duncan Stevenson, vond het een gepaste gelegenheid om mij mijn eerste slok *uisge beatha*, levenswater, aan te bieden. Hoewel ik toen al feilloos het stiekem opdrinken van restjes beheerste, was dat meestal sherry; mijn eerste slokje whisky bleek daardoor een openbaring – wat misschien wel de echte reden is waarom ik me de datum nog herinner.

Mijn vader is waarschijnlijk naar Istanbul gegaan om 'de schijn' op te houden. Het hoofdkwartier van zijn compagnie, de Brits-Amerikaanse Coördinatiecommissie die was opge-richt om het neutrale Turkije ertoe te bewegen zich aan te sluiten bij de geallieerden door het Turkse leger te voorzien van essentiële voorraden, was gevestigd in de hoofdstad, Ankara. Om zijn activiteiten voor vijandelijke spionnen te verbergen, luidde zijn functie officieel vice-consul in Istanbul. Om zijn dekmantel waar te maken, moest hij daar zichtbaar wonen. En zo werden wij prominente inwoners van de kosmopolitische buitenwijk Nışantaşı. Daar zagen Bilâl, Naim en Can mij doelloos door de parken en over speelveldjes slenteren. En toen ze ontdekten dat ik kon voetballen als een jonge William Shankly, werd ik hun vriend voor het leven.

We hadden onze zwembroeken met ongebruikelijk deco-rum aangetrokken. Ik weet de gelaten stemming van mijn vrienden aan de aanwezigheid van de Gorgoon. Want al de tijd dat we ons omkleedden, ook toen we met onze rug naar haar toe gingen staan om te voorkomen dat ze met haar slangenogen onze piemels in steen zou veranderen – terwijl we ze normaalgesproken met elkaar vergeleken, zoals de meeste jongens in hun puberteit doen – had mevrouw Meredith, de huishoudster, haar strenge blik niet van ons afgewend. Deze drilsergeante, die zelfs de madeliefjes op het gazon nog aan haar tucht zou willen onderwerpen (de bijnaam 'de Gorgoon' had ze een paar jaar daarvoor gekregen van een van onze oudere diplomaten), had een bijzonder fetisjistische verhouding met de parketvloer die de villa zoveel elegantie gaf; niemand, en zeker niet vier stevige jongens, kon erover schuifelen of – de hemel verhoede het! – erover rennen zonder zijn leven te riskeren.

We kwamen aan bij het privé-strand van de villa. Mijn vrienden bleven in een sombere stemming. Ze zouden uitgelaten moeten zijn: deze dag was bedoeld om lol te trappen. Normaalgesproken moesten ze door de week hun vaders meehelpen in de winkel; bovendien was het strand verlaten, op de horde na van de familie Johnson, een vrolijk stelletje, en konden we herrie schoppen. Ik maakte me ongerust. 'Is er iets?'

Bilâl, afgeleid door de familie Johnson, die naar ons stond te zwaaien, zei zacht: 'Het ziet er beroerd uit!'

Omdat ik dacht dat hij het had over de zoveelste crisis met het meisje dat tegenover hem woonde en dat hij onbeschaamd vanuit zijn slaapkamer vereerde, keek ik hem meelevend aan. 'Wijst Selma je af?'

'Nee, ze kijkt naar me terug. Heel lief zelfs.'

'Wat is er dan?'

'Thessaloniki...'

De kinderen van het gezin Johnson waren inmiddels opgestaan en liepen naar ons toe.

Ik staarde naar Bilâl. 'Wat is er?'

Can fluisterde, met zijn zachte stem die ons altijd tot rust bracht: 'Zijn familie in Griekenland. Het zijn moeilijke tijden voor hen.'

Naim, de oudste van ons en om die reden onze leider, zei ernstig: 'We moeten iets doen.'

Ik staarde naar hen. Jongens die praten als volwassenen. 'Wat kunnen we doen?'

Bilâl mompelde. 'We kunnen ze redden. Als je ons helpt…'

'Ik? Wat kan ik doen?'

Can, die zag dat het kroost van Johnson ons bijna had bereikt, fluisterde: 'Paspoorten, we hebben paspoorten nodig.'

'Waarvoor?'

'Voor de familie. Om ze het land uit te krijgen.'

'Ja, zet ze eruit! Maar hoe pakken we dat aan?' Dat was Dorothy, de oudste Johnson. Een Mae West in miniatuur, want er groeide al een paar sinaasappels aan haar borst. Maar een 'droogverleidster': geen jongen mocht haar aanraken.

'Dit is mannenpraat, Dorothy! Ga weg!'

Ze siste. 'Mannen, Robbie? Waar?' Toen glimlachte ze. Ze kon in één adem scherp en zacht zijn. 'Mijn vader nodigt jullie uit. Iemand heeft een mand vol lekkere dingen gebracht: Turks fruit, vijgen, halva…'

Ik zag dat mijn vrienden er geen zin in hadden, maar we konden niet weigeren; dat zou in het jargon van mijn vader niet diplomatiek zijn geweest. Waarom voelen lagere personeelsleden zich altijd verplicht kinderen te verwennen? Aan de andere kant: Dorothy had vijgen genoemd en Turkse vijgen waren goud waard. 'Dat kunnen we niet afslaan, dankjewel.'

We liepen achter haar aan.

Ik gaf Naim een stootje. 'We hebben het er straks nog over.'

Naim reageerde niet. Hij keek naar Dorothy's brede heupen. Brede heupen zijn werpheupen, had hij ons ooit verteld, de oude Kokona aanhalend als autoriteit, onze plaatselijke weetal. Ja, die geduchte Griekse matrone had het kunnen weten; zelf had ze veertien kinderen gebaard en volgens iedereen kostte het haar man zeker wel een paar minuten om zijn strelende hand van de ene naar de andere bil te laten gaan.

Ondertussen ontwikkelde zowel Naim als Can een gezonde voorkeur voor brede heupen. Ik niet. Zoals de meeste noorderlingen zou ik later gaan denken dat wulps vlees en erotiek geneugten waren die tot onmatigheid leidden. Tegenwoordig vraag ik me af: wat is er mis met onmatigheid?

Na de vijgen en andere traktaties speelden meneer Johnson en Can een spelletje schaak, dat spectaculair gewonnen werd door laatstgenoemde, die, als hij zijn zinnen niet op een studie medicijnen had gezet, een grootmeester zou zijn geworden. Daarna deden we een steekspel in de zee waarbij Naim het geluk had Dorothy op zijn schouders te mogen nemen – zijn mond nauwelijks een paar centimeters van haar besproete dijbenen vandaan – terwijl ze een paar keer een van haar vier broers ontzadelde ondanks de moedige inspanningen van Bilâl en mevrouw Johnson, die als hun paarden fungeerden. Daarna hadden we een uurtje of twee serieus gezwommen, een sport waarin ik excelleerde. Tot slot was er een voedzame lunch, verzorgd door de kokkin Emine, die, behalve op speciaal verzoek, nooit twee keer hetzelfde klaarmaakte.

Zo hadden we geen privacy tot aan de verplichte siësta. Dankzij mijn vaders geprivilegieerde status had ik de grote zolderkamer, die gebruikt werd als aflegplaats voor alle afdankertjes in de villa, kunnen bemachtigen als mijn fort. Daar trokken we ons in terug, tot ergernis van de Gorgoon, die ons daar niet in de gaten kon houden.

Bilâl haalde de brief erbij die zijn moeder had ontvangen van de advocaat van de familie en vertaalde die. Zijn Grieks was perfect. Omdat Ester altijd beweerde dat ze Bilâls vader, Pepo, in de beginjaren van hun huwelijk Grieks had geleerd (wat in feite niet waar was; Pepo kende al Grieks voordat hij Ester leerde kennen, hij had zelfs opgetreden als tolk tijdens de Onafhankelijkheidsoorlog), plaagden we Bilâl altijd dat hij die taal had opgepikt door het gekoer van zijn ouders af te luisteren tijdens hun voor- en naspel. (Een grove grap die we niet meer maakten nadat Bilâl ons had verteld dat het tussen zijn moeder en vader niet zo goed ging.)

Een groot deel van de brief was gewijd aan een incident dat op 11 juli had plaatsgevonden. Op die dag, een sabbat, had de bevelhebber van de Wehrmacht in het noorden van Griekenland afgekondigd dat alle manlijke joodse burgers van Thessaloniki tussen de achttien en vijfenveertig jaar zich om acht uur 's ochtends moesten verzamelen op de Plateia Eleftherias, het 'Vrijheidsplein', om zich in te schrijven voor de arbeidsdienst. Zo'n tienduizend mannen, onder wie Salvador, Esters bejaarde vader, hadden zich prompt gemeld in de hoop een werkvergunning te bemachtigen. De Duitsers wilden de opgetrommelde menigte vernederen en lieten de massa tot laat in de middag zonder pet op in de verzengende hitte staan wachten. Zij die door een zonnesteek waren ingestort, werden natgespoten met koud water en in elkaar geslagen; anderen die zware oefeningen moesten doen totdat ook zij waren bezweken, kregen een vergelijkbare behandeling. Deze afschuwelijke en lukrake mishandelingen, moest de advocaat met schaamte toegeven, werden meestal onverschillig en soms zelfs met instemming gadegeslagen door een groot aantal burgers van de stad – mensen die zichzelf ongetwijfeld als goede christenen beschouwden. Erger nog waren de kranten de dag erna, die foto's plaatsten van het Duitse leger en dit gedrag hadden goedgekeurd. Maar misschien was het nog erger dat niet één beroepsorganisatie of ook maar één lid daarvan het voor een joodse collega had opgenomen of tegen de mishandeling van de joden had geprotesteerd. Maar het allerergste was dat er door de bewoners van Thessaloniki – en dat gebeurde nergens anders in het land – veel joden door hun medeburgers werden verraden. Dit verraad hing nauw samen met het Griekse nationalisme, waarvan de aanhangers nog steeds het feit betreurden dat in de eeuwen toen Thessaloniki nog een

Ottomaanse stad was, de joden en de Turken zeer harmonieuze betrekkingen met elkaar hadden gehad. Maar men mocht niet vergeten, jammerde de advocaat bitter, dat elk instituut in Thessaloniki, om niet te zeggen iedere burger, generaties lang had gewerkt en nauwe banden had onderhouden met de joden. Hoe kon men die traditie zijn vergeten? Immers, de geschiedenis had slechts één constante in de Balkan voortgebracht: het joodse woord als bindende factor.

Tot dan toe hadden de Duitsers de meeste mannen die op die zaterdag bij elkaar werden gebracht, ingezet om wegen en luchthavens aan te leggen. Wat er voor de andere joden in het verschiet lag, durfde de advocaat zich niet eens voor te stellen. Berichten uit het oosten van Thracië en Macedonië deden het ergste vermoeden. De Duitsers hadden het bestuur over deze gebieden overgedragen aan hun bondgenoot, de Bulgaren; maar omdat dat land nog niet wist of het zijn joden wilde uitleveren, hadden de Duitsers besloten om de joden in Thracië en Macedonië zelf aan te pakken. Volgens recente geruchten waren deze ongelukkigen en masse naar het bezette Polen gedeporteerd. Dit alles deed de advocaat met spijt terugverlangen naar de tijd dat de Italianen nog de bezettende macht waren. De Italianen waren humaan geweest, vaak in weerwil van Mussolini's edicten. Ze hadden tijdens hun bezetting de joden voortdurend gewaarschuwd tegen het racistische nazibeleid en hun geadviseerd het land te verlaten; regelmatig hadden ze zelfs Italiaanse paspoorten afgegeven aan degenen die hun advies opvolgden. Ester herinnerde zich misschien nog ene Moiz Hananel, een verre neef uit Rhodos: die zat nu veilig in Chili. Maar helaas, Esters vader, Salvador, die niet genegen was zijn aanzienlijke investeringen te laten liquideren, had geaarzeld. Nu waren de Italianen vertrokken en was Salvadors rijkdom in rook opgegaan.

Daarmee eindigde de brief van de advocaat.

Toen haalde Bilâl een andere brief te voorschijn, het laatste bericht van Esters zus, Fortuna. Hij was in het Frans geschreven, de lingua franca van de gestudeerde sefardische joden, en Bilâl las hem hardop voor. Zoals men kon verwachten van iemand met mijn Schotse achtergrond was ik – in tegenstelling tot de insulaire, ééntalige Engelsen – tamelijk kosmopolitisch en sprak ik een paar talen vloeiend.

Fortuna's brief was als van iemand die op sterven lag, zonder een spoor van de stijgende woede waarmee ze normaalgesproken tegenslagen te lijf ging. Haar man, Zaharya, die te werk was gesteld in de wegenbouw, was aan een hartaanval overleden. Viktorya en Süzan, haar dochters van acht en tien jaar oud, waren nu de kostwinners van de familie. Elke dag voor het ochtendgloren gingen ze het huis uit – dat in die dagen een hoekje was in een verlaten pakhuis – en beklommen de voet van de Horatiusberg, waar ze wilde bloemen plukten. Vervolgens renden ze zo hard ze konden terug naar de stad om rond het middaguur, vaak concurrerend met de even arme zigeunerkinderen, de bloemen te verkopen aan Duitse officieren die zich ontspanden in de cafés aan het water.

Elke ochtend als ze vertrokken wist Fortuna zeker dat ze haar dochters nooit meer terug zou zien. Haar zoon David – die net als Bilâl bijna dertien was – verging het nog slechter. Zijn dagtaak was de stad afschuimen om voedselresten te zoeken. Hij moest daarbij altijd oppassen voor de Duitse patrouilles, voor wie het vernederen van rabbijnen, vrouwen en bejaarden, het slaan van kinderen en het willekeurig schieten op 'onverbeterlijke communisten' – een eufemisme voor mensen met een joods uiterlijk – favoriete tijdsbestedingen waren geworden.

Salvador, een man die in zijn hoogtijdagen nooit voor een gevecht zou terugdeinzen, was een schim van zichzelf. Sinds de onteigening van zijn villa door de Wehrmacht, enkele dagen na 11 juli, verschanste hij zich in een schuurtje bij het Eptapyrgiofort, die verschrikkelijke gevangenis aan de rand van de oude bovenstad. Plechtig belovend dat hij zich nooit meer zou laten mishandelen en regelmatig zijn vrouw aanroepend, die dit gelukkig niet meer hoefde mee te maken, om hem te komen halen, was hij sindsdien zijn schuurtje niet meer uit geweest. Viktorya en Süzan brachten hem te eten, maar hoe lang konden ze dat blijven doen?

Dit alles had Fortuna ervan overtuigd dat ze de mores van deze nieuwe wereld moest leren kennen, dat ze sluw en roofzuchtig moest worden en tegen alle regels van het fatsoen moest in gaan om maar te kunnen overleven. Ze was nog steeds jong en aantrekkelijk. Griekse mannen, dat was bekend, hadden een zwak voor joods vlees. Ook de Duitsers, zo werd gezegd, schepten er heimelijk genoegen in.

De familie van Bilâl moest worden gered. Ze waren nagenoeg ook familie van ons. Bilâl, die hen had ontmoet toen hij in de zomer van 1939, vlak voor de oorlog, met zijn ouders Thessaloniki had bezocht, had zo hoog van hen opgegeven dat we hen ongezien als onze eigen familie hadden aanvaard. Viktorya en Süzan, schattige meisjes die van alle kanten werden bedreigd, waren de jonge zusjes die we zo graag hadden willen hebben. (Gül, de oudere zus van Naim, was twee jaar eerder overleden.) David was van onze leeftijd en leek op de foto's Bilâls tweelingbroer; daarom was hij ónze tweelingbroer. Wat betreft Fortuna: de heersende moraal dat prostitutie een zwaarder lot was dan de dood, riep bij ons de meest gruwelijke fantasieën op. En dus, hoewel we heimelijk opgewonden raakten bij de gedachte aan een vrouw die zichzelf aan iedere willekeurige man gaf, konden we haar niet op duizend-en-een verschrikkelijke manieren ten onder laten gaan. We hadden onze bedenkingen over Salvador – die zijn leven lang een ware huistiran zou zijn geweest – maar we vonden het te cru om hem alleen achter te laten.

Op basis van ons uiteindelijke plan van aanpak zou je

denken dat we er dagenlang over hadden gediscussieerd. Nou, niet dus. Ons besluit stond meteen unaniem vast. Bedenkingen, bijvoorbeeld over de manier waarop we de toekomstige problemen te lijf zouden gaan, konden later wel worden opgelost, als het eenmaal zover was. We waren jong; en volgens Plato, door wie we destijds werden geïnspireerd, waren wij wijzer dan de ouderen. We zouden de wereld verbeteren. De oorlog uitroeien. De universele gerechtigheid en de mensenrechten verwezenlijken. Een halt toeroepen aan de opoffering van miljoenen mensen op het altaar van monomane maniakken.

Bilâl presenteerde een 'als ik maar'-scenario, dat de aanhef was geworden van zijn moeders klaagzang. Als ik maar vijf Turkse paspoorten had en die naar Fortuna kon brengen...

Hij had de mogelijkheden onderzocht.

Iedereen die in Istanbul een beetje om zich heen keek, wist dat er een levendige handel in paspoorten bestond. Paspoorten van neutrale landen als Zweden en Zwitserland, of uit delen in de wereld die buiten het oorlogstheater lagen, bijvoorbeeld Latijns-Amerika, waren een fortuin waard. Er waren een paar uitzonderingen: Turkije was weliswaar neutraal, maar omdat gevreesd werd dat Duitsland, dat de Russische olievelden en raffinaderijen ten oosten van de Zwarte Zee wilde vernietigen, het land zou binnenvallen, was er weinig vraag naar Turkse paspoorten. De marktwaarde van een paspoort werd bepaald door de grillen van de oorlog. Soms konden zelfs paspoorten uit landen die door de oorlog waren getroffen goud waard zijn. Een Brits paspoort bijvoorbeeld, hoewel dat dezelfde bescheiden status had als het Turkse reisdocument, kon een fortuin opbrengen onder joodse vluchtelingen die zich in Palestina wilden vestigen.

In het algemeen, doceerde Bilâl ons, werd de zwarte markt gedomineerd door de Levantijnen, die kleine Europese minderheid die, verliefd geworden op de Oriënt, zich in het

Ottomaanse rijk had gevestigd en gemengde huwelijken aanging met vele verschillende volkeren. Buitengewoon trots op hun gemengde afkomst hadden de Levantijnen zich in veler mediterrane ogen ontwikkeld tot 'charmante boeven'. In het nieuwe Turkije hadden ze zich bekwaamd in het uitermate specialistische metier van *iş bitirici*, 'taak-afhandelaars'. Men zei dat wanneer ze eenmaal een taak op zich hadden genomen alleen de dood hen ervan kon weerhouden die af te handelen tot tevredenheid van de klant.

Op dit punt, zei Bilâl, hadden we geluk, Naim had een perfecte ingang tot deze gemeenschap. Zijn klasgenoot Tomaso (Turkse naam: Turgut) was de zoon van 'Neptunes', de eigenaar van het bekende restaurant in de Gouden Hoorn, waar de beste vis ter wereld werd geserveerd. Neptunes behoorde tot de Adriatische tak, een kleine groep Levantijnse afstammelingen van Venetiaanse zeelieden die tijdens de zeeslagen in de zestiende en zeventiende eeuw gevangen waren genomen, vervolgens in de Ottomaanse slagschepen werden gebruikt als galeislaven en uiteindelijk werden vrijgelaten en zich in het rijk mochten vestigen. Neptunes had een horde 'neven' die, op zoek naar smokkelactiviteiten, de vier Turkse zeeën bevoeren in een vloot van treilers; het wekt geen verbazing dat ze op den duur de hele vishandel domineerden – wat de voortreffelijkheid verklaarde van zijn restaurant.

Dus, als we vijf Britse paspoorten konden bemachtigen, besloot Bilâl, dan konden we die via de Adriatiko-tak misschien ruilen tegen Turkse exemplaren. Die waren, herhaalde hij voor ons, ongeveer evenveel waard, maar hadden het voordeel dat de Duitse bezetter die gemakkelijker accepteerde omdat Turkije niet alleen een buurland was maar ook neutraal. Voor de familie van Ester was dit de enige kans om te ontsnappen.

En vanaf dit punt speelde ik een rol. Ik behoorde tot de Britse diplomatieke gemeenschap. Verkeerde in de perfecte positie om de hand te leggen op nieuwe paspoorten. Het lot had mij precies voor dat doel naar Istanbul gebracht.

We bedachten een ingenieus plan.

De rest van de vakantie zou ik uitermate vriendschappelijk omgaan met de familie Johnson, vooral met meneer Johnson, die de consul was van Zijne Majesteit. En ik zou uitzoeken, door het soort achteloze vragen te stellen dat in iedere nieuwsgierige tienerjongen opkomt, hoe het consulaat paspoorten uitgaf en waar die werden opgeslagen. Daarna zou ik, als mijn vader weer in Istanbul was, hem met een smoes op het consulaat opzoeken en als iedereen aan het werk was de ruimte binnenglippen waar de paspoorten werden bewaard en de vijf exemplaren pikken die we nodig hadden. Als de paspoorten achter slot en grendel zaten, dan zouden mijn vrienden een loper voor me regelen. Het zou geen probleem zijn om dit voorwerp bij een slotenmaker te verkrijgen; doordat mijn vrienden zo vaak met hun vaders inkopen hadden gedaan, kenden ze talloze vaklui.

Als we eenmaal onze paspoorten hadden, zou Naim aan Tomaso vragen of hij ons wilde voorstellen aan de Adriatiko om onze paspoorten in te ruilen tegen Turkse exemplaren.

De volgende fase, Griekenland binnenkomen, zou volgens ons evenmin een probleem zijn. We konden een goed excuus bedenken om er een paar dagen uit te zijn. Ons scoutingdistrict had een vooruitstrevend sport- en cultuurprogramma met excursies naar bekende archeologische plaatsen. Aangezien onze ouders achter dit soort activiteiten stonden – we hadden toen al verschillende archeologische plekken in Anatolië bezocht – konden we gemakkelijk een uitstapje 'verzinnen' naar, zeg, het Koninklijk Hittietenmuseum in Boğazköy.

Griekenland konden we op twee manieren binnenkomen. We konden ofwel naar het oosten van Thracië gaan door op een vlot de rivier de Meriç over te steken, die langs de Turks-

Griekse grens liep, ofwel direct in een huurboot naar een verlaten inham varen.

De eerste optie vonden we te riskant. Daarvoor zouden we twee legers moeten omzeilen, de Duitse en de Bulgaarse bezettingstroepen. Bovendien, ondanks de garanties dat Duitsland Turkije niet zou binnenvallen, bleef de Turkse overheid, die zich vergelijkbare beloften aan sovjetstaten herinnerde, op haar hoede. Als gevolg daarvan werd de grens streng bewaakt door een derde militaire macht, het Turkse leger.

Naim wist zeker dat zijn vriend Tomaso ons op dit punt even goed van dienst kon zijn als met de paspoorten; hij zou ons wel aan een boot van een van zijn vaders 'neven' kunnen helpen om de korte oversteek naar Griekenland te maken.

De reis naar Thessaloniki – met de bus, namen we aan – zou ook probleemloos verlopen dankzij Bilâls onberispelijke Grieks. Eenmaal daar zouden we Viktorya en Süzan opwachten wanneer zij bloemen gingen verkopen, en zij zouden ons naar de rest van de familie brengen.

We hadden genoeg geld, omdat we allemaal wat gespaard hadden. Bovendien was door de oorlog de wisselkoers tussen de Griekse drachme en de Turkse lira voor ons zeer gunstig. Maar voor alle zekerheid zou degene onder ons die het ruimst bij kas zat – dat was ik – zijn fiets verkopen en zijn ouders vertellen dat die was gestolen.

De reis terug zou even soepel gaan, dachten we. 's Avonds zouden we naar onze boot terug sluipen en voor zonsopgang waren we weer in Turkije.

Bilâls familieleden zouden, voorzien van een Turks paspoort, via de officiële weg uitreisvisa aanvragen en naar Istanbul reizen, ofwel per trein – rechtstreeks of via Sofia – ofwel per stoomboot, als die nog steeds ging.

De eerste fase verliep helemaal gesmeerd.

Binnen een paar dagen was ik de favoriete jongere van

meneer Johnson. Die status verkreeg ik nogal slinks door dagelijks wiskundebijles te geven aan zijn oudste zoon Ernest – geen groot licht – die in september een hertentamen had. Het feit dat de hooghartige Dorothy na een periode van negeren interesse in me begon te tonen en ervoor zorgde dat ik voor een aantal familie-uitjes werd uitgenodigd, hielp ook. Net als de toestand van mijn moeder: nadat haar jongere broer, die bij de Royal Navy zat, was gesneuveld, was zij binnen een jaar veranderd van een vrolijke, sportieve vrouw in een lusteloos, labiel mens, dat zich afzijdig hield van de society. De familie Johnson, lieve mensen, was vastbesloten haar gebrek aan aandacht voor mij te compenseren door me te overladen met verrassingen.

Een van die verrassingen was een rondleiding door het consulaat die, zo moet meneer Johnson hebben gedacht, mij een indruk zou geven van het belangrijke werk dat de regering van Zijne Majesteit deed, waardoor ik nog trotser zou zijn op mijn vaderland. Inderdaad vond ik de activiteiten daar – die voornamelijk bestonden uit voorbereidend werk voor de commissie van mijn vader – fascinerend. En tot mijn verrassing ontdekte ik dat het paspoortkantoor zelden werd bemand; het was niet in ons opgekomen dat er tijdens de oorlog maar weinig mensen waren die wilden reizen. De paspoorten lagen op keurige stapels in de grote metalen voorraadkast achter de balie, waar ook de schrijfbenodigdheden van het consulaat werden bewaard. Bij de kast hoorde een sleutel, maar die hing altijd aan de klink voor degenen die schrijfgerei nodig hadden.

Ik besloot meteen mijn kans te grijpen en regelde een tweede bezoek aan het consulaat, deze keer met Ernest en Dorothy erbij, nadat ik hen mee naar de film had genomen. Op een gunstig moment deed ik alsof ik naar de wc moest en kneep ik ertussenuit: ik glipte de ruimte met de paspoorten binnen, jatte de vijf paspoorten en stopte die in mijn schooltas. Ik had mijn schooltas meegenomen om boeken te lenen uit de con-

sulaatbibliotheek en zoals men verwachtte van een boeken-
wurm nam ik die overal mee naartoe, zelfs naar de wc. Om er
zeker van te zijn dat de paspoortnummers elkaar niet opvolgden, nam ik de paspoorten van verschillende stapels. Dit was
een geïnspireerde zet, een doorgewinterde spion waardig. Ik
ben er nog steeds trots op.

Ook Naim had het makkelijk.
Zijn vriend Tomaso, die jaloers was op het avontuur dat ons
te wachten stond, ging ijverig aan de slag. Een paspoortruil was
voor hem kinderspel, zei hij. Maar om Griekenland in en uit te
komen, raadde hij ons af een beroep te doen op de oudere
generatie. Sinds de Duitse invasie van de Balkan hadden de
veteranen hun legendarische *braggadocio* verlaten. Ze smok-
kelden zelfs niet meer. De swastika-Hunnen, riepen ze tegen
iedereen, waren anders dan de Duitsers die in de Eerste Wereldoorlog hadden gevochten; het waren dolle honden, net als
hun Führer.
De nieuwe generatie daarentegen, de delikanlı – de 'jongemannen met krankzinnig bloed', om die plastische Turkse
uitdrukking te gebruiken – stond te trappelen van ongeduld;
die jongens wilden juist graag hun krachten meten met het
'meesterras'. En niemand stond ongeduldiger te trappelen dan
Marko, de jongste broer van Tomaso's moeder, die nog geen
vijfentwintig jaar oud was, maar al als een Sinbad werd vereerd.
De paspoortruil bleek inderdaad kinderspel. Tomaso, die
deed alsof hij de klus – zijn eerste – zelf had geklaard voor een
Griekse vriend, vroeg zijn vader om advies over deze ruil.
Neptunes, trots op het initiatief van zijn zoon, begeleidde
de ruil in eigen persoon. Zoals het een ware ritselaar betaamt,
stelde hij geen vragen. Maar wél sleepte hij een winst van
vijfenzeventig lira binnen.
Toen stelde Tomaso ons voor aan Marko.
Zelfs nu nog staat Marko in mijn geheugen gegrift als de

mannelijkste man die ik ooit heb ontmoet: een kruising van een filmster, atleet en olympische god met de volle, perfect gecoiffeerde, voorgeschreven Casanova-snor; hij stond boven iedereen verheven alsof hij de kunst van het einzelgänger-zijn had geperfectioneerd, maar bezat tegelijk een aanstekelijk enthousiasme. We raakten onmiddellijk van hem in de ban. Zelfs Naim, die eerst niet wist wat hij van hem moest denken, was uiteindelijk gezwicht voor zijn niet te stuiten zelfvertrouwen. Maar Marko had dan ook alle reden voor dat zelfvertrouwen. Vanaf het begin van zijn carrière had hij allerlei riskante klusjes aangenomen en die stuk voor stuk met zwier afgerond, een ongekende prestatie in zijn o zo onzekere beroep. Bovendien had hij zijn motorboot, de Yasemin, zo hoog opgevoerd dat hij elk patrouillevaartuig in de Egeïsche Zee te snel af was.

Marko wilde ons meteen helpen. Maar hij was niet bereid zijn boot aan ons te verhuren. Hij legde uit dat we niet alleen geen flauw benul hadden van de grillen van de Egeïsche Zee, maar ook dat we totaal onbekend waren met de kustlijn van Thracië. Als we Turkse of Duitse patrouilleboten achter ons aan zouden krijgen, konden we hen nooit van ons afschudden en zouden we ofwel gevangengenomen worden ofwel de zee op worden gedreven.

Er was maar één oplossing: hij zou ons persoonlijk Griekenland in en uit smokkelen. Als ervaren zeeman kende hij de regio als zijn broekzak. Hij kon ons aan de kust afzetten, heel dicht bij Thessaloniki, bijvoorbeeld bij Acte, het uiterst oostelijk gelegen voorgebergte van het drietongige schiereiland Chalkhidiki, bij de abdijen van de Athosberg. Het zou trouwens verstandig zijn om in de buurt van deze monniken te blijven; in geval van nood kon je ervan uitgaan dat zij eten en onderdak gaven. En tot slot zou Marko, die een onverbeterlijk romanticus was en het zijn heilige plicht vond om mensen te redden, de klus eigenhandig en voor een schijntje klaren, voor, zeg, een maandvoorraad raki.

Zijn betoog sneed hout; zijn enthousiasme werkte aanstekelijk. Eindelijk konden we het schimmenrijk van 'had ik
maar' verlaten en de echte wereld van de actie betreden.
Dus gingen we akkoord.

We prikten als datum zondag 6 september. We rekenden uit
dat we een week later terug zouden zijn, op de dertiende.

'Thuis gemaakte kostenramingen kloppen op de markt nooit',
luidt een Turks gezegde. En dat is waar. Al meteen ging er van
alles mis.

Ons verzoek of we een week op kamp mochten met de
verkenners riep weinig enthousiasme op bij onze vaders. De
vaders van Naim en Can, die wanhopig hun zaak drijvende
probeerden te houden, hadden hun zoons nodig voor kleine
klusjes en wilden hen niet laten gaan. Mijn vader, die in Ankara
moest blijven en niet wilde dat mijn depressieve moeder alleen
gelaten werd, stond erop dat ik bij haar bleef. Alleen de ouders
van Bilâl gaven toestemming – volgens Bilâl ongepast snel.
Hun huwelijk was, zoals iedereen kon zien, gestrand; ze grepen
deze kans aan om hun zoon wat respijt te geven van hun
geruzie.

Twee dagen later veranderde Marko van gedachten. Een
operatie die bestond uit het redden van vijf mensen van verschillende leeftijd, was te hoog gegrepen voor jonge jongens
zoals wij, hoe slim en dapper we ook waren. We zouden
opvallen. We zouden worden opgepakt en waarschijnlijk ter
plekke geëxecuteerd. (We hadden hem nog niet verteld dat
alleen Bilâl toestemming had gekregen om weg te gaan; we
hoopten nog steeds dat we onze ouders van gedachten konden
doen veranderen.)

Marko stelde een nieuw plan voor. Hij zou alleen gaan. Als
iedere Levantijn sprak hij vloeiend Grieks. En hij kende de weg
in Thessaloniki: vlak voor de oorlog had hij daar een wilde tijd
doorgebracht met geile *koritzia*. O, die Griekse meisjes toch –

Afrodites, allemaal! We hoefden hem de paspoorten maar te geven en hij zou in een flits het land in en uit zijn. Hij vroeg er niet eens iets extra's voor.

We wisten ons geen raad. Daarom vroegen we minstens één dag bedenktijd. Onze eerste gedachte – de mijne in elk geval – was dat Marko's enige belang bij ons project de paspoorten waren geweest. Ik zag al voor me hoe hij ze aan de hoogste bieder verkocht, zich daarna een tijd niet liet zien en uiteindelijk opdook met een sterk verhaal, dat het hem bijna was gelukt, maar dat hij plotseling, helaas, door allerlei tegenslag was getroffen. Maar wat konden we tegen hem inbrengen nu we allemaal op Bilâl na tot stuurlui-aan-wal waren gedegradeerd?

Op de volgende bijeenkomst zette Bilâl Marko voor het blok met een stalen gezicht dat ons allemaal verraste. 'Je hebt gelijk. We kunnen niet met zijn allen gaan. Dus moeten wij het doen. Jij en ik.'

Marko gniffelde en streek Bilâl door zijn haar. 'Klein broertje van me. Geestverwant! Och, mannetje toch. Nee.' Hij nipte van zijn raki en spoelde die weg met mineraalwater. 'Ik moet het alleen doen. Het kan niet anders. Erin en eruit. 't Is zo gepiept.' Hij spande zijn biceps. 'Marko kan het! Op mijn erewoord.'

Bilâl plaagde Marko door op zijn beurt zíjn armspieren te spannen. 'Marko, en ik.'

Marko staarde naar Bilâls dunne armpjes en bulderde van het lachen. 'Ach, mannetje toch…'

Bilâl schonk Marko's glas nog eens vol met raki en stak zijn hand uit. 'Afgesproken?'

Boos duwde Marko Bilâls hand weg. 'Nee!' Hij sloeg zijn glas achterover en boog zich dreigend voorover. 'Vertrouw jij Marko soms niet, broertje? Zelfs niet als hij zijn erewoord heeft gegeven?'

'Jawel, ík wel. Maar zij niet.'

Marko draaide zich naar ons om, nu nog dreigender. Zijn volle, perfect gecoiffeerde snor ging overeind staan. 'Vertrouwen jullie me niet?'

Bilâl gaf een klap op zijn schouder. 'Niet zij, Marko. Mijn familie in Thessaloniki.'

Marko grinnikte. 'Maak je geen zorgen, broertje. Die krijgen wel vertrouwen in me. Ze zullen me meteen heel aardig vinden. Ze zullen mijn hand kussen. Ze zullen me overal kussen.'

Op dit soort momenten vermoedde ik dat er achter al die mannelijkheid van Marko een dwaas schuilging.

'Het zijn joden, Marko. Die moeten eerst aan iemand zijn voorgesteld voordat ze die mogen kussen.'

Marko keek hem aan. 'Hou je me soms voor de gek?'

Bilâl knikte. 'Ja. Maar het is deels ook waar. Mijn familie kent jou niet. Ze zullen jou, een vreemdeling, niet zomaar vertrouwen. Niet na alles wat ze hebben meegemaakt.'

Marko schudde somber zijn hoofd. 'Maar ik kom ze redden, broertje! Ik wil ze juist redden!'

'Mij kennen ze. Mij zullen ze vertrouwen. Ik ben familie. En pas dan kussen ze je hand. Kussen ze je overal.'

Marko begon weer te stralen. 'Echt waar?'

'Vooral de vrouwen.'

Marko keek achterdochtig op. 'Eén vrouw is genoeg, broer. Je tante wil ik hebben. De meisjes zijn te jong.'

Bilâl glimlachte. 'Mooi! Dan mogen de meisjes mij kussen!'

Marko grinnikte en pakte Bilâl bij zijn hand. 'Afgesproken! We doen het samen!'

Op zondag 6 september vertrokken ze zoals gepland vanuit Beşiktaş, aan de monding van de Bosporus, waar Marko meestal zijn boot aanlegde. Naim, Can en ik voeren helemaal tot aan Florya met hen mee. We spraken af dat we elkaar een week later op dezelfde plek zouden opwachten. Geloofde iemand van ons dat Marko en Bilâl in hun missie zouden slagen? Dat weet ik niet. Ik heb sindsdien veel dingen onderdrukt. Wél geloof ik dat Marko, naïef als altijd, erin geloofde. Ik vermoed dat de rest van ons deed alsof.

De dag van hun terugkeer, 13 september, kwam en ging. We stonden op het strand op de plaats van de afspraak te wachten, tot de volgende dag aanbrak. We rookten talloze sigaretten en trokken ons stilletjes terug om te huilen. Uiteindelijk erkenden we dat we hen nooit meer zouden terugzien. We waren ontroostbaar.

Later brak de hel los.

Ester, bezorgd omdat haar zoon niet was thuisgekomen, nam contact op met de scoutingvereniging en kreeg te horen dat Bilâl niet met een excursie had kunnen meegaan, omdat er wegens gebrek aan geld helemaal niets was georganiseerd.

Vervolgens namen zij en Pepo contact op met onze ouders, die ons onmiddellijk op het matje riepen. Mijn vader kon zich uit Ankara losmaken en kwam meteen. Mijn moeder, die bijzonder op Bilâl gesteld was, sloot zich helemaal overstuur op in haar kamer.

We konden er niet omheen draaien. Omdat we wanhopig graag Bilâl wilden redden, als dat nog kon, vertelden we het hele verhaal.

Tot onze grote verrassing en ondanks de zware reprimandes omdat we zo onverantwoordelijk en dwaas waren geweest, toonden ze begrip, zelfs medelijden. Vooral Bilâls ouders, eindelijk op één lijn, complimenteerden ons tussen hun snikken door om ons medeleven en onze moed. Ik meen dat mijn vader ook trots op me was toen hij zei dat ik niet hoefde te verwachten dat hij namens mij zou optreden als ik voor het gerecht gedaagd zou worden wegens diefstal van paspoorten.

Er werden enkele beslissingen genomen. Het consulaat zou de Turkse immigratiedienst benaderen en vragen of de vijf

Turkse paspoorten waren geregistreerd – gelukkig hadden we de nummers genoteerd. Wanneer door een wonder Esters familie in Turkije was of werd vastgehouden op een grenspost, dan zou mijn vader met goedkeuring van de ambassadeur de Turkse overheid verzoeken hun asiel te verlenen. De ouders van Naim en Can zouden op hun beurt binnen de Levantijnse gemeenschap navraag doen over het lot van Marko.

Op zaterdag 19 september had Tomaso een beetje nieuws. Zijn vader had gehoord dat Marko's boot, de Yasemin, op 12 september, de dag voordat hij en Bilâl terug in Istanbul zouden zijn, in beslag was genomen door Duitse patrouilleschepen bij een grot in de Golf van Kassandra, op het schiereiland Chalkidiki. De inbeslagname zelf was volgens de bronnen te wijten aan pech: een plank die over de naam van de Yasemin en de havenplaats van registratie, Gelibolu, was gespijkerd, was los gaan zitten en een wakkere Duitse ambtenaar, die geïntrigeerd was geraakt door een vaartuig met Romeinse in plaats van Griekse letters, was op onderzoek uit gegaan.

Voorzover de bronnen konden vaststellen, was er niemand gearresteerd. Dat betekende waarschijnlijk dat de boot leeg was toen de Duitsers haar ontdekten.

Waarschijnlijk zaten Marko en Bilâl ergens ondergedoken, mogelijk bij de familie van Ester – Thessaloniki lag nog geen vijftig kilometer van de Golf van Kassandra – of misschien ergens op het schiereiland.

We klampten ons vast aan deze hoop.

Vier dagen later hoorden we dat Marko dood was. Hij was de avond daarvoor opgedoken in Bulgarije, vlak bij de spoorbrug van Svilengrad, tegen de Turkse grens. Hij had een muilezel geritseld en ging in galop naar de rivier de Meriç.

Duitse en Bulgaarse patrouilleerders op de motor hadden hem gezien en zetten de achtervolging in. Toen hij op zijn ezel door de rivier waadde, staakten de Bulgaren, die de neutraliteit van het niemandsland respecteerden, de achtervolging. Zo niet de Duitsers – die hadden het vuur geopend. De Turkse grenswachten die daarop verschenen, hadden de Duitsers verzocht het vuren te staken en dreigden terug te schieten. Er volgde een woordenwisseling. Ondertussen had Marko de oever bereikt. De Turkse soldaten die hem te hulp kwamen, zagen dat hij dodelijk gewond was. Even later overleed hij, koortsachtig en herhaaldelijk vragend naar Bilâl.

Weken gingen voorbij.

Elke dag bezochten we de ouders van Bilâl. We lieten hun weten dat wij ook in de rouw waren, dat het verlies van Bilâl ook voor ons ondraaglijk was omdat hij in alle betekenissen van het woord een broer van ons was, behalve dan in biologische zin. Ik denk dat we onuitstaanbaar ongevoelig voor hen zijn geweest. Maar Bilâls ouders, vooral Pepo, klampten zich dankbaar aan ons gezelschap vast. Alsof ze hun eigen zoon opnieuw wilden leren kennen, stelden ze eindeloos vragen over hem. Ze lachten en huilden om alle gekke, jongensachtige streken die hij had uitgehaald en smeekten ons zijn allergekste capriolen nog eens te vertellen. We vertelden als de besten, overdreven sommige details, staken onveranderlijk de loftrompet over zijn daden. Ze luisterden gretig. En maakten geen ruzie meer; ze hielden elkaar zelfs slapjes bij de hand vast. Zoals Naim eens bitter zou opmerken, had Bilâl zijn leven geofferd om zijn ouders weer tot elkaar te brengen.

In deze weken bleven mijn vader en de Turkse autoriteiten via verschillende kanalen naspeuringen doen naar Bilâl. Maar hun pogingen liepen op niets uit.

Toen werd het half november. En waren wij, Britten, uitgelaten. Militaire deskundigen bevestigden dat na El Alamein Duitsland geen bedreiging meer vormde in Noord-Afrika. Het einde van het Derde Rijk was in zicht.

Alsof dit het nieuws was waar ze op had gewacht, begon

Ester ons te mijden. Vreesde ze, met haar joodse verbeelding, dat een verzwakt Duitsland nog meedogenlozer zou optreden tegen zijn slachtoffers? Telkens als we haar en Pepo opzochten, ging ze winkelen of bij een vriendin op bezoek. Pepo, die ons in zijn eentje moest ontvangen, werd er nerveus van en verontschuldigde zich steeds vaker.

Al snel hoorden we dat Ester helemaal niet winkelde of bij vriendinnen langsging, maar door Istanbul zwierf. Soms legde ze deze zwerftochten systematisch af, per district, dan weer dwaalde ze doelloos rond. Dit mysterieuze gedrag maakte onvermijdelijk de tongen los. Sommigen zeiden dat ze een minnaar had, anderen dat ze er een paar had; weer anderen wisten dat ze het gezelschap van Pepo niet meer kon verdragen; een enkeling suggereerde dat ze gek werd. Het verdriet om het verlies van haar zoon, het schuldgevoel hem te hebben verloren omdat hij had geprobeerd hun huwelijk te redden door haar familie te redden, zou voor iedereen onverdraaglijk zijn, zei men.

Pepo verkocht zijn zaak om de Varlık Vergisi, de Weeldetaks, te betalen. Hij ging werken als opzichter in een textielfabriek, een baan waardoor hij 's avonds en een groot deel van de dag niet meer thuis kon zijn. Dit leek Ester goed te doen. Ze zwierf niet meer rond. Wél meed ze ons nog.

Pepo bleef ons ontvangen, bijna elke dag, maar alleen 's middags, na school.

Het werd 1943.

Churchill, die Turkije probeerde over te halen zich bij de geallieerden aan te sluiten, had een ontmoeting met president İnönü.

In februari kwam het nieuws van de overwinning van het Rode Leger bij Stalingrad, na maanden heroïsche weerstand. Terwijl ze het hoofd boden aan het tegenoffensief van de sovjets en de keiharde Russische winter, werden de Duitsers nu geconfronteerd met een ramp die vergelijkbaar was met wat Napoleon had meegemaakt.

De economische situatie verslechterde. Naim en Can, die steeds vaker hun vaders moesten meehelpen, sloegen wel eens een afspraak met Pepo over. Ik keurde dit verzuim streng af, beschuldigde hen zelfs van verraad aan Bilâls nagedachtenis.

Pepo legde ons de huidige politieke situatie uit. Het antisemitisme was nu ook tot Turkije doorgedrongen. Enkele oudere politici met een nostalgische hang naar de Turks-Duitse alliantie van de Eerste Wereldoorlog meenden dat een nieuwe alliantie met Duitsland recht zou doen aan de geschiedenis en de oude Ottomaanse glorie zou herstellen. Daardoor waren zij moeiteloos in de ban geraakt van de nazi-ideologie. Als gevolg daarvan gaven zij, gesteund en opgehitst door lakeien en opportunisten op belangrijke ministeries, de joden de schuld van de economische malaise in Turkije. Gewetenloze journalisten wedijverden met elkaar om nieuw leven te blazen in de afgezaagde christelijke leugens over welbekende joodse activiteiten als uitbuiting, speculatie, exploitatie en het complot om de wereldleiding. Spotprenten, geïnspireerd op het nazi-blad *Der Stürmer*, waarin de joden als monsterlijk vette, haakneuzige profiteurs werden afgebeeld, illustreerden deze laster. Het gevolg was dat het Turkse parlement een belastingmaatregel had genomen die discriminerend was voor joden – en, voor de goede orde, ook voor enkele andere minderheden. De maatregel, de zogenoemde Varlık Vergisi, was een torenhoge aanslag die maar weinig joden konden opbrengen. De straffen bij nietbetaling waren uitzonderlijk streng. Het gevolg was dat talloze joden niet alleen onteigend, maar ook gedeporteerd werden naar werkkampen waar ze 'hun schulden konden wegwerken'. Pepo, die zijn zaak had moeten verkopen om de belasting te kunnen betalen, vermoedde dat ook hij vroeg of laat in een kamp zou belanden.

Toen was het 12 februari, Bilâls verjaardag. Dat jaar zou hij ook zijn bar mitswa doen, de dag waarop hij als volwassene tot zijn gemeenschap zou zijn toegetreden.

We hadden met Pepo afgesproken in onze gebruikelijke çayhane. In plaats daarvan nodigde Ester ons onverwacht bij hen thuis uit.

Ze begroette ons warm, bijna net zo hartelijk als vroeger. Maar er was iets vreemds met haar aan de hand. Ondanks een dikke laag make-up zag ze er onverzorgd uit. Haar haren, die normaalgesproken glansden als ebbenhout – en die Bilâl van haar geërfd had – hadden hun glans verloren. Ze was labiel: dan weer was ze uiterst opgewonden, dan weer in een soort sluimer. Ik weet nog dat ik me opgelaten voelde en vragend naar Pepo keek. Hij leek in gedachten verzonken, hield zijn ogen gericht op zijn gevouwen handen.

Gehaast zette Ester thee en koekjes voor. Even staarde ze ons met een onwezenlijke glimlach aan terwijl wij aten. Toen haalde ze plotseling met een zwierig gebaar een brief te voorschijn uit haar tasje en zwaaide daarmee naar ons. 'Bilâl is in leven!'

Ik sprong op. Wij allemaal. We vuurden in het wilde weg vragen op haar af. Naim huilde. Het lukte Ester ons tot bedaren te brengen. Ze bleef zwaaien met haar brief. 'Een brief van mijn zus. Hij heeft hen gered. Bilâl heeft hen gered.' Toen legde ze de brief op de tafel. 'Lees zelf maar…'

Ditmaal reageerden we wat gecoördineerder. Iemand van ons die had gezien dat de brief in Griekse letters was geschreven, zei dat hij geen Grieks kon lezen. Een ander smeekte haar of ze ons wilde vertellen wat er was gebeurd. Ik vroeg telkens: 'Waar is hij? Waar is hij?' En ondertussen vroeg ik me af waarom Pepo zo stil bleef.

Ze deed mechanisch verslag van de gebeurtenissen. 'Bilâl heeft mijn zus gevonden. Gaf haar de paspoorten. Ze zijn nu in Macedonië. Mijn vader. Fortuna. De kinderen. In Skopje. Veilig…'

Ik juichte. De anderen ook. In Skopje woonde een grote Turkse minderheid. Turkije en Duitsland waren niet met elkaar in oorlog. Dus Turkse onderdanen waren inderdaad veilig. 'Is Bilâl bij hen? In Skopje?'

Ze staarde naar ons, aanvankelijk verward, daarna met een beminnelijke glimlach. 'O, nee, nee, nee. Hij en Marko waren teruggegaan. Want zoals je weet hebben ze Marko's boot gevonden. Dus moesten ze uit elkaar gaan. Bilâl was verstandig. Hij rende niet naar de grens. Hij besloot zich te verschuilen. In een klooster. Op de Athosberg.'

Na een heel lange stilte durfde iemand van ons te vragen: 'Hoe weet u dat?'

'Bilâl stuurde een bericht via een priester. Naar Fortuna.' Ze wees naar de brief. 'Het staat hier allemaal in. Lees maar!'

We zagen Ester daarna nog maar weinig – hooguit af en toe op straat. Ze groette ons nooit. We vermoedden dat, nu ze ons over Bilâl had ingelicht, ze meende dat ze zich van haar laatste verplichting tegenover zijn vrienden had gekweten en ons uit haar leven kon bannen.

Geen rekening houdend met Pepo's pijn en schaamte bleven we hem lastigvallen met de meest wrede vraag denkbaar: had Ester ons de waarheid verteld?

Hij gaf altijd hetzelfde antwoord: 'Jullie hebben de brief gezien…'

Toen nam de Weeldetaks bezit van Pepo. Hij werd naar Aşkale gestuurd, een berucht werkkamp in het oosten van Turkije, waar, vernamen we later, zo'n twintig gevangenen van middelbare leeftijd aan een hartaanval waren gestorven. Ze bleken niet bestand tegen het zware werk en de afschuwelijke omstandigheden.

Pepo overleefde het en kwam in maart 1944 terug naar Istanbul nadat de Turkse regering, die eindelijk de onredelijkheid van de Weeldetaks had erkend, de wet had afgeschaft en alle wanbetalers gratie had verleend. Ik zat toen weer in Groot-Brittannië. Maar mijn laatste moment met hem, toen we elkaar omhelsden op het treinstation van Haydarpaşa voordat hij in de trein naar Aşkale werd geduwd en we beiden de stank probeerden te negeren van het haveloze werkuniform uit het leger dat hij had gekregen, zal me voor de rest van mijn leven bijblijven.

Zes juni was het D-day.

Mijn vader was overgeplaatst naar het Europees Commando voor de grote doorstoot naar Berlijn. Mijn moeder, die door een vriendin was overgehaald om hand- en spandiensten te verlenen in een revalidatiecentrum voor invalide soldaten, had haar leven weer wat zin gegeven. Ik ging naar Schotland, naar de oude school van mijn vader, om mijn studie voort te zetten.

Net als iedere Brit werd ik in de laatste jaren van de oorlog heen en weer geslingerd tussen vreugde en verdriet, angst en hoop. Maar elke dag droomde ik weg, soms even, soms wat langer, naar mijn geadopteerde Turkije, naar mijn boezemvrienden Naim, Can en Bilâl.

En zo begon ik, meteen nadat we VE-Day hadden gevierd, uit te zoeken of ik Bilâl kon opsporen.

Het was een verschrikkelijke tijd. Elke dag kregen we meer afschuwelijke details te horen over de gruwelijkheden van de nazi's tegen de joden in Europa. Mensen namen een beladen term in de mond, 'genocide', op oratorische wijze, alsof ze het begrip zojuist hadden gemunt. Maar ik vermoed dat ze allemaal het gevoel hadden – iedereen had dat, dat weet ik zeker – dat ze zich niet konden voorstellen wat het werkelijk betekende.

Maanden gingen voorbij.

Telkens ving ik bot.

Naim en Can, met wie ik regelmatig contact had, verging het niet veel beter met hun onderzoek in Turkije.

Ester overstelpte de autoriteiten die gingen over joodse overlevenden en ontheemden met verzoeken. Maar men kon niemand van de familie achterhalen. Als Fortuna en de rest van haar familie in Skopje asiel hadden gekregen, waren ze waarschijnlijk ondanks hun Turkse paspoort naar vernietigingskampen gedeporteerd.

Gezien deze grimmige situatie konden we alleen maar hopen dat Bilâl een onderduikplek op de Athosberg had gevonden. Maar natuurlijk wisten we diep vanbinnen dat we onszelf net als Ester voor de gek hielden.

Uiteindelijk besloten we ons direct tot de Griekse autoriteiten te wenden. Maar dat was makkelijker gezegd dan gedaan. De verzetsgroepen, de door de communisten gesteunde EAM-ELAS en de gematigde royalisten van EDES, die sinds begin jaren veertig een guerrillaoorlog tegen de Duitsers hadden gevoerd, vochten nu tegen elkaar. En hoewel Britse troepen probeerden de vrede te bewaren, bleef het een chaos.

Natuurlijk vroegen we of mijn vader kon helpen. Omdat hij altijd bijzonder op Bilâl gesteld was geweest en hem zelfs had bewonderd om zijn moed, beloofde hij wat lijntjes uit te zetten.

Maanden later ontvingen we een uitgebreid rapport.

Volgens betrouwbare bronnen in Griekenland was het Bilâl en Marko gelukt om met Fortuna in contact te komen. Maar ze waren achtervolgd door een spion, die meteen de Duitsers had gewaarschuwd. Toen de Gestapo arriveerde, hadden Fortuna en haar familie hen afgeleid, zodat Marko en Bilâl konden ontsnappen.

Marko, zoals we al wisten, haalde het helemaal tot aan de Turkse grens.

Fortuna en haar gezin werden gearresteerd en in maart 1943 naar Auschwitz gedeporteerd met een van de eerste transporten. (Er waren negentien transporten vanuit Thessaloniki geweest, waarbij bijna de gehele joodse bevolking van de stad werd meegenomen.)

Over het lot van Bilâl bestonden tegenstrijdige versies. In een verslag stond dat hij was neergeschoten toen hij weg-vluchtte; volgens een andere versie was hij gevangengenomen en ofwel tijdens de ondervraging om het leven gekomen ofwel gedeporteerd. Maar deportatie kon niet worden bevestigd. Hoewel de transportlijsten meestal nauwgezet werden bijge-houden en alle namen bevatten van de gedeporteerden, wer-den onderweg ook mensen die ziek of zwaar mishandeld waren op de trein gezet zonder dat iemand de moeite nam het register bij te werken. Volgens een derde versie had men een jongen die voldeed aan de beschrijving van Bilâl van een steile rotswand af zien springen – er waren veel van deze afgronden in de oude stad – en zag niemand hem ooit terug. Vreemd genoeg had men het lichaam van de jongeman nooit gevonden. Maar omdat in die tijd hongerige honden als hyena's naar aas zoch-ten, werd dit niet ongebruikelijk gevonden.

Kapot van verdriet stuurde ik dit rapport door aan Naim, Can en Pepo.

Drie dagen later belden Naim en Can me op om te vertellen dat Ester zelfmoord had gepleegd. Alsof ze het moedige verzet van de jongen die van de rots was gesprongen wilde overdoen, had ze zichzelf van de Galata-toren geworpen, het Genuese bouwwerk dat Istanbul domineerde en diende als brandweer-station.

Een week later ontving ik een pakket van Pepo. Daarin zat een kopie van een ongeveer zestig pagina's tellende tekst die door Bilâl geschreven was. Pepo en Ester hadden die gevonden bij het opruimen van Bilâls kamer na mijn bericht over de jongen die van de rotswand was gesprongen. Hij was gericht aan zijn ouders en geschreven als afscheid voor het geval hij niet meer terugkwam. Hij had de tekst voltooid op de dag voordat hij en Marko naar Griekenland waren vertrokken.

Ik las hem en belde daarna meteen Pepo op. Een van de mensen met wie hij werkte vertelde me dat hij zijn baan had opgegeven en zijn woning had verlaten.

Geschrokken belde ik Naim en Can. Ze vertelden dat zij ook een kopie van Bilâls afscheidsbrief hadden gekregen en op zoek waren naar Pepo. Maar hij was verdwenen.

We hebben nooit een spoor van hem kunnen vinden.

Ik heb een terugkerende droom. Ik ontmoet Pepo in onze vaste çayhane in de schaduw van de Blauwe Moskee. Hij vertelt me dat Bilâl nog in leven is. Dat moet wel. Anders heeft het leven geen zin.

4: Selma

Half-Turks

Lieve Bilâl,

Iedereen denkt dat je dood bent. Ik niet. Een tijdlang dacht ik het ook. Maar dat was omdat ik klakkeloos aannam wat andere mensen zeiden. Doe ik niet meer. Ik heb er maanden over nagedacht. Hoe kun jij nu dood zijn – een jongen nog? Bovendien zijn we verliefd op elkaar. De dood komt niet aan prille liefdes. Trouwens, er is geen bewijs! Je beleeft vast een of ander spannend avontuur, wat jongens van jouw leeftijd doen, en verder is er niets aan de hand.

Vandaar mijn goede voornemen: jou een brief schrijven. Ik heb behoefte aan contact met jou. *Ik heb vooral behoefte aan jou!* Omdat ik niet weet waar je uithangt, zal dit een doorlopende brief worden, een soort dagboek. Als je terug bent – heb je wel door dat het al bijna vier maanden geleden is dat je naar Griekenland bent vertrokken? – dan weet je hoe het ervoor staat. En hoe het er met mij voor staat.

Bij mijn weten heeft Handan Ramazan – dat religieuze moslimmeisje naast de bakker dat kanun speelt en vriendin van Gül was – het gerucht verspreid dat je dood bent. Blijkbaar heeft ze de politie verteld – ze doen nog steeds onderzoek naar je verdwijning – dat Gül lang geleden aan haar had toevertrouwd dat ze jouw dood voor zich had gezien, zoals ze ook de moeder van Rıfat had zien omkomen bij de aardbeving in Erzincan. Wat een bewijs!

Nog steeds loop ik naar mijn slaapkamerraam in de hoop jou te zien voor jouw raam. Ik prijs de dag dat we tegenover jullie zijn gaan wonen. Je hebt zo'n mooie glimlach. Die geeft me het gevoel alsof de wereld veilig is. Je ogen, blauw als die van Atatürk, brengen de hemel in mijn hart. Ik mis je zo in deze donkere dagen. Is het niet bespottelijk dat we elkaar nooit gedag hebben durven zeggen al die tijd dat we elkaar passeerden als we naar school gingen? Verlegenheid is geen deugd. (Misschien was dat wel zo toen je alleen maar oog voor Gül had. Van Rıfat weet ik dat je verliefd op haar was. Blijkbaar was zij ook dol op jou. Ik zou jaloers moeten zijn, maar dat ben ik niet. Je houdt nu van míj.)

Laat me je het laatste nieuws vertellen.

Herinner jij je nog die nieuwe belastingmaatregel die de regering wilde nemen? Om zwarthandelaren, profiteurs, oorlogshitsers enzovoort aan te pakken – dat wil zeggen, de niet-islamitische minderheden. Nou, die is erdoor. Sinds november is het een wet, de zogenaamde Varlık-wet, en hij is nog erger dan men vreesde. Er wordt niet uitgegaan van wat iemand verdient, maar van de rijkdom die men volgens een onderzoekscommissie bezit. Maar die commissies bestaan niet uit deskundigen. Ze zijn zorgvuldig samengesteld uit ambtenaren van ministeries en ondernemers die al binnen zijn – stuk voor stuk noemen de leden zich 'pure' Turken – om niet-islamitische zakenlui aan te pakken en hen zo hard mogelijk te treffen. Twee weken geleden werden de lijsten gepubliceerd. De meeste mensen die erop staan zijn joden, Armeniërs en Grieken. Mijn vader noemt de maatregel 'een langzame dood'. Hij zegt dat de wet bedoeld is om minderheden te onteigenen en hen uit de Turkse economie te verdrijven.

En je kunt er niet tegen in beroep gaan.

De aanslagen zijn zo astronomisch hoog dat slechts een paar mensen ze kunnen opbrengen. Geld lenen is praktisch onmogelijk, want wie heeft het? Iedereen moet alles in één keer betalen – vóór 4 januari. Men kan uitstel krijgen tot 20 januari – dat is over twintig dagen.

Ik heb geaarzeld om je dit te vertellen. Maar ik wil niets voor je verbergen. Je vader heeft om aan zijn belastingplicht te kunnen voldoen zijn zaak verkocht. Hij heeft een fractie van de waarde ervoor gekregen.

Pas op jezelf.

Ik hou van je.

Kijk eens met hoeveel gemak dat eruit kwam. Meisjes zijn moediger dan jongens.

15 januari 1943

Grote bijeenkomst hier gisteren.

Veel joden, Armeniërs en Grieken, onder wie de ouders van Naim, Can, Selim, Musa, Zeki, Aşer en Yusuf.

Ook een paar dönme. Onder anderen de vader van Rıfat, Kenan Bey. (Maar niet Rıfats grootouders. Anders dan hun zoon en kleinzoon, die echt tot de islam zijn bekeerd, zijn zij in het geheim nog praktiserend jood. En hoewel dit algemeen bekend is, mijden zij nog steeds het gezelschap van joden in de hoop dat iedereen dan denkt dat zij moslim zijn. Maar die komedie helpt hen niet. De dönme – of beter gezegd de valse dönme – worden net zo goed zwaar belast, hoewel niet zo meedogenloos als de gewone joden. Blijkbaar hebben de autoriteiten de oorspronkelijke belastingaanslag van Rıfats opa verlaagd, omdat Kenan Bey een belangrijke man is in de landbouw.)

Er waren ook enkele niet-joden aanwezig: de ouders van Handan. (En Handan.)

En een kettingrokende, kortaangebonden man, Ahmet Poyraz, een literatuurdocent die kennelijk overal in de universitaire wereld lesgeeft, ook aan het Amerikaans College.

En een paar mannen die ik nooit eerder had gezien, die niet eens allemaal bij hun naam werden genoemd, maar die, neem ik aan, vrijmetselaars zijn.

Je ouders helaas niet. Je moeder houdt zich afzijdig sinds je vertrek. Je vader moest werken – hij heeft een baantje aangenomen als opzichter van een houtopslagterrein. Probeert nog steeds zijn Varlık te betalen.

In feite ging de hele bijeenkomst over de Varlık. (Handan en ik bleven erbij en volgden alles. In deze tijd tellen wij mee als volwassenen.)

Iedereen was het erover eens dat het land geld nodig heeft. Zowel de geallieerden als de asmogendheden willen dat we ons bij hen aansluiten en ons in de oorlog mengen. Dat moeten we voorkomen. Dat kan alleen met een leger dat sterk genoeg is om onze neutraliteit te waarborgen. Bovendien moeten we iets doen aan het voedsel- en brandstoftekort – dat wordt met de dag nijpender. Dus moeten we ongetwijfeld ergens geld vandaan halen. Maar niet door de niet-moslims kaal te plukken!

Ook denkt iedereen dat de Varlık gedoemd is te mislukken. Omdat maar een paar mensen de aanslag kunnen opbrengen, zal het land het benodigde geld niet bij elkaar krijgen en zullen de problemen erger worden.

Woensdag is de laatste dag van uitstel. Daarna zullen eigendommen, huisraad en persoonlijke bezittingen van degenen die niet alles kunnen betalen geconfisqueerd en geveild worden om het tegoed te compenseren. Zelfs dan nog blijven er enorme bedragen openstaan. Die moeten worden afbetaald door middel van wat ze 'lichamelijke arbeid' noemen, in werkkampen. Omkoperij, invloedrijke vrienden, deals onder de toonbank werken ditmaal niet. De nazi-aanhangers en hun lakeien – de architecten van deze catastrofe – willen Hitler laten zien dat joden en 'ongewenste elementen' het hier niet gemakkelijk hebben.

Het andere probleem dat aan de orde werd gesteld was wat er zou moeten gebeuren met degenen die afhankelijk zijn van de mannen die naar het werkkamp worden gestuurd. Hoe redden de echtgenotes, kinderen en ouden van dagen het zonder hun kostwinners?

Op dit punt nam de vader van Handan, Üstat Vedat – daarbij gesteund door zijn vrouw, Adalet Hanım – het woord. (Handan zegt dat haar vader graag 'Üstat' wordt genoemd, omdat die naam hetzelfde betekent als de Europese term 'maestro', en zo noemt de muziekleraar Zuckmayer hem. Zuckmayer is, zoals je nog wel weet, een van de vele joodse vluchtelingen uit nazi-Duitsland die in Turkije asiel hebben gekregen.)

Weet je nog hoe de familie Ramazan de hele buurt imponeerde met hun sobere gedrag? Hoe ze elke vorm van vermaak leken te vermijden? Hoe Adalet Hanım – en sinds de dood van Gül, ook Handan – haar hoofd bedekte als ze naar buiten ging? Hoe men zich vrolijk maakte om hun vroomheid omdat, toen achternamen verplicht werden, zij ervoor kozen zichzelf 'Ramazan' te noemen, naar de belangrijkste moslimfeestdag? Dat men fluisterde dat Üstat Vedat een paar keer een aanvaring had gehad met Atatürk over religieuze kwesties maar dankzij zijn muziek aan een berisping was ontkomen?

Nou, je had deze onwereldse Üstat Vedat moeten horen! Toen hij de gevoelens van de bezoekers samenvatte, sprak hij als een profeet. 'Raciale en religieuze vooroordelen zijn geen aspecten van de Turkse volksaard. Het zijn Europese kwalen. Het is onze heilige plicht onze minderheden te beschermen tegen deze belastingmaatregel.'

En binnen een paar minuten lag er een plan op tafel.

Overal zal worden gevraagd of mensen een deel van hun voedsel willen afstaan aan degenen die door de belastingmaatregel in nood zitten. De vrijmetselaars en hun broeders zullen geld inzamelen om zaken als huur, verwarming en school te betalen. Het zal moeilijk zijn – voor iedereen – maar hún minderheden zullen het overleven.

Ik hou van je.

Nog een naschrift over de bijeenkomst van gisteren. Ik vergat te zeggen dat iedereen ontzettend op je vader is gesteld en hem respecteert. Het was Pepo voor en Pepo na.

Üstat Vedat had, zo bleek, in de Onafhankelijkheidsoorlog gevochten en hoorde dat jouw vader ook een veteraan was. (Wist jij dat je vader heeft meegevochten in de slag bij de Sakarya, op de commandopost van Atatürk?) En – dit zal je verbazen – ook Adalet Hanım is een veteraan. Ze behoorde tot die legendarische groep vrouwen die met granaten op haar rug gebonden van het ene naar het andere slagveld sjouwden.

Dat is nog niet alles. Iemand onthulde toen dat ook Ahmet Poyraz had meegevochten. Zelfs was onderscheiden!

Je had moeten zien hoe door deze wederwaardigheden het ijs brak tussen Üstat Vedat en Ahmet Bey. Ze zijn zo verschillend, deze mannen. De een is overgedienstig, zwaarwichtig en vroom; de ander is ongeduldig, fel en areligieus. Je zou niet denken dat die twee ooit meer dan de minimale plichtplegingen zouden uitwisselen. Desondanks lijken ze veel op elkaar. Ze zijn bijvoorbeeld allebei heel bescheiden en worden verlegen als iemand ze prijst. En net als Üstat Vedat heeft ook Ahmet Bey aanvaringen gehad met Atatürk – over politieke kwesties in zijn geval. Toch zijn ze beiden nog steeds heel verdrietig om de voortijdige dood van Atatürk. (Vreemd te bedenken dat er mensen zijn die Atatürk niet persoonlijk hebben ontmoet. Ergens maakt hem dit nog menselijker – en nog perfecter.)

De volgende anekdote werd verteld over Atatürk en je vader. (Wist je dat Atatürk hem regelmatig een klus gaf?)

De dag voordat koning Alexander van Joegoslavië, die nogal een bruut heerser moet zijn geweest, op staatsbezoek kwam, beseften de protocolmeesters plotseling dat ze geen Joegoslavische vlaggen hadden voor de vaandels. Dus vroeg Atatürk of je vader er zo snel mogelijk enkele tientallen kon maken. Je vader schakelde iedere volwassene in die hij kon vinden, legde de hand op elke naaimachine in de stad en wist op de een of andere manier aan de benodigde verfstoffen en meters zijde te komen. De volgende ochtend vroeg wapperden zijn vlaggen aan de masten. De koning kwam zoals verwacht. Maar nauwelijks was de parade voorbij het treinstation of het begon te plenzen, gelukkig toen pas. Tot grote schrik van je vader begonnen de vlaggen uit te lopen en na een paar minuten droop de verf in kleurrijke kronkellijnen van de masten af. Je vader bereidde zich voor op de woede van Atatürk. Hij werd prompt op het matje geroepen. Tot zijn verrassing werd hij hartelijk door Atatürk ontvangen en gefeliciteerd omdat hij in samenwerking met de hemel een despoot op zijn nummer had gezet. Daarna dronken ze samen een glas raki en proostten ze op 'de perversiteit van het lot dat soms zo graag gerechtigheid doet geschieden'.

Kende je dit verhaal?

Veel liefs.

20 januari 1943

Vandaag moet de Varlık worden betaald. Mijn vader kwam thuis met precies één donut. 's Ochtends had hij de verkoop van zijn zaak afgerond en alles wat hij ervoor gekregen had – kruimels – naar de belastingdienst gebracht. Zo gaat het: mensen moeten hun zaak voor een appel en een ei verkopen – aan de belastingdienst. Omdat al onze spullen geveild gaan worden, is de donut ons laatste bezit, zei hij – en dat alleen maar omdat hij die van İbrahim, de straatverkoper in onze buurt, had gekregen. Toen gaven mijn ouders de donut aan mij. Ik stond erop dat we hem zouden delen. Ze dwongen mij de helft ervan te eten. De andere helft is voor morgen – ook voor mij alleen.

Ik had nooit gedacht dat eten zo bitter kon smaken.

's Avonds hoorde ik vader huilen. Hij bleef maar herhalen dat hij dood wilde. Toen hij daarna ging slapen begon mijn moeder te huilen...

Waarom ben je niet hier? Ik heb je nodig! Ik moet sterk zijn voor mijn ouders. Ik heb jou nodig om mij hoop te geven.

22 januari 1943

Gisteren gingen de meeste joodse mannen gewoontegetrouw naar hun werk. Beter gezegd, ze gingen naar de winkels en kantoren waar ze werkten voordat ze die hadden moeten verkopen of voordat ze de laan uit werden gestuurd. In de vrieskou liepen ze door de straten, ze deelden hun laatste sigaretten en keken naar de voorbijrazende trams. Op het tijdstip dat ze normaalgesproken klaar zouden zijn met hun werk, gingen ze naar huis.

Vandaag blijven ze binnen, in afwachting van de deurwaarder of de politie. Niemand die wij kennen heeft de aanslag helemaal kunnen betalen. Dus alles wat ze hebben, zal worden geveild. In de rijke buurten staan de massa's zich al te verdringen. De aasgieren! Je ziet ze loeren. Daar zitten kennissen bij die ons gisteren nog vriendelijk groetten. Wie had durven denken dat er zoveel aaseters zijn? Binnenkort zullen velen van hen rijk zijn. Mensen bevestigen nu wat mijn vader al die tijd al heeft gezegd: dat het werkelijke doel van de Varlık de overheveling is van het bezit van niet-moslims – wat daar nog van over is – naar etnische Turken.

Over een paar dagen beginnen de deportaties naar het werkkamp. Naar Aşkale in het oosten van het land, bij Erzurum. Een plek waar het naar verluidt negen maanden in het jaar winter is. Vader denkt dat ze hem daarnaartoe sturen. Moeder en ik zijn radeloos. Het zou zijn dood betekenen.

Vanmiddag ga ik naar Handan. Ze heeft me uitgenodigd

voor de thee. Ze moet hebben aangevoeld hoe bang en ongelukkig ik ben.

Gisteren trouwens ontvingen de niet-moslims in onze straat
hun eerste voedselpakketten. Gekregen van de moslims in de
buurt, van vrijmetselaars en van mensen die 'anoniem wensen
te blijven'. Üstat Vedat, Kenan Bey en Ahmet Bey namen
persoonlijk de leiding. Dat is het echte Turkije, de ware Turkse
ziel. Dat zijn de echte Turken, de echte moslims!

Liefs.

26 januari 1943

De deurwaarders zijn niet gekomen. We moeten onze beurt
afwachten.

Mijn middagje bij Handan… Het was gezellig en afschuwelijk tegelijk. Gezellig omdat ze het meest openhartige meisje
is dat ik ken. Afschuwelijk omdat…

Ik was niet van plan erover te beginnen, maar ik kan niet
anders…

Op een gegeven moment kregen we het namelijk over Gül.
Handan was bijzonder op haar gesteld en mist haar erg. Op het
laatst was ze zo van streek dat ze niks meer kon zeggen. Dus liet
ze me haar dagboek lezen.

In het dagboek staat een passage over jou die mij diep
ongelukkig maakte. Dus vertelde ik haar over ons, dat we
elkaar nooit de liefde hebben durven verklaren. Toen vroeg
ik of ik haar dagboek mocht lenen omdat ik de passage over jou
wilde overlezen zodat ik een besluit kon nemen. Ze is een
engel, dus vond ze het goed. Hieronder schrijf ik de passage
voor je over. Dat is hetzelfde als een geheim verklappen, dus
vertel het niet tegen Handan. Maar hoe zou je dat kunnen? Je
bent toch…

Nee! Ik wil het niet geloven!

Dit is de bewuste passage:

Op de dag dat Gül doodgevroren werd gevonden op een bankje in het park als een dakloze onder de blote hemel, zei mijn vader dat hij me alles had geleerd wat ik moest kunnen op de kanun, dat ik voortaan moest spelen met mijn eigen hart en niet met het zijne, omdat zijn hart, hoewel nog goed functionerend, haperingen vertoonde en omdat, als mijn hart zo goed was als het volgens hem en mama was, ik hem ongetwijfeld snel voorbij zou streven. Om van de grootste virtuoos op dit moment te horen dat ik, amper achttien, een instrument beheers waar vrouwen eeuwenlang niet op mochten spelen, was alsof iemand mij vertelde dat Allah naast me liep.

Ik werd zo blij dat ik vergat dat ik de dochter was vrome ouders die vormelijkheid van hun enig kind verwachten; ik antwoordde dat ik hun vertrouwen in mij wilde vieren door een van Neyzen Yusuf Paşa's moeilijkste stukken te spelen. Tot mijn grote vreugde wilde mijn vader me op de luit begeleiden. Moeder, die volgens iedereen kan zingen als een nachtegaal, de populairste zangvogel van ons volk, wilde ook meedoen. (Ik dacht altijd dat mijn ouders liever een zoon dan mij hadden gehad om hun muzikale traditie voort te zetten. Denken ze hier nu anders over?)

Precies op dat moment kwam Rıfat vragen of Gül bij ons was.

Het feit dat ik genoot van het gelukkigste moment in mijn leven terwijl mijn beste vriendin Gül voor eeuwig haar ogen had gesloten, zal me altijd blijven achtervolgen. (Toen ik dit aan Rıfat vertelde als voorbeeld van de ongerijmdheid van het leven, citeerde hij Mahmut de Simurg, zijn grote held. Niet het Leven is ongerijmd, maar de Dood, want het leven redt altijd levens; telkens wanneer een twijgje wordt geveld, zaait het Leven honderd dennenappels...)

Het is nu drie jaar geleden dat Gül is overleden. Ze vertelde me eens dat ik ondanks mijn religieuze opvoeding, of juist daardoor, een gouden ziel heb. Dat ik weet dat liefde als kleding is voor de mensen die nu leven en dat de levenden sterfelijk zijn en naakt zouden sterven als er geen mensen waren zoals ik, en niets is

vernederender dan dat. Of dat waar is weet ik niet. Maar zeker is
dat ik haar altijd met mijn liefde zal aankleden. Toch kan ik haar
niet vergeven dat ze me heeft verlaten, ook al heb ik tegenwoordig
een beter idee van de wanhoop die haar deed besluiten haar ogen te
sluiten.

   Tegenwoordig wil ik ook mijn ogen sluiten.

   Zag Gül haar eigen dood aankomen? Vond ze het bevrijdend?
Was ze er bang voor?

   Ze wilde iedereen redden. 'Maar', zei ze dan altijd, 'de Dood
duldt geen bemoeienis.' Was dat de reden waarom ze hem om-
armde als een plichtsgetrouwe echtgenoot?

   En nu vallen de doden die ze had voorspeld. Overal ter wereld
komen miljoenen mensen om in deze oorlog. Miljoenen joden
worden verbrand. En die leuke jongen, Bilâl, is ergens in Grieken-
land vermoord. (Ik liet deze gedachte nooit toe, maar ik denk dat
het visioen van Bilâls dood Gül deed besluiten zichzelf te doden.
Toen we eens naar Bilâl zaten te kijken terwijl hij met haar broer,
Naim, een balletje trapte, keek ze me aan en jammerde ze:
'Hoeveel doden kan een mens overleven?')

   Natuurlijk kon het ook om het lot van de joden zijn geweest.
Want een paar dagen voor ze overleed zei ze: 'Zelfs in Turkije,
waar ze eeuwenlang een gelukkig leven hebben geleid, zullen mijn
joden worden vervolgd.'

   Ze doelde uiteraard op de Varlık.

   Goed, ook ik wil de wereld redden. Haar joden zijn mijn joden,
onze joden, de joden van de Turken. Vervolging kan verslagen
worden.

Hier ben ik weer: Selma.

   Leef je nog of ben je dood? Hou ik van een jongen die, als
een goede jood, probeert levens te redden om zodoende de
wereld te redden? Of is er iets met mij aan de hand, zoals mijn
moeder denkt, omdat ik me vastklamp aan de hoop dat jij nog
leeft, dat jij mijn kracht bent, de kracht die ik nodig heb om

niet in paniek te raken? (Het maakt me niet uit hoe mijn moeder over me denkt. Iedereen heeft wel iets, dat weten we allemaal.)

Maar de vraag blijft: ben ik verliefd op een schim?

1 februari 1943

Nog steeds geen deurwaarders. Ze komen de zesde. Ze wachten op een parlementslid uit Ankara dat uit is op mijn vaders verzameling van Ottomaanse handschriften. Die is nogal kostbaar. Grotendeels antiek. Geschreven op perkament, linnen, kleitabletten en keramische schalen. Passages uit de koran, zegelteksten van sultans, strofen uit beroemde gedichten, allemaal gevat in prachtige geometrische vormen. Het parlementslid probeert eigenlijk al jaren de hand te leggen op deze collectie. Welnu, hij kan die nu voor niks komen ophalen. God mag weten hoeveel geld er aan de strijkstok van de deurwaarder blijft hangen. In de woorden van Üstat Vedat: de Varlık haalt het slechtste en het beste uit het Turkse volk naar boven.

15 februari 1943

Het spijt me dat ik een tijdje niet heb geschreven. Ik bleef me afvragen wat voor zin het heeft iemand te schrijven die is vertrokken en niet meer leeft.

Is de dood soms mooier dan ik?

Ik ben een fatsoenlijk mens, denk ik. Ik probeer tenminste goed te zijn. Ik heb ook een mooi lichaam. Dit zeg ik niet zélf. Dat zeggen de meisjes in mijn klas. En de jongens kijken me altijd na. (Zelden kijken ze naar Handan, die heel mooi is, maar graatmager en helemaal plat.)

Jij hebt mijn lichaam nog nooit gezien. Wil je dat soms niet? Zou je me niet willen aanraken? Kussen? Klink ik nu als Izebel? Soms moest ik aan het eind van een film – ik ga niet meer naar de bioscoop, we hebben er het geld niet voor – huilen omdat ik net als de meisjes op het witte doek gestreeld en gekust wilde worden. Had jij die behoefte niet? Wil jij me niet kussen en strelen?

Is de dood aantrekkelijker dan ik?

Ik raaskal weer. Je bent niet dood.

Je bent pas jarig geweest. Nog gefeliciteerd! Als je hier was geweest, had ik je een kus gegeven.

De deurwaarders kwamen. Uiteraard werd mijn vaders verzameling voor een prikkie geveild. Ons huis is leeg nu. Op één matras na – het mijne. Daar slapen mijn moeder en ik op. Ze hebben haar matras ook in beslag genomen omdat de politie mijn vader kwam ophalen op het moment dat de deurwaarders hier waren en de deurwaarders zeiden dat mijn moeder geen tweepersoonsbed meer nodig had.

Mijn vader zit nu vast – in een pakhuis, hebben ze ons verteld – en wacht op de trein die hem naar Aşkale brengt.

Bilâl – ze hebben mijn vader opgepakt!

God weet wat ze met hem doen!

Zal hij ooit terugkomen?

En zo niet – wat moet ik dan doen? Wat zal mijn moeder doen? Wat zal er met ons gebeuren?

Het spijt me. Geen hysterisch gedoe. Dat had ik mijn vader beloofd – geen hysterisch gedoe.

We redden ons wel.

Met regelmaat komen de voedselpakketten aan. Eén keer in de week. Ongelofelijke gulheid. Ik heb het vermoeden dat mensen zich het brood uit de mond sparen om het aan ons te geven.

Rıfat levert het bij ons af. Hij blijft altijd nog even en dan kletsen we wat over Gül en natuurlijk over jou. Hij is bijzonder op je gesteld omdat jij de enige bent in de bende van Naim die aardig voor hem was. Het is een stevige jongen geworden. Hij worstelt nog steeds. Ik spoor hem aan Naim uit te dagen, die vergeleken bij hem een watje is, om de leiding te nemen over de bende. 'Ik wil mezelf aan niemand opdringen', zegt hij. Een heel nette jongen.

De school is veranderd in een monster. Als ik het kon maken, bleef ik thuis. Maar ik heb vader beloofd om de beste van de klas te worden en iedereen die mij 'half-Turks' noemt te laten zien dat als het gaat om het navolgen van Atatürk, ik beter ben dan zij.

Was jij nog hier toen de begrippen 'half-Turks' en 'halve burger' de ronde deden voor joden en niet-moslims? Je hoort ze overal tegenwoordig – ook op school. Niet alleen uit de mond van klasgenoten – eigenlijk zijn die, op een paar pest-koppen na, wel oké – maar ook uit die van de leraren. Van Metin, de geschiedenisleraar, bijvoorbeeld.

Herinner jij je nog die spotprenten waarop joden worden afgeschilderd als gigantische dikke kerels met zware wenkbrau-wen en grote haakneuzen, die met een volle buit op hun rug arme mensen uitlachen? Vorig jaar verschenen ze voor het eerst, toen jij nog hier was. Nou, die braakvent van een Metin liet me er eentje zien toen hij had gehoord dat mijn vader naar Aşkale moest, en hij vroeg of de karikatuur een beetje leek op de 'man die mij verwekt had'. Gelukkig had mijn vader me verteld waarop deze karikaturen gebaseerd waren. Dus ant-woordde ik hem: 'Deze vuilnis publiceert het nazi-blad *Der Stürmer* om het antisemitisme te verspreiden. Als Atatürk nog had geleefd zou hij persoonlijk de handen van die tekenaars verbrijzelen!' Metin keek me vriendelijk aan, maar hij was woedend. Ik weet zeker dat ik voor het volgende examen een onvoldoende krijg.

Niet te geloven, antisemitisme in Turkije... Ik ben zo bang, Bilâl!

De Duitsers hebben zich overgegeven in Stalingrad. Zal dat iets veranderen? Zal dat mijn vader redden?

Liefde is hoop. Mijn liefde voor jou is mijn hoop.

24 februari 1943

Een paar van je vrienden zijn op je verjaardag bij je ouders langs geweest en Can vertelde me dat je moeder nieuws had over jou. Blijkbaar heb je haar familie gered en van Thessaloniki naar Skopje gesmokkeld, en laat de Turkse gemeenschap jullie onderduiken.

Ik kan het wel uitschreeuwen: 'Mijn held!' Maar je vrienden zijn helemaal niet overtuigd. Ze denken dat iemand je moeder troost wil bieden. Ik kan het ook maar moeilijk geloven, waarom weet ik niet. Ja, ik weet het wél. Door die Varlık. Die heeft ons stuurloos gemaakt. De horizonten zijn verdwenen; nergens is land in zicht.

Alsjeblieft, leef nog. Voor mij. Ze hebben mijn vader weggevoerd. Mijn moeder is er kapot van. Ik lijk wel een wees! Liefs.

27 februari 1943

Schrijven kost me moeite. Het is ijskoud. We hebben geen verwarming. Moeder en ik gaan met kleren aan naar bed.

Ik heb sommige mensen – de ratten uit onze buurt – horen roepen: 'Laten we de joden verbranden. Die zijn vet genoeg! Die houden ons wel warm!'

De joden verbranden, zoals ze deden ten tijde van de Spaanse Inquisitie... Zoals naar men zegt de nazi's doen...

Ik heb zelfs geruchten opgevangen dat in sommige gemeenten 'verbrandingsplaatsen' worden aangelegd. Niets van waar, natuurlijk – Üstat Vedat heeft ons gerustgesteld. Het toont alleen maar aan hoe ons denken door de Varlık is vertroebeld.

Over nazi's gesproken. Wist je dat enkele Turkse ambtenaren op sommige scholen hun Duitse collega's propaganda laten maken voor het nazisme en het antisemitisme om de Varlık te rechtvaardigen?

Moeder zit bij het raam naar buiten te kijken. Het arme mens, wat kan ze anders?

Ik ga naar bed. Als ik eerder dan zij in slaap val, hoef ik niet met haar mee te huilen.

Ik wil mijn vader terug!

Waarom ben je niet hier, lomperik! Waarom ben je niet hier om me te beschermen? En warmte te geven.

5 maart 1943

Het spijt me je te moeten zeggen dat ook jouw vader op de trein naar Aşkale is gezet. Gisteren werd hij opgepakt, toen hij naar zijn werk wilde gaan. Het schijnt dat hij tegen de politie heeft gezegd dat ze hem naar zijn werk moesten laten gaan zodat hij zijn belasting kon betalen. Ze lachten hem uit. 'We willen niet dat ongewenste elementen onze banen inpikken. Alleen echte Turken hebben recht op werk', zeiden ze.

Vind je het gek dat ik bang ben? Termen als 'ongewenste elementen', 'semi-burgers' en 'half-Turks' behoren tot het dagelijks taalgebruik. Zelfs gerenommeerde journalisten bezondigen zich eraan. Je zou eens een paar van die 'onbevooroordeelde' artikelen moeten lezen – puur gif.

Ook de vader van Naim is naar Aşkale gestuurd. Ze kwamen hem halen terwijl de hele familie zat te lunchen. Deze keer bracht de politie het fatsoen op in een andere kamer te wachten zodat ze hun maal konden opeten (alsof ze dat konden) en hij afscheid kon nemen.

Onze wereld is in drijfzand terechtgekomen. We kunnen niet eens schreeuwen door de modder in onze monden. Toch blijf ik op de wind letten in de hoop dat die een sprankje hoop mijn kant op blaast.

Volgende week speelt Handan een solo tijdens het concert van haar vader. Je begrijpt hoe zenuwachtig ze is. Ik zal er zijn om haar te steunen.

Dit is de laatste roddel.

De vijfenzeventigjarige tante van Aşer dreigt met een echt-scheiding als haar nieuwe (inmiddels derde) echtgenoot, die negenentachtig is, weigert zijn vijf minnaressen op te geven en nog zeven andere vrouwen die beweren zijn odalisken te zijn. Hoewel laatstgenoemden in een bejaardenhuis wonen waar geen man, zelfs geen besneden kater, mag binnenkomen, ge-looft de tante van Aşer alles wat ze zeggen. Haar man mag dan wel negenentachtig zijn, zegt ze, maar hij eet veel vijgen en heeft daardoor de potentie van tien rammen.

De liefde is lief.

10 maart 1943

Moet je horen.

We hebben nu een nieuwe joodse jongen in de klas. Alev Moris. Hij komt uit Bursa. Een paar jaar geleden is zijn moeder overleden. Toen de Varlık van kracht werd en zijn vader en twee oudere broers naar Aşkale moesten, verhuisde hij naar Istanbul om bij zijn tante te wonen. Een zachte, timide jongen die diepgetekend is door de dood van zijn moeder – net als Rıfat. Maar anders dan Rıfat is hij niet sportief. Wél leest hij veel en weet hij overal van.

Gisteren verwarde Metin, de leraar geschiedenis, ons met een andere klas en begon hij de les met het Tijdperk van de Ontdekkingsreizen – een periode die we het volgende trimes-ter pas behandelen. Toen we hem hierop wezen werd hij kwaad, akelige rotvent dat-ie is. Hij begon grapjes te maken over onze onwetendheid en gaf een lira aan degene die iets zinnigs kon zeggen over de manier waarop het Tijdperk van de Ontdekkingsreizen de wereld heeft veranderd. Uiteraard hiel-den we onze mond omdat we wisten dat we in zijn ogen toch niks 'zinnigs' konden zeggen. Maar Alev, onwetend als nieuw-komer, nam hem serieus en hield een indrukwekkende monoloog. Beginnend bij de nieuwe navigatietechnieken die door islamitische wiskundigen waren uitgevonden, ging hij verder over de behoefte aan zeeroutes voor de handel in specerijen die Columbus, Vasco da Gama en Magalhães tot hun historische reizen had aangezet; toen hij vervolgens uiteenzette hoe uit de hang naar rijkdom en macht de kwaden van het kolonialisme en het imperialisme waren voortgevloeid, stelde hij dat zowel de Eerste als de Tweede Wereldoorlog een voortzetting was van deze doeleinden.

Door dit antwoord – waarvan onze mond openviel – ontstak Metin in woede. 'Hoe heet jij?' brulde hij. Alev zei zijn naam. Metin gromde: 'Moris? Moris? Wat een rare naam is dat? Alle Turkse namen hebben een betekenis. Alev betekent "vlam". Mijn naam, Metin, betekent "volgeling". Maar wat betekent Moris?' Afijn, zoals je weet is Moris afgeleid van het Franse Maurice, en onder intellectuele joden is het een verbastering van Mozes. Dus dachten we dat Alev erbij was.

Maar niet dus. Hij dacht even na en begon langzaam te praten, alsof Metin achterlijk was. 'Mijn achternaam is Moriz, meneer. Met een "z". Niet Moris met een "s". Ze hebben bij het geboorteregister een spelfout gemaakt, meneer. Zoals u weet betekent *mor* "paars" en *iz* "spoor". Samen betekent het dus "paars spoor". Het voert terug naar de tijd dat wij Turken opgesloten zaten in een doolhof van bergen in Centraal-Azië, meneer. We kwamen bijna om van honger en dorst toen uit het niets een grijze wolf verscheen. Hij had een spoor nagelaten – een fosforescerend spoor zodat het ook in het donker te zien was, vandaar dat het paars was – en bracht ons in veiligheid. Zoals u weet, meneer, noemen veel Europese politici tegenwoordig Atatürk "de grijze wolf". Dat is omdat ook hij ons uit de wildernis heeft geleid.'

Metin stond met zijn mond vol tanden.

Moge God Alev bijstaan. Maar wat een moed! Wat een verbeeldingskracht! Wat een voorbeeld voor angsthazen zoals ik.

Liefs.

16 maart 1943

Gisteren kregen we bij de aulabijeenkomst te horen dat Alev wegens wangedrag geschorst is.

Wat een klootzak is die Metin! Waarom kom je niet terug om hem een mep te verkopen?

Liefde is hoop.

24 maart 1943

Het concert van Handan was een groot succes. Ze plannen al nieuwe concerten.

Ik had nooit kunnen denken de kanun zo'n magisch instrument was. Hij klinkt als twintig snaarinstrumenten tegelijk. Ik kan nu de muziek waarderen omdat Handan en haar vader mij wat meer hebben verteld over een paar beroemde composities, hoe die stemmingen en trances op-roepen als paden naar liefde en God. Üstat Vedat noemt deze muziek het soefisme in geluid. Het is het pad dat hij verkiest, boven poëzie of dans, om de zeven hemelen te be-stijgen en het Opperwezen te aanschouwen. (Ik geloof niet dat ik het allemaal kan volgen, maar ik vind het absoluut fascinerend.)

Over vader hebben we nog niets vernomen. Hoe zou het met hem gaan? Zal hij Aşkale overleven? Mam zegt dat ik moet ophouden met treuren. Als er iets met hem gebeurd was, zouden we dat wel gehoord hebben; slecht nieuws vindt altijd wel een donderwolk om zich te verspreiden. Dit zegt een vrouw die niet bij het raam is weg te slaan en naar buiten staart. Zo moedig ben ik niet.

Üstat Vedat en Handan worden er treurig van als ze merken hoe weinig wij joden weten over Turkse muziek. 'Als joodse mensen naar klassieke Turkse muziek luisterden zoals ze naar Bach of Mozart luisteren,' zei Üstat Vedat gisteren, 'dan zouden ze snel erkennen dat Turkse componisten de gelijken zijn van hun Europese tegenhangers.' Ongetwijfeld heeft hij daarin gelijk. Wat me op het idee brengt dat Turken misschien een heel klein beetje gelijk hebben als ze ons 'half-Turks' noemen. Natuurlijk hebben we de plicht ons te verdiepen in de cultuur van ons land.

Dus heb ik besloten dat te gaan doen. Ik wil zelfs een instrument leren bespelen. De *ney,* stelde Üstat Vedat voor. Dat is de dwarsfluit. Omdat ik een beetje harmonica speel, denkt hij dat ik veel adem en een goede coördinatie heb.

Om op dat 'half-Turks' terug te komen. Tijdens Handans concert zat ik naast Ahmet Bey, de leraar, en vertelde hem over de aanvaring van Alev met Metin en de daaropvolgende schorsing. Ahmet Bey was woedend. Hij zei dat Metin zijn beroep te schande maakte en hij gaat ervoor zorgen dat die kwal niet wegkomt met dit fascistische gedrag.

'k Hou van je.

10 april 1943

Gisteren was Rıfat jarig. Ik wilde hem een cadeautje geven. Hij is zo'n grote, zorgzame steun geweest. Hij laat niemand anders eten bij ons brengen. Het is alsof mijn moeder en ik zijn beschermelingen zijn geworden. En altijd als hij me op school ziet – wat bijna elke dag is – biedt hij me zijn lunch aan. Dat weiger ik natuurlijk, al heb ik nog zo'n honger. Want hij doet aan worstelen en moet goed eten.

Omdat ik helemaal geen geld had om voor hem een cadeautje te kopen, gaf ik hem een kus. Ik hoop niet dat je dat erg vindt.

Jij krijgt ook een kus.

24 april 1943

Gisteren deed mijn klas mee aan de parade van het Jeugdfestival. De burgemeester noemde ons 'schitterende erfgenamen van de natie'. In onze handen was de toekomst van Turkije verzekerd, zei hij.

Ik had de neiging hem te vragen: hoe zit het met de toekomst van de joden? Is die verzekerd in uw handen? Zo niet – waar kunnen we dan schuilen? De nazi's zorgen er wel voor dat we nergens naartoe kunnen!

Liefs.

16 mei 1943

Gisteren was het vierentwintig jaar geleden dat Atatürk heimelijk uit Istanbul glipte. Op de negentiende ging hij in Samsun aan wal en begon hij de Onafhankelijkheidsoorlog.

Ik vertel dit als opstapje naar de gebeurtenissen van gisteren.

Toen Rıfat ons eten kwam brengen, was Ahmet Bey met hem meegekomen. Die vertelde dat hij een hartig woordje had gesproken met Metin en had gedreigd hem zijn bevoegdheid te ontnemen als hij nog één keer niet-moslims zou discrimineren. Blijkbaar is Metin echt bang geworden. De conservatieven in de regering kunnen Ahmet Bey dan wel schieten, maar hij blijft een van de belangrijkste onderwijskundigen in het land en heeft veel invloed. Omdat hij óók een oorlogsheld is, hebben zelfs fanatieke nationalisten respect voor hem.

Hoe dan ook, Metin heeft niet alleen beloofd zich te beteren, maar zal er ook voor zorgen dat Alev weer terug kan komen.

In de loop van dit gesprek legde Ahmet Bey ook de achtergronden uit van begrippen als 'turksheid', 'turkificatie', 'volledig Turks', 'half-Turks' en 'Kemalisme'.

Ik geef hier kort zijn woorden weer, niet alleen omdat ze

inzicht geven in de huidige situatie, maar ook omdat we ze moeten begrijpen voor de toekomst. Zoals het gezegde luidt: 'Inzicht leidt tot oplossingen.'

Hoewel turkificatie begon als een hervormingsbeweging van de Jonge Turken in de laatste decennia van het Ottomaanse rijk, werd het verschijnsel pas echt belangrijk toen de Turkse Republiek ontstond. De stichters van dit nieuwe Turkije, die bijna in marxistische termen een democratische, op socialistische leest geschoeide volksstaat voorstelden, meenden dat, om dit doel te bereiken, het volk een nieuwe identiteit nodig had waarmee men het imperiale verleden van zich af kon schudden. Een identiteit die op Turkije was gebaseerd en niet op de lappendeken van staatjes – *millets* – die daarvóór bestond. Vooral omdat, na de bloedige achtjarige oorlog, na de wreedheden die de Armeense bevolking tussen 1915 en 1917 door de Ottomanen was aangedaan, en na de uitwisselingen van Grieken tegen Turken in de periode 1923-1925, de verhouding tussen niet-moslims en moslims van één op de vijf was geslonken tot één op de veertig. De socioloog Ziya Gökalp kwam prompt met een nieuw concept. Hij stelde dat een volk niet bepaald zou moeten worden door ras, politiek systeem of geografische grenzen, maar door een collectieve taal, cultuur en traditie. Wat ons tot mensen maakt is niet ons lichaam, maar onze ziel. (Mee eens, zeg ik. Helemaal!) Dit is een definitie die iedereen in het land insluit – ook ons, joden.

Maar toen bedachten bepaalde conservatieve krachten, die opmerkten dat moslimminderheden als Albaniërs, Bosniërs, Circassiërs, Koerden en Lazen hun eigen talen en culturen behielden, dat deze variaties een bedreiging vormden voor het Turks nationalisme. (Sommige conservatieven beweerden zelfs dat gelijkheid voor minderheden tegen de principes van het islamitisch recht zou zijn.) Vervolgens rekten zij op slinkse wijze Gökalps definitie door de islam toe te voegen als nog een essentieel onderdeel van de Turkse identiteit. Deze moslimminderheden kregen te horen dat ze in feite Turken waren die door de eeuwen heen hun turksheid waren vergeten; nu ze weer terug in de schoot waren, zouden ze zich hun ware identiteit weer herinneren en omhelzen. (Dit zou grappig zijn als het niet zo beledigend was).

Onvermijdelijk maakte deze herziene definitie van alle niet-moslims buitenstaanders, 'non-Turken' of 'halve Turken'. In het beste geval 'gasten in het land', in het ergste geval gevaarlijke 'anderen'. In de handen van reactionairen, fascisten, vreemdelingenhaters en nazi-aanhangers verdrong deze nieuwe definitie de progressieve, allesomvattende identiteit en raakte de stroming bekend onder de naam Kemalisme. (Wat een beledigend misbruik van Atatürks naam!) En sinds de dood van Atatürk wordt deze definitie aangegrepen om joden, Armeniërs en Grieken te discrimineren – allemaal Turken van goede wil. (Atatürk zit vast te huilen op zijn wolk.)

Wat de toekomst zou brengen, kon Ahmet Bey niet zeggen. Maar hij hoopt dat als Duitsland wordt verslagen en Turkije zich achter het kamp van de geallieerden schaart, dat een terugkeer zal betekenen naar de multi-etnische nationale identiteit, de enige identiteit die de Turk waarlijk kenmerkt.

Ik wilde hem een vraag stellen. We weten dat de geschiedenis zich herhaalt. Maar worden ook goede gebeurtenissen ooit herhaald? Of alleen maar de rampen?

Ik zweeg. Waarom zou ik mijn wanhoop nog groter maken?

Liefs.

12 juni 1943

Onze weldoeners kwamen gisteravond bij Üstat Vedat bij elkaar om de situatie opnieuw te bekijken. Ik heb nooit beseft hoe moeilijk het is, en is geweest, om ons in leven te houden. Als een kind nam ik het eten gewoon aan en stond ik nauwelijks stil bij de offers waardoor ik het in mijn mond kon stoppen. Feit is dat onze buren en weldoeners het net zo moeilijk hebben als wij. Alsof dat niet erg genoeg is, moeten zij ook nog de aasgieren het hoofd bieden. Dit tuig, dat vaak uit de buurt komt, spookt overal rond. Ze proberen voortdurend voedselpakketten te stelen. Soms slagen ze daarin. Maar niet als Rıfat er is. Ze zijn bang voor Rıfat. Ze hebben het een keer bij hem geprobeerd en liepen een bloedneus op. Nog walgelijker is dat ze onze weldoeners proberen te chanteren omdat ze 'de vijand helpen'. Heb je ooit zoiets akeligs gehoord? *De vijand helpen!* Door deze aanvallen en diefstallen worden onze vrienden alleen maar nog vastberadener. Maar wat moeten we doen als zij ook helemaal niks meer hebben – wat binnenkort het geval zal zijn?

Üstat Vedat en Ahmet Bey hebben hun – en ons – gesmeekt de broekriem nog strakker aan te halen en nog even vol te houden. Men zegt dat enkele geallieerden de Varlık discriminerend achten. Het gerucht gaat dat Amerikaanse journalisten het komen uitzoeken en dat een aantal mensen in de regering beginnen te twijfelen. Of minister-president Şükrü Saracoğlu daar ook toe behoort, is nog de vraag. Volgens iedereen was hij degene die opdracht had gegeven tot deze enorme verhoging van de heffingen.

Tegenwoordig kan men zich nauwelijks voorstellen dat nog maar drie jaar geleden de hele buurt rond deze tijd in het park zat om rozenblaadjesjam te maken. De zigeuners brachten de blaadjes die ze in Thracië hadden geplukt. De kinderen losten de karren. De mannen verdeelden de suiker – ja, toen was er nog suiker – terwijl oma's en opa's in de pannen roerden en de vrouwen de potten vulden. Zal die tijd ooit terugkomen?

Dat is waar ook, de zigeunerjongens met wie jullie vroeger speelden, brengen ons ook eten, wanneer ze dat kunnen. Vaak zijn het maar kruimels, maar als je weet hoe arm ze zijn, is het alsof ze een heel lam weggeven. En ze zijn dol op Rıfat. Een paar jaar geleden, op de kermis – Gül was daar trouwens nog bij – had hij tegen een beer gevochten. Dat zijn ze nooit vergeten.

Volgende week geeft Handan weer een concert. Rıfat en ik zijn uitgenodigd. (Handan en ik zijn nu heel goede vriendinnen. Ik denk dat ik de plaats van Gül heb ingenomen.)

Liefs.

25 juni 1943

Verbazingwekkend nieuws! Wij, dochters, zoons en echtgenotes van gedeporteerden, zijn hengelaars en garnalenvissers geworden. Je ziet ons aan de kust onze netten uitgooien en zand zeven. En we doen het niet slecht. We vangen behoorlijk wat, voornamelijk makreel, en vullen emmers met garnalen. (Garnalen zijn niet kosjer, zoals je weet, dus die zijn voor niet-praktiserenden zoals wij.)

Het idee kwam van Rıfat. Hij traint met Hacı Turgut – de beroemde worstelaar, nu in ruste – en hij houdt er maar niet over op hoe wijs deze man is, met hoeveel gemak hij de ongemakken van het leven oplost. Op een dag vertelde Hacı Turgut hem dat mensen die aan zee wonen nooit honger hoeven te lijden omdat ze altijd kunnen vissen en garnalen vangen. Dus kwam Rıfat naar ons toe en vroeg waarom we het niet zouden proberen, omdat alles wat we zouden vangen het leven een stuk gemakkelijker zou maken, voor ons allemaal.

Dus dat doen we nu. En het verlicht de last van onze weldoeners. We smaken nu het genoegen hun op verse vis te trakteren.

Dus vanaf nu hoef ik niet meer op bloem- of olijfpitten te sabbelen tegen de honger. (Ik heb je dit nooit verteld, maar dat doen mamma en ik als we niets te eten hebben.)

(Ook heb ik je mijn terugkerende nachtmerrie nog niet verteld, waarin rijen mensen – ook mijn vader – op de brandstapel staan terwijl een volle tram voorbijrijdt met mensen die pompoenzaadjes eten en de zaadhulsjes naar hen uitspugen.)

Denk je dat ik net als Gül voorspellende gaven heb? Denk je dat de Turken in nazi's zullen veranderen? Denk je dat mijn vader zal omkomen? Of al dood is?

Geef me geen antwoord. De werkelijkheid is misschien nog erger dan een nachtmerrie.

Liefs.

6 juli 1943

Gisteren was ik jarig. Ik ben nu zeventien! Een vrouw, zegt mijn moeder. Ik heb zeker het gevoel dat ik dat ben. Klaar voor en meer dan ooit verlangend naar een kus. Maar waar ben jij?

Moeder gaf me een van haar oude beha's voor mijn verjaardag. Ik heb een flinke boezem, zoals je je misschien herinnert, en die is sinds je vertrek alleen maar gegroeid, dus het was precies wat ik nodig had.

Van Handan heb ik een armbandje gekregen. Werkelijk prachtig: zilver filigraanwerk met blauwe en rode edelsteentjes.

Üstat Vedat gaf me een *kaval*. En nog wel een authentieke – een echte herdersfluit. Hij hoopt, zegt hij, dat dit instrument me aanzet om de ney te leren bespelen. De kaval klinkt zo melancholiek. Volgens Rıfat woont er in Polonezköy, het Poolse dorpje aan de Zwarte Zee, een herderin die er zo mooi op speelt dat zelfs de vrolijke mimosa's ervan huilen.

Ahmet Bey wilde me een boek van Nâzım Hikmet geven. In plaats daarvan liet hij me enkele van zijn gedichten uit mijn hoofd leren. Zoals je weet zit Hikmet in de gevangenis omdat hij een communist is en het leek Ahmet Bey in deze tijd van de Varlık niet veilig om een van zijn boeken in huis te hebben. Het schijnt dat jouw vader ook een liefhebber van Hikmet is.

Rıfat heeft me een van riet gemaakte ring gegeven. En een kus – als antwoord op de kus die hij van mij kreeg op zijn verjaardag.

Wees goed.

30 augustus 1943

Vergeef me mijn al te lange stilzwijgen.

Vandaag gedenken we de overwinning in de Onafhankelijkheidsoorlog. Maar er is zelfs nog meer reden tot feestvreugde. We hebben zojuist te horen gekregen dat een paar honderd geïnterneerden in Aşkale zijn overgeplaatst naar een kamp in Eskişehir. Dat is bijna om de hoek. Mijn vader is er een van. Üstat Vedat zoekt uit of we hem mogen bezoeken. (Helaas zit jouw vader nog steeds in Aşkale.)

Het gerucht gaat dat deze overplaatsing bedoeld is om de geallieerden zoet te houden. Die zijn uiterst kritisch over de Varlık. En nu het ernaar uitziet dat ze de oorlog gaan winnen – ze hebben Sicilië al veroverd – denkt Ahmet Bey dat dit het begin is van het einde van de Varlık; vroeg of laat zullen alle gedeporteerden worden vrijgelaten.

Laten we bidden dat hij gelijk heeft!

Ik wilde schrijven over de kus van Rıfat. Maar misschien bewaar ik dat voor mijn volgende brief.

Wees goed.

6 september 1943

Vandaag is de jaardag van je vertrek naar Griekenland. Je bent al een heel jaar weg. En al die tijd geen teken van leven.

Ik moet ophouden met van je te houden.

20 september 1943

Geweldig nieuws!

Ahmet Bey vertelde dat een journalist van de *New York Times* een reeks artikelen heeft geschreven waarin hij de Varlık kenschetst als een manier om de niet-moslims in het Turkse zakenleven te marginaliseren. (Dat is precies wat mijn vader ook zei, als je je dat nog kunt herinneren.)

De regering is behoorlijk in verlegenheid gebracht. Gisteren verklaarde het ministerie van Financiën dat iedereen die niet zijn hele belastingaanslag heeft kunnen betalen wordt vrijgesproken.

Dat betekent dat mijn vader waarschijnlijk binnenkort naar huis komt!

Hoera! Hoera! Hoera!

8 oktober 1943

Ik loop het maanden uit te stellen. Ik wilde je vertellen over Rıfat. Ik kon het gewoonweg niet. Maar omdat ik heb beloofd je alles te vertellen, moet ik het doen.

Laat me maar met de deur in huis vallen. Rıfat en ik zijn verliefd.

Het begon met zijn kus op mijn verjaardag. Maar natuurlijk broeide er lang daarvoor al iets tussen ons. Dankzij de voedselleveringen is hij een vast punt in mijn leven. Natuurlijk begonnen we over onze gevoelens en angsten te praten, onze verlangens en hoop, over tragedies als de dood van Gül, jouw vermissing, de Varlık enzovoort.

Het moest ervan komen, neem ik aan. Jij bent weg – waarschijnlijk dood. Hij, de voorheen-dikke-jongen-thans-worstelaar, wiens status dagelijks toenam sinds hij voor onze gemeenschap zorgde, vooral voor mijn moeder en mij. En ik, gewoonlijk verlamd door angst, bang voor de rampen die de volgende dag in petto heeft, had behoefte aan troost, aan de bescherming van een man, niet zomaar een man, maar een mannelijke man, omdat mijn vader in Aşkale zat en we niet wisten of hij nog in leven was. (Er gingen geruchten dat sommige gedeporteerden daar waren gestorven.)

Wat ik wil zeggen is, ik moest mezelf redden. Ik moest een manier vinden om mijn angst op te sluiten in mijn nachtmerries voordat hij ook mijn dagdromen zou verpesten. En liefde was de manier. De enige manier. De beste manier. En gelukkig lag die binnen bereik. Op een afstand van mijn lippen tot die van Rıfat.

Ook moet ik bekennen – ik vind dit heel moeilijk om te zeggen omdat het zo onbetamelijk klinkt – dat ik sterke behoeften heb. Ik raak snel opgewonden. Vaak intens. En – durf ik dit wel te zeggen? – ik speel met mezelf zoals jullie, jongens, dat doen. Best vaak eigenlijk. Ik vind het heel opwindend. En bijna ondraaglijk opwindend als Rıfat het bij me doet. Ik doe het ook graag bij hem. Het grootste deel van de dag verlang ik naar hem.

Vind je dit schokkend? Zelf vond ik van wel – totdat ik er met mijn moeder over durfde te praten. Ze toonde veel begrip. Ze vertelde dat zulke verlangens natuurlijk waren. Biologisch gesproken zijn meisjes vroegrijp; ze kunnen al kinderen krijgen wanneer ze beginnen te menstrueren en dus vrouw zijn. (Ik werd op mijn twaalfde voor het eerst ongesteld.)

Mijn moeder kon er zelfs maar niet over ophouden. Ik ben blijkbaar net als zij. Er vroeg bij. Maar ik moet vooral niets overhaasten. Het is oké om met jongens te flirten. Maar het is beter als ik voorlopig nog niet tot het uiterste ga. En wanneer de tijd rijp is om te trouwen, moet ik een man vinden die seksueel gezien mijn gelijke is – zoals papa haar gelijke is. Dan zal ik gelukkiger worden dan de meeste vrouwen. (Ik vond het niet prettig dat ze over vader en haarzelf begon. Zo gênant.)

Afijn, zo ben ik – seksueel gesproken. Dat had je aan je zijde gehad als je niet was vertrokken en je had laten ombrengen. Sorry, dat had ik niet mogen zeggen. Je bent niet dood.

Maar toch, voor ons is het te laat. Ik ben nu het meisje van Rıfat. Zoals je van mij zou verwachten, blijf ik hem trouw.

Rıfat is ook ontzettend sensueel. We zijn gek op elkaars lichaam. We vrijen veel. Wanneer we maar kunnen liggen we naakt naast elkaar en bevredigen elkaar. We krijgen er maar geen genoeg van. Maar we hebben geen gemeenschap. We willen niet dat ik zwanger word. Bovendien respecteert hij mijn maagdelijkheid, wil hij dat ik nog intact ben als we gaan trouwen. (Ik zie je denken: of ik met hem zou willen trouwen? Het antwoord is: ja.)

Misschien had ik dit allemaal niet moeten opschrijven. Wanneer je terugkomt – als je terugkomt – scheur ik deze pagina's eruit zodat je ze niet hoeft te lezen.

Tussen twee haakjes, Rıfat weet dat ik je schrijf. Hij vindt het niet erg. Is hij niet geweldig?

Wees goed.

14 november 1943

Vooroordelen zijn niet voorbehouden aan nationalisten. Joden hebben ze ook. Gisteren had ik een meningsverschil met de grootouders van Rıfat, die doen alsof ze dönme zijn, maar heimelijk joden zijn gebleven. Ze zijn bang dat Rıfat en ik gaan trouwen. Ze willen niet dat een jodinnetje 'een zoet ruikende dönme' bederft – *bederft!* (Een ware bekeerling tot de islam ruikt naar rozenwater, net als de profeet, wist je dat?) 'Het zou crimineel zijn om ook maar aan een huwelijk te denken', zei Rıfats grootvader. 'Je zou met joodse jongens moeten omgaan', zei Rıfats oma. 'Mijn kleinzoon is een moslim, geen jood', zei Rıfats grootvader. 'Zoek iemand van je eigen soort', zei Rıfats oma.

Ik had kunnen zeggen dat Rıfat, dönme of niet, joods bloed

in zich heeft, dat zelfs als hij de zuiverste moslim van zijn generatie zou zijn, hij in nazi-Duitsland nog steeds als een jood zou worden beschouwd en dienovereenkomstig zou worden behandeld. Maar ik zweeg.

In plaats daarvan liet ik er de visie van Ahmet Bey op los. (Als je terug bent, stel ik je aan hem voor. Wie weet ga je wel bij hem studeren. Hij is een groot man. En moet je horen: hij blijkt een bijnaam te hebben: Âşık Ahmet! Zo wordt hij door zijn leerlingen genoemd! 'Amoureuze Ahmet!' Men zegt dat hij een enorme romanticus is, dat hij gek is op vrouwen en dat vrouwen hem adoreren – dat verbaast me niet; hij is een aantrekkelijke man. Als ik wat ouder was, zou ik ook voor hem zijn gevallen.)

Afijn, terug naar mijn aanvaring met de grootouders van Rıfat. 'Het enige kenmerk waarop men een mens mag beoordelen,' zei ik – ik geloof dat ik zelfs als Ahmet Bey klonk – 'is of hij goed of slecht is, of hij gehoorzaamt aan de bevelen van zijn ziel, die het distillaat zijn van natuurlijke wijsheid, of liever de opdrachten uitvoert van goddeloze, machtsbeluste mannen die paranoïde categorieën bedenken als klasse, ras, religie, nationaliteit. Anders gezegd,' ging ik verder, 'of ze iemand als Nâzım Hikmet willen zijn of iemand als Şükrü Saracoğlu, de man achter de Varlık.'

(Ahmet Bey stelde overigens voor dat we allemaal de gedichten van Hikmet uit ons hoofd moeten leren, zodat we, als ze ooit zijn boeken gaan verbranden, in verzet kunnen komen door zijn gedichten voor te dragen. Misschien vind je dit melodramatisch, maar zoals Heinrich Heine – een van Ahmet Beys grote helden – heeft gezegd: 'Waar men boeken verbrandt, verbrandt men mensen.' En wij joden weten hoe waar dat is.)

'Bovendien,' zei ik, 'als ik met Rıfat ga trouwen – en dat hoop ik van harte – wil ik dat hij joods, moslim, christen, boeddhist en atheïst is; zwart, wit, geel, rood; Turks, Frans, Engels, Chinees, zelfs Duits.' Toen zei ik: 'De Varlık en het beleid van turkificatie hebben maar al te duidelijk laten zien

dat het creëren van een sociale orde op basis van discrimine-
rende maatregelen net zo erg is als inteelt; het gevolg zal zijn
dat de natie uiteenvalt.'

Tot slot zei ik: 'Rıfat en ik hebben besloten om alle stro-
mingen die eindigen op "-heid" of "-isme" af te wijzen. We
doen afstand van één cultuur, één vlag, één land, één god. We
omhelzen alle culturen, alle vlaggen, alle landen en alle goden.
We verheugen ons in de pluraliteit – de oneindigheid – van de
wereld. In feite zijn wij echte wereldburgers.'

(Wist je dat toen Ahmet Bey deze visie op een van onze
vergaderingen uiteenzette de stugge Üstat Vedat hem bedankte? 'Je hebt ons een glimp laten zien van het goddelijke', zei hij.
'Misschien is dat wel de ware betekenis van "turksheid", moet
dat het doel zijn van turkificatie: om één en iedereen te zijn.'

Probeer dat maar eens mooier te zeggen!

11 december 1943

Vader is thuis! Wat kan ik verder nog zeggen? Mijn lieve,
heerlijke, prachtige papa leeft en is weer thuis! Hij kwam
vanmiddag vanuit Eskişehir aan. Hij is afgevallen, maar nog
in goede gezondheid.

De Varlık-nachtmerrie is voorbij. Er helemaal afgeschrobd
toen hij voor het eerst sinds 299 dagen, 18 uur en 12 minuten
een bad nam.

1 januari 1944

Het is nu een jaar geleden dat ik je voor het eerst schreef. Ik
weet niet of ik ermee moet doorgaan.

Vader is weer aan het werk. In zijn eigen winkel, ongelofelijk
maar waar. Maar nu als werknemer. Hij is aangenomen door
de man die de zaak had overgenomen. Nadat die de boel bijna
failliet had laten gaan, heeft hij vaders expertise nodig om de

zaak te redden. Volgens vader gaat dat lukken en hij denkt dat ze hem binnen een jaar of zo zullen vragen of hij partner wil worden. Of hij op dat aanbod zal ingaan, is nog de vraag.

Raad eens wat hij van zijn eerste salaris voor me heeft gekocht? Een ney. Üstat Vedat en Handan hadden hem verteld dat ik dát instrument zou moeten leren.

Binnenkort beginnen mijn eerste lessen. Ik krijg les van iemand uit het ensemble van Üstat Vedat. Dan zal ik ook Handan weer vaker zien. Als zij de afgelopen paar maanden niet repeteerde of een optreden had, had ik wel een afspraak met Rıfat.

Ook Rıfat zal het druk krijgen dit jaar. Hij is pas op een worsteltoernooi voor de jeugd kampioen geworden in zijn gewichtsklasse, en Hacı Turgut was heel tevreden over hem. Als Rıfat ijverig traint, zegt hij, maakt hij kans om in het olympisch team te komen – al is het natuurlijk nog de vraag óf en wanneer de Olympische Spelen hervat zullen worden. Rıfat is in de zesde hemel. Ik zou jaloers moeten zijn, maar ben dat niet. Ik heb voor hem een betere hemel, de zevende: mijn hart.

Pas op jezelf.

15 februari 1944

Weer een gedenkdag. Het is precies een jaar geleden dat mijn vader werd opgepakt. We herdachten die afschuwelijke dag met een bescheiden feestje. Üstat Vedat en Ahmet Bey hadden suiker op de kop getikt en wij bakten koekjes. Bijna de hele buurt was er. Haast alle mannen zijn uit Aşkale teruggekomen. Je vader helaas niet, nog niet. Maar iedereen verwacht hem snel.

De Russen hebben het beleg van Leningrad doorbroken. Niemand twijfelt nu nog aan de overwinning van de geallieerden. Overal is hoop. De vader van Zeki, Vitali Behar, – de bekende advocaat, zoals je misschien nog weet – zegt dat wij jongeren de Varlık moeten vergeten en ons leven moeten oppakken als kinderen van Atatürk. De daad bij het woord voegend heeft hij met zijn eerste salaris voor Zeki de tiendelige encyclopedie gekocht.

Naar de toekomst kijkend: ik leer de ney te bespelen. Het is wat voorbarig, maar ik wil naam maken – een joodse naam – in de Turkse klassieke muziek.

Wees goed.

21 maart 1944

De Varlık is nu officieel verleden tijd. Vorige week, op 15 maart, werd de maatregel officieel afgeschaft. Iedereen die erdoor getroffen werd, heeft amnestie gekregen en alle schulden zijn kwijtgescholden.

Je vader is terug uit Aşkale. Ik zag hem gisteren op straat. Het leek redelijk met hem te gaan. Hij heeft niets van zijn charme of vriendelijkheid verloren.

Ik vroeg of hij nog nieuws had over jou. Hij glimlachte en streek over mijn wang. Hij wilde iets zeggen, maar hij schoot vol en liep snel weg.

Hij weet duidelijk dingen die ik niet wil weten.

Dus misschien moet ik nu afscheid van je nemen. Zoals Rıfat al zei, Gül zag je sterven en Gül had altijd gelijk. Wat voor zin heeft het om aan een schim te schrijven?

Helemaal geen.

Vaarwel dus.

Moge je lijkwade, of die nu van aarde of water is, rijk aan voedsel zijn.

5: Bilâl

De hemelsblauwe aap

Er bestaan twee versies over de oorsprong van onze familie. Van beide legt men getuigenis af met een woord van eer dat geen enkele zichzelf respecterende man uit het Midden-Oosten zou durven schenden.

Volgens de eerste, grandioze versie stond ons voorouderlijk huis in het Spaanse Toledo, in de tijd dat de joden, moren en christenen op het Iberisch schiereiland nog vreedzaam naast elkaar leefden; de familie klom op in adellijke rang en droeg de elegante naam De Flores – *perhah*, de Hebreeuwse oorsprong van onze huidige achternaam, Perahya, betekent 'bloem' – en op een zeldzaam goede dag in de jaren van de Inquisitie werden mijn directe voorvaderen aan de kust van Andalusië gered door moedige Ottomaanse Turken, waarschijnlijk door niemand minder dan de grote admiraal Barbaros Hayrettin zelf.

De tweede versie, die nóg meer grandeur heeft, traceert onze stamboom helemaal tot aan de eerste eeuw van de christelijke jaartelling, toen de Romeinen na tientallen jaren oorlog voeren eindelijk Judea hadden veroverd. Een uitzonderlijk voorval in die tijd, men zal het niet vergeten, vond plaats in het jaar 66 na Christus, tijdens het beleg van Jeruzalem. De gevierde rabbijn Yohanan ben Zakkai haalde generaal Vespasianus – die later tot keizer zou worden gekroond – over hem toestemming te geven de gedoemde stad van David te verlaten en met een groepje geleerden naar Yavneh aan de mediterrane kust te gaan, zodat de Romeinen hun gang konden gaan in het Koninkrijk Gods, terwijl ben Zakkai en zijn theologen het judaïsme konden redden door de essentie ervan vast te leggen voor het nageslacht – een taak die ongeveer in twee eeuwen werd volbracht met de

samenstelling van de talmoed. Een van die exegeten, de fari-
zeeër Eliezer, die altijd werd geprezen als 'de dappere en toe-
gewijde metgezel van ben Zakkai', was volgens deze tweede
versie onze eerste bekende voorvader.

Een goed begin, of niet, mama en papa?
Misschien vragen jullie je af waarom ik dit allemaal op-
schrijf. En waarom ik dat stiekem in het holst van de nacht doe
terwijl jullie diep in slaap zijn.
Ik zou het echt niet weten.
Ik denk dat ik het voor jullie doe – ook al doe ik het
uiteindelijk wel voor mezelf en is veel van wat ik misschien
ga opschrijven jullie niet onbekend.
Maar misschien schrijf ik het dan voor mijn vrienden. Neem
ik zo als het ware afscheid van hen…
Ik heb een angst die mij vanbinnen verscheurt. Ik probeer
hem niet onder ogen te zien. Ik wil hem niet herkennen. Hem
geen naam geven. De moeder van mijn Engelse, pardon
Schotse vriend Robbie, een vrouw die sinds de dood van haar
gesneuvelde broer in diepe rouw is, vertelde me ooit dat wanneer je een naam geeft aan datgene waar je bang voor bent, dat
werkelijkheid wordt.
En toch wil ik zoiets als een getuigenis nalaten – voor het
geval dat. Ik wil een indruk van ons achterlaten, van wie wij
zijn, wat we doen, hoe ons leven was en is, hoe blij ik ben jullie
zoon te zijn, hoe jullie liefde alles voor mij is, hoe die mij kracht
geeft, hoe ik altijd probeer nog meer van jullie te houden, maar
niet weet hoe. En inderdaad ook hoe ongelukkig jullie me
maken – en natuurlijk ook jullie zelf – wanneer jullie ruzie-
maken.
Afijn, ik schrijf een paar dingen op die ik aan jullie kwijt wil
voor het geval dit mijn laatste woorden blijken te zijn.

Mijn vader, Pepo, heeft voor beide versies van onze afkomst evenveel respect. Zijn ogen, die altijd verbaasd staan, beginnen nog meer te twinkelen wanneer oudere familieleden een van de twee versies opdissen. Maar hij weigert voor één ervan te kiezen – dat bekende hij mij tenminste altijd als hij me weer op het hart drukte dat je voorzichtig moet omgaan met de religieuze overtuigingen en fantasieën van andere mensen. Mythen zijn prima, zegt hij; waarschijnlijk zijn het uitingen van het godsdienstig besef dat ieder mens in zich heeft, maar het is verkeerd om het bestaan alleen maar in de vorm van legenden betekenis te geven; de werkelijkheid heeft ook betekenis; bovendien is de werkelijkheid urgent en vereist ze onze onmiddellijke aandacht. (Die eerste versie is, waar ik later achter kwam, als het al geen verzinsel is, op zijn minst historisch onjuist: als Barbaros Hayrettin inderdaad onze voorouders van het strand had meegenomen, dan zou dat zo'n veertig jaar na de *Reconquista* geweest moeten zijn; en het strand zou in Noord-Afrika moeten hebben gelegen, niet in Andalusië.)

En dus houdt mijn vader het erop, wanneer hij zich in minder atavistisch gezelschap bevindt, dat onze familie net als de meeste van gemengd bloed is en hij beschouwt dat als een zegen, want zelden lijden bastaards aan de overgevoeligheid, om niet te zeggen paranoia – of zelfs waanzin – van de meeste volbloedrassen. En bovendien: omdat onze stamboom verschillende wortels heeft – joodse, Spaanse, Turkse, Griekse, Bulgaarse, zigeunse, Armeense, Arabische en Perzische, om er een paar te noemen – zijn we zo kleurrijk als de regenboog.

Over de afkomst van de twee vorige generaties van mijn familie bestaan trouwens ook enkele harde feiten.

Mijn overgrootvader van vaders kant kan worden teruggevoerd naar Burgaz in Bulgarije. In een nauwelijks leesbaar document staat dat hij daar diende als ambtenaar van het Ottomaanse rijk. Omdat hij verder nog een tijdje in Varna heeft gewoond – dat net als Burgaz een havenplaats is aan de

Zwarte Zee – en in Rusçuk – ook bekend als Ruse, een Bulgaarse plaats aan de Donau, grenzend aan Roemenië – wordt aangenomen dat hij in dienst was van de Keizerlijke Douanedienst. Later in zijn leven, waarschijnlijk rond 1878, toen Bulgarije een autonome provincie werd binnen het Ottomaanse rijk, emigreerde hij naar Izmir, de Ottomaanse havenstad aan de Egeïsche Zee. Daar trouwde hij met mijn overgrootmoeder. Van haar is niets bekend, behalve dat ze nadat ze was bevallen van de vader van mijn vader, zich niet zou onderscheiden als een vrouw met een vruchtbare baarmoeder. (Echter, een vrouw hoefde maar één kind te baren om, zoals het gezegde luidde, te triomferen over de duivel.)

Doordat de geboorteregistratie in de Ottomaanse tijd lukraak verliep, moeten we aannemen dat mijn grootvader begin jaren tachtig van de negentiende eeuw werd geboren. Deze gok is gebaseerd op het feit dat hij rond de eeuwwisseling, toen hij in het leger diende, gewond raakte en in 1915 overleed, een dertiger nog, die een vrouw en drie kinderen naliet, van wie mijn vader, toen dertien jaar, de oudste was. Vaak heb ik horen zeggen dat de dood van mijn grootvader exemplarisch was voor de Turkse generatie van de Eerste Wereldoorlog: uitgeput als hij was doordat hij zijn familie gedurende aanhoudende voedseltekorten in leven moest houden, werd hij snel geveld door een niet nader genoemde ziekte. Het gezin overleefde het alleen omdat mijn vader als jongen het geluk had een baantje te vinden. Mijn grootmoeder, die volgens iedereen zo fit was als hoentje, hertrouwde en werd nog minstens twee keer weduwe. Ze leeft nog steeds, in Alexandrië, Egypte, waar ze een leven leidt dat mijn ouders 'een interessante herfst in een existentialistisch milieu' noemen. Fatma, de zigeunerin die regelmatig onze buurt bezoekt om de toekomst te voorspellen, schrijft de eindeloze veerkracht van mijn grootmoeder toe aan haar wellustige aard, met name aan haar voorkeur voor donkere mannen. (Ik neem aan – als ik het gefluister en geknipoog goed geïnterpreteerd heb – dat ze het benijdenswaardige leven leidt van een mondaine gezelschapsdame die vooral populair is bij onderofficieren uit het Britse leger.)

Mijn moeder, Ester, daarentegen, geboren in de Thracische havenstad Thessaloniki, behoort tot de zogeheten joodse aristocratie. Dit begrip, is mij verteld, schijnt afkomstig te zijn van een tsaristische monnik, een van die Wit-Russen die hun toevlucht zochten in Istanbul na de revolutie van de bolsjewieken. Deze antisemiet, die in zijn acolietenjaren in de Balkan de gestoorde les had getrokken uit *De protocollen van de wijzen van Zion*, had tot zijn schrik geconstateerd dat de joden in de Ottomaanse landen als gevolg van het onderwijs dat werd verzorgd door de Franse Alliance Israélite Universelle, zich razendsnel emancipeerden, in tegenstelling tot hun broeders die in *shtetls* woonden in de Tsjerta; dat deze emancipatie het gevaarlijkst was in Thessaloniki, waar de joden van de stad dankzij hun zelfbeschikkingsrecht over gemeenschapszaken en hun hang naar cultuur, rijkdom en kosmopolitisme bijna een soort aristocratische groep vormden; en dat daarom de lang gevreesde joodse overheersing van de wereld wel eens in die vijandelijke waterpoel zou kunnen beginnen.

In de tijd dat mijn moeder werd geboren, in 1909 – acht jaar voor de Grote Brand, waarbij, als voorbode van de branden die komen gingen, een groot deel van de joodse buurten werd vernietigd – viel Thessaloniki nog steeds onder het Ottomaans bestuur en telde de stad ongeveer honderdtachtigduizend inwoners, waarvan meer dan de helft joods was. Zoals de tsaristische monnik terecht opmerkte, had de stad door zijn joodse meerderheid als bijnaam 'de sefardische hoofdstad' gekregen. Deze situatie bleef bestaan, ook toen het Ottomaanse rijk de stad Thessaloniki in 1912 aan de Grieken overdroeg. Nu pas, in 1942, nu Griekenland door de nazi's wordt bezet, dreigen de joden er te worden uitgeroeid. Dit weten we door de wanhopige brieven die mijn moeder van haar zuster Fortuna ontvangt, die nog steeds in Thessaloniki woont.

De vader van mijn moeder, een advocaat, kon zijn stamboom – die vol hing met artsen, kunstenaars en handelaren – terugvoeren tot Cuenca in Castilië, een stad die in zijn hoogtijdagen wedijverde met Toledo in de pracht en praal van de Spaanse Gouden Eeuw. Maar tijdens de Inquisitie, tussen 1489 en 1492, hadden Torquemada en zijn trawanten aan het verschijnsel barbarij een nieuwe definitie gegeven. De weinige joden die de autodafe's van Cuenca waren ontvlucht, onder wie de voorouders van mijn moeder, hadden ter nagedachtenis de naam van de stad aangenomen als hun achternaam.

Gezien de verschillen in achtergrond en nog talloze andere overwegingen vraag ik me af of zelfs de beroemde Sybille had kunnen voorspellen dat mijn vader en moeder met elkaar zouden trouwen. Maar ach, als je de boeken die ik heb gelezen mag geloven, worden de meeste huwelijken gesloten in de hel en niet in de hemel, en worden de pijlen van Cupido door demonen afgebogen, niet door die arme kleine deugniet zelf.

Hacı Hasan, de oude schoenmaker – volgens mijn vader de wijste man uit onze buurt – vindt dat deze cynische opmerking mijn intelligentie onwaardig is. Hij zegt dat het een gewoonte van me is geworden als een Europeaan over dingen na te denken, omdat ik overal de logica van wil inzien, zelfs van zaken waarin die niet zit, in plaats van de wetten van het lot te accepteren als de primaire wetten van het bestaan, wat ieder verstandig mens doet in het Middellandse-Zeegebied.

Het lot is onveranderbaar. Hacı Hasan, over wie wordt gezegd dat hij kort na de Balkanoorlogen, na zijn pelgrimstocht naar Mekka, een derwisj werd, laat hierover geen twijfel bestaan. Wat op het voorhoofd staat geschreven zal zich vroeg of laat voltrekken. Geen geschrift, zelfs niet een vluchtige krabbel in het zand, blijft onopgemerkt omdat Allah getuige was toen het geschreven werd. (Ik vraag me af of de verhalen vertellende held van Rıfat, Mahmut de Simurg, Hacı Hasan kent. Ze lijken dezelfde taal te spreken.)

Mijn Schotse vriend, Robbie, kan die plichtmatige acceptatie van Allah door Turkse joden nauwelijks begrijpen. Hij zegt dat verschillen tussen sekten, om maar te zwijgen van verschillen tussen religies, zo diep gaan in het Westen, dat ze onoverkomelijk zijn. Ik legde de vraag voor aan Eli, van wie ik Hebreeuws heb geleerd voor mijn bar mitswa en die nu aan de universiteit van Istanbul werkt aan zijn proefschrift in de filosofie onder professor Rüstow, een joodse vluchteling uit het Derde Rijk. Onnodig te zeggen dat Eli, die volgens iedereen binnen de kortste keren zelf professor zal zijn, moeiteloos alle redenen hiervoor kon opsommen. In iedere cultuur waar grote godsdiensten tegen elkaar aan schurken – en soms botsen – ziet men onmiskenbaar overeenkomsten tussen de verschillende Onfeilbaren. De meeste joden die in een islamitisch land wonen, moeten als ze eerlijk zijn toegeven dat Jahweh en Allah door de eeuwen heen inwisselbaar zijn gebleken – een solide reiziger die soms een turban, dan weer een keppeltje draagt. Goden worden alleen maar star en meedogenloos wanneer de mens een of andere utopie najaagt – bijvoorbeeld die van Hitler en zijn nazi's – en zich zo van de Schepping vervreemdt en de liefde smoort die er bestaat tussen de schepper en het geschapene.

Afijn, terug naar het lot, het onherroepelijke volgens Hacı Hasan. Een vreemde en verbazingwekkende kracht die van ironie houdt, van paradoxen en omkeringen en die een goed gevoel voor het absurde heeft. Maar aangezien het een instrument is van de Schepping, is het ook zuiver. Vandaar dat het lot, hoewel het zich allerlei vrijheden permitteert en kuierend naar zijn bestemming vreemde omwegen maakt, nooit zijn positie in de kosmische orde uit het oog verliest. En hoewel zijn gemeander vaak arbitrair, wreed en mysterieus lijkt, onderhoudt het een intieme, bijna tastbare relatie met de persoon die het onder zijn hoede heeft. Voor de meeste mensen is het lot werkelijk en continu aanwezig, zoals een lidmaat dat vroeger deel uitmaakte van een lichaam ligt te wachten in het voorgeborchte der amputaties totdat het zich weer met dat lichaam kan verenigen.

En het is eindeloos vindingrijk, eindeloos vernieuwend.

En zo bracht het lot in juni 1927, zoals gebruikelijk een paar dagen na elkaar, twee mannen met compleet tegengestelde karakters – de een de zachtheid, de ander de hardheid zelve – beiden nu oudooms van me – kloppend op dezelfde deur van een beroemde koppelaarster uit Istanbul.

Ik denk dat het standaardbeeld van de koppelaarster, in Turkije en ook in de rest van de wereld, dat van een knokige, parasitaire bemoeial is. Volgens oom Jak – de goede oom – was déze vrouw, die luisterde naar de evocatieve naam Allegra, 'vrolijkheid', niet alleen een ravissante schoonheid, maar ook een volgelinge van Rousseau. Volgens haar was het huwelijk de enige kans voor vrouwen in het algemeen, en voor vrouwen uit het Midden-Oosten in het bijzonder, om zich te verzetten tegen de beperkingen die hun werden opgelegd binnen de patriarchale samenlevingen die de wereld bestierden. Zij verzette zich tegen de heersende gewoonte volgens welke de man, als het hem uitkwam, een door hem gebruikte, maar nog perfect functionerende, om niet te zeggen goed ingevette holster inruilde voor een nieuwe. Vandaar dat ze ervoor zorgde dat haar wederhelften aan elkaar gewaagd waren, op zijn minst achter gesloten deuren.

De eenvoudigste combinatie was volgens haar die tussen een vrouw die gelukkig was met de geneugten van haar lendenen en een vredelievende man die verlangde naar vleselijke verrukkingen; de vrouw zal dan welwillend heersen, de man gaat door het leven met een permanente glimlach op zijn gezicht en samen leven zij nog lang en gelukkig. Andere evenwichtige verbintenissen waren die tussen sterke mannen met angstige, afhankelijke vrouwen – of andersom – of tussen mannen en vrouwen die zo futloos waren dat ze door het leven gingen zonder elkaar op te merken en kinderen voortbrachten op een manier die vergelijkbaar is met bestuiving. Opmerkelijk genoeg boekte Allegra het meeste succes met verbintenissen tussen autoritaire mannen en koppige vrouwen. Ondanks het identiteitsgevoel dat dit evenwicht de vrouw verschafte, garandeerde deze strategie dat echtelijke ruzies onder deze omstandigheden altijd eindigden in een patstelling. En doordat patstelling na patstelling de strijdende echtelieden ertoe aanzette obsessief ruzie te blijven zoeken in de hoop op tenminste één overwinning van betekenis – die uiteraard nooit zou worden behaald – was de voortzetting van het huwelijk gegarandeerd. En wanneer, zoals soms was gebeurd, de ruzies eindigden in geweld, dan kon altijd nog de schuld worden gegeven aan de sterren of de zonnevlekken.

Het interessante gerucht ging dat Allegra, omdat ze zelf nooit getrouwd was geweest of relaties met mannen had gehad, saffische neigingen zou hebben. Haar antwoord op deze roddel luidde dat koppelaarsters die op een intelligente en efficiënte manier hun goddelijke werk wilden doen, celibatair moesten zijn, net als de paus.

Hoe dan ook, het lot wilde dat de afzonderlijke wegen van mijn oudooms kort na elkaar naar Allegra leidden.

Jak, de broer van mijn grootmoeder aan moederszijde, weidde lyrisch uit over Ester, zijn achttienjarige, mooie en opvallend moderne nicht uit Thessaloniki, die niet alleen de robijnrode krachten van een joodse vrouw bezat, maar ook als zangeres, pianiste en schilderes drievoudig kunstenares was. Bovendien beschouwde ze Turkije als het spirituele thuisland van de joden – hoe opvallend was die wijsheid voor zo'n jong meisje! – en was ze bereid om daar te wonen.

De andere oudoom, Şaul, de schoonbroer van mijn grootmoeder aan vaderszijde, ook wel El Furioso genoemd, verklaarde uit de hoogte, alsof hij een ondergeschikte beloonde, dat hij een neef had in Izmir, een zekere Pepo, die in zijn manufacturenwinkel werkte maar die, nu hij niet meer voor zijn moeder en zijn jongere broer en zus hoefde te zorgen (zijn moeder en zus waren allebei getrouwd en woonden respectievelijk in Alexandrië en Beiroet; zijn broer was naar Venezuela geëmigreerd), was veranderd in een onstuimige, sterke joodse jongeman die het hoog in zijn bol begon te krijgen. Bovendien wilde Pepo, die trouwens had meegevochten in de Onafhankelijkheidsoorlog – en dat zegt heel wat – zijn vleugels uitslaan, een beetje reizen, achter de vrouwtjes aan, ja, zelfs studeren om zijn aanzienlijke talenten ten volle te benutten – studeren, in godsnaam, op zijn vijfentwintigste! De waarheid was, en Şaul wilde dat niet toegeven, dat Pepo onmisbaar was geworden in de zaak en dat die grootse ambities hem uit het hoofd moesten worden gepraat. Wat kon men anders dan hem met een liefhebbende echtgenote vastketenen aan het echte leven en – wat men al niet moest doen voor de mindere loten aan de familietak! – zijn verlies van vrijheid compenseren door hem mede-eigenaar van de zaak te laten worden?

De methodische Allegra reisde meteen af naar Thessaloniki en daarna naar Izmir. En schijnbaar per toeval zag ze kans om zowel Ester als Pepo te ontmoeten. Vervolgens probeerde ze een paar weken lang de twee te koppelen aan verschillende potentiële kandidaten uit haar boeken. Uiteindelijk besloot ze op basis van haar theorie over gelijkwaardige paren dat de pittige Ester en de ondernemende Pepo voor elkaar geknipt waren. Voor alle zekerheid – aangezien Ester, als aristocrate, een extra duwtje nodig had om het voorstel goed te keuren – bedacht Allegra verschillende toverspreuken en middeltjes. Een van haar middeltjes deed wonderen bij mijn vader, zweert hij tot op de dag van vandaag: een met kaneel bepoederd satijnen damesbroekje om de zoete opwinding in zijn kruis op te wekken. Een ander middeltje, rozenolie op het kussen van mijn moeder om haar alles te doen vergeten wat haar aandacht van mijn vader zou kunnen afleiden, was blijkbaar ook uiterst effectief.

Of het nu door haar professionele inzicht of haar tovermiddeltjes kwam, Allegra's reputatie op het gebied van perfecte verbintenissen werd snel weer bevestigd. Mijn vader en moeder werden verliefd en kregen zo snel verkering dat zelfs de koppelaarster ervan stond te kijken. Binnen een paar weken waren ze getrouwd – 'onfatsoenlijk snel', volgens boze tongen.

Op een heldere, hemelsblauwe dag, zo'n dag waarop de goden dollen als dolfijnen in de zee en de grenzen tussen ouders en kinderen wegvallen, vroeg ik mijn vader waarom ze zo snel waren getrouwd. Met die ogen van hem die zo liefdevol de wereld in kijken, gaf hij toe dat mama en hij inderdaad vanaf het moment dat ze elkaar hadden ontmoet, verteerd werden door verlangen, zoals de oude Vestaalse maagden zeiden. Maar omdat ze zoals alle keurige joodse jongeren in die tijd de regels van het fatsoen in acht moesten nemen en geen seks voor het huwelijk mochten hebben, was trouwen de enige manier om hun honger te stillen. Het praatje dat ik voor het huwelijk zou zijn verwekt klopt dus niet. Ik was een zevenmaandskindje. Ik hoop niet dat ik even voortijdig vertrek.

Nee, ik ben niet zenuwachtig voor de missie die voor me ligt. Je zult zien dat alles gesmeerd verloopt!

Er was trouwens nóg een factor, even sterk als de seksuele honger, die bijdroeg aan het snelle huwelijk: mijn moeder was verzot op de verhalen van mijn vader over zijn avonturen.

Zoals gezegd was mijn moeder een talentvol zangeres, pianiste en schilderes. Maar volgens oom Jak moesten haar gaven geprikkeld worden. Die konden wel wat drama, wonderlijke figuren en bizarre avonturen gebruiken – dwingende verhalen in feite. En mijn vader, die ondanks zijn jonge leeftijd een veelbewogen leven had geleid en een virtuoos verhalenverteller was, kon daar rijkelijk in voorzien. (Helaas gaf moeder kort na mijn geboorte haar artistieke ambities op. Tijdens de arme eerste jaren van de republiek konden maar heel weinig mensen een loopbaan in de kunsten voortzetten.)

Iedereen zegt dat het verhaal over de slag bij de rivier de Sakarya – het keerpunt in de Onafhankelijkheidsoorlog waarin mijn vader diende als seiner op de commandopost van Atatürk – het verhaal was dat het huwelijk van mijn ouders beklonk. Toen ik klein was, was dit het favoriete verhaal van mijn moeder. Ze liet het mijn vader aan iedereen vertellen. Ze liet het hem zelfs opschrijven toen zijn geheugen begon te haperen en hij moest gissen naar details die hij zich niet meer precies kon herinneren. Toen later de eindeloze ruzies al waren begonnen beweerde moeder dat hij haar met dat verhaal had verleid – lieftallig en naïef als ze was – zoals Othello Desdemona had verleid. Een ruwe, volkse kerel die met een verhaal over oorlog en heldenmoed het hoofd van een onschuldige maagd op hol had gebracht.

Omdat het verhaal over de slag bij de Sakarya toevallig ook mijn favoriet is (en omdat deze brief, of die nu ten afscheid geschreven blijkt te zijn of niet, begint te lijken op een halleluja, een sentimentele lofzang op mijn ouders) zal ik dat verhaal, zoals mijn vader het heeft opgetekend, hier als bijlage aan toevoegen.

Een terzijde over het ongeluk dat door ons huis waart. Ik weet niet wanneer het begon. En ook niet hoe ernstig het is. Mijn ouders lijken nog steeds veel van elkaar te houden en belangstelling te hebben voor elkaar. Voor mijn moeder geen bridgeavondjes of de hele middag koffie leuten met andere vrouwen. Voor mijn vader geen braspartijen met zijn vrienden in de nieuwste clubs en ook niet de geheimzinnige wereld van de vrijmetselaars.

Maar op een dag begon het.

Misschien, wat oom Jak vermoedt, keek mijn moeder op een grauwe dag naar mijn vader en zag ze door een waas een schim van de man die vroeger op een reus had geleken, maar nu aan een rots genageld was en zichzelf niet kon verdedigen tegen de buizerd die zijn ogen uitstak. Misselijk door deze aanblik – misschien dacht ze zelfs wel dat zíj, en niet die vervloekte winkel van oom Şaul (die mijn vader na diens dood had geërfd) de buizerd was – ijsbeerde mijn moeder door het huis en riep ze tot God: 'Heb ik hiervoor mijn talenten opgegeven?! Heb ik hier mijn leven aan vergooid?!' Mijn vader, die inderdaad een reus was, die een geleerde of een staatsman, maar in elk geval een groot man had kunnen zijn als hij maar had kunnen studeren, maar die, om voor zijn geliefde vrouw en kind te kunnen zorgen al zijn ambities had opgegeven, huilde zonder tranen op diezelfde grauwe dag en terwijl de tijd wervelend in de wind verstreek vroeg hij zich op zijn beurt af: 'Is dit alles in het leven?'

Volgens oom Jak bestond de tragedie eruit dat mijn vader en mijn moeder op dezelfde grauwe dag de inventaris van hun leven hadden opgemaakt. Als ze dit ieder op een andere dag hadden gedaan, had een van hen opgemerkt dat hun leven, ook al was het verzand en verre van bevredigend, tegelijk ook mooier was dan ze zich hadden kunnen voorstellen: bijvoorbeeld dankzij hun zoon en hun liefde voor elkaar…

Daarna werd het ongeluk met een misselijkmakende snelheid groter. Nu is het een constante. Moeder beschuldigt vader van een of andere misstap – altijd iets onbenulligs, bijvoorbeeld dat hij zijn servet niet correct heeft opgevouwen, of door de regen naar huis is gelopen met het risico een kou te vatten, om te bezuinigen op de tram. Vader die haar met zijn verontschuldigingen probeert te sussen. Zij trekt dan een wenkbrauw op en vraagt zich af hoe vaak in hemelsnaam een vrouw haar man dezelfde stommiteit kan vergeven. Daarna blijft het lang stil. Dan begint zij weer door zich hetzelfde nog eens af te vragen. Hij vindt dat ze een klein meningsverschil hoog laat oplopen. Dat maakt haar razend; ze begint hem te beschuldigen van allerlei kleine dingen, dat hij onbeleefd is, dat hij haar Griekse accent imiteert (terwijl hij dat juist zo lief vindt), dat hij haar niet genoeg huishoudgeld geeft, dat hij heimelijk kijkt naar, misschien ook praat en zelfs plezier maakt met andere vrouwen. Woedend om haar beschuldigingen riposteert hij dat zij het alleen maar aan zichzelf te danken zou hebben als hij zou vertrekken om bij een andere vrouw de harmonie en het geluk te zoeken waar hij zo naar verlangt. Dit maakt haar nog woedender: een man die zo gemakkelijk de waarheid verdraait, zonder een greintje geweten, is geen man maar een bruut, een nazi, niets minder dan een Goebbels. Als hij het voor het zeggen zou hebben, zou hij de hele wereld uitmoorden, om te beginnen bij de vrouw die hij zegt lief te hebben.

Gisteravond, bijvoorbeeld.

Tot mijn schaamte moet ik bekennen dat ik de aanleiding was.

Vader was van gedachte veranderd over mijn zogenaamde excursie met de verkenners naar het Koninklijk Hittietenmuseum in Boğazköy. Het land verkeerde in grote moeilijkheden, zo begon hij, het was stuurloos na het overlijden van Atatürk (vader vereerde Atatürk en is altijd om hem blijven rouwen), opportunistische nazi-aanhangers kwamen uit hun holen gekropen. De economische crisis verergerde en deze aaseters gaven, meehuilend met de rechtse lieden in de regering, de minderheden, met name de joden, overal de schuld van. Mensen die echt van hun land hielden werden ofwel gemarginaliseerd ofwel zoals in het geval van de dichter Nâzım Hikmet in de gevangenis gestopt. (Papa houdt van het werk van Hikmet en beweert dat als Atatürk nog zou hebben geleefd, hij Hikmets zienswijze zou hebben gerespecteerd. Ik vermoed dat mijn vader diep in zijn hart een socialist is, of een communist, zoals dat tegenwoordig heet.)

Maar goed, papa was bang dat als ik meeging op excursie naar Boğazköy, ik wel eens door bekrompen verkenners uit

140

mijn groep of door een leider geplaagd zou kunnen worden, gepakt en verstoten als zo'n jood 'die het land uitzuigt'.

Alsof dit de voorzet was waarop ze had zitten wachten, nam mijn moeder het voor me op. (Voor het eerst was ik daar blij om, omdat er in werkelijkheid helemaal geen excursie naar Boğazköy is; dat is het voorwendsel dat mijn vrienden en ik hebben bedacht zodat ik met Marko naar Thessaloniki kan gaan en de familie van mijn moeder Griekenland uit kan smokkelen.) Ze beschuldigde papa ervan dat hij jaloers op me was omdat ik een goede opleiding volg, terwijl hij al op zijn dertiende van school moest; hij zou me demotiveren, me zelfs willen reduceren tot de nul die hijzelf was; nog even en hij zou zelfs mijn boeken verbranden; nou, zover zou zij het niet laten komen, van zijn lang zal ze leven niet; zij zou niet toestaan dat hij van haar zoon een slachtoffer zou maken.

Hier een fragment uit hun ruzie. Ik geef hem woord voor woord weer:

Hij: 'Een slachtoffer maken van mijn zoon? Mijn eigen vlees en bloed? Ik jaag nog liever een kogel door mijn kop!'

Zij: 'Daar ga je weer, meteen op de gewelddadige toer!'

Hij: 'Ik geef mijn leven voor hem net zo goed als voor jou als het moet. Dat weet je best!'

Zij: 'Dan zou je ons eerst afmaken – dat is precies wat jij zou doen!'

Hij: 'Ach mens, je bent gek!'

Zij: 'Ja, ik ben gek – want ik heb tenminste nog een hart! Maar jij. Jij bent een gevaarlijke gek die ieder ogenblik amok kan maken!'

Hij: 'Ik ben een liefhebbende echtgenoot. Je vond me een liefhebbende echtgenoot!'

Zij: 'Je bent veranderd!'

Hij: 'Dat is niet waar! Heb ik je in al die jaren ooit kwaad gedaan? Heb ik ooit de hand tegen je opgeheven?'

Zij: 'Jij bent net als de rest. Een man die Joost mag weten wat uitvoert. Dan chagrijnig thuiskomt. En tikt als een tijd-bom!'

Hij: 'Een man die voor brood op de plank zorgt.'

Zij: 'O ja, zo'n figuur die zijn vrouw pas een muilpeer verkoopt nadat ze de maaltijd heeft genuttigd – pats!'

En zo ging dat nog even door. En zo gaat het altijd maar door. En het treurige is dat moeder heel goed weet – net zo goed als ik en iedereen – dat vader, ondanks zijn tekortkomingen, ondanks zijn frustraties, geen geweld in zich heeft en werkelijk een liefhebbende echtgenoot is.

Een paar maanden geleden, na een uitzonderlijk hevige ruzie, hoorde ik mijn vader boos het huis uit gaan. Buiten woedde een zware sneeuwstorm. Bang dat hij ons ging verlaten of zelfmoord zou plegen ging ik achter hem aan. Ik volgde hem tot aan de zee. Ik keek toe hoe hij op een kaapstander ging zitten en een sigaret opstak. Hij had geen jas of jack aan, droeg alleen maar een dunne trui waarop sneeuwvlokken begonnen te vallen. Ik moest denken aan Gül, de zus van Naim op wie ik verliefd was en die ik nog steeds heel erg mis, die was dood-gevroren als een zwerver op een bankje in het park. Uit angst dat ook mijn vader dood zou vriezen ging ik naast hem zitten en legde mijn armen om hem heen. Hij keek me aan, was blijkbaar verrast dat er nog iemand om hem gaf. Toen drukte hij me stevig tegen zich aan alsof hij wilde dat ik een deel werd van zijn lichaam. Uiteindelijk nam hij me mee naar de dichtst-bijzijnde *mahallebici* om warme soep te eten, want anders zouden we nog in sneeuwpoppen veranderen, zei hij luchtig. Terwijl we langzaam weer vanbinnen warm werden, vroeg ik waarom mama zo veranderd was de laatste tijd, waarom ze stug volhield dat papa zo gewelddadig was. Eerst aarzelde hij om erover te beginnen, maar toen hij had geconcludeerd dat ik oud genoeg was om het te weten, vertelde hij me iets over haar verleden. De vader van mijn moeder, zo begon hij, was een agressieve man die zijn vrouw invalide had gemaakt door haar van het balkon te duwen. Hij vertelde dat mama een keer, toen mijn grootvader mijn grootmoeder in elkaar sloeg, met een jachtgeweer in haar handen had gedreigd opa neer te schieten. Volgens de artsen, legde papa uit, houden gevoelige geesten die aan dit soort geweld zijn blootgesteld daar ernstige littekens aan over. Misschien zou mama onder andere omstandigheden zonder problemen met deze littekens hebben kunnen leven, maar nu het overal in Europa oorlog was, de nazi's in Thessaloniki de joden vervolgden, haar familie vervolgden, zag mama overal geweld en moordzucht om zich heen. Maar misschien kon ze door deze vreselijke periode heen komen. Met liefde en geduld. Maar nogmaals, alleen al door het goede bericht dat haar familie veilig is, zou zij waarschijnlijk binnen een mum van tijd weer helemaal de oude zijn.

Het was na dit gesprek dat ik besloot een plan te bedenken om de familie van mijn moeder in Thessaloniki te redden.

Dit gaan we doen.

Met mijn vrienden Naim, Can en Robbie heb ik een perfect plan bedacht.

We gaan alle vijf de leden van mijn moeders familie redden: tante Fortuna, haar drie kinderen David, Süzan en Viktorya, en opa Salvador. Aanvankelijk wilde ik mijn grootvader thuislaten vanwege zijn losse handjes, maar achteraf vond ik het weinig galant om hem uit te sluiten. De man van Fortuna, oom Zaharya, is helaas een paar maanden geleden overleden, nadat de nazi's hem naar een werkkamp hadden gestuurd.

We hebben voor iedereen paspoorten: Turkse, die volgens al onze bronnen door de Duitse autoriteiten geaccepteerd worden omdat Turkije nog steeds neutraal is in deze oorlog en omdat ons land sinds de bezetting van Griekenland een buur is die te vriend moet worden gehouden. We zijn aan deze paspoorten gekomen door ze te ruilen tegen Britse papieren. Die waren weer geregeld door Robbie, die zomaar het Britse consulaat in en uit kan lopen omdat zijn vader daar een hoge functie heeft. De ruil kwam tot stand via een klasgenoot van Naim, Tomaso, een Levantijnse jongen uit een familie die de hele smokkelhandel in deze streek in handen heeft. Ook stelde Tomaso ons voor aan Marko, de jongste broer van zijn moeder, die op vijfentwintigjarige leeftijd al de reputatie heeft de beste en brutaalste ritselaar van de Egeïsche Zee te zijn. Ook beweert men dat hij met zijn boot, de Yasemin, elke patrouilleboot te snel af is. Marko wordt dus onze redder. Eigenlijk zouden Naim, Can en Robbie met ons meegaan. We hadden een goede smoes bedacht om van huis te gaan – het verkennerskamp naar het Koninklijk Hittietenmuseum in Boğazköy dat ik al heb genoemd. Maar helaas, Naim en Can moeten thuis meehelpen in de winkels van hun vaders en Robbie moet bij zijn moeder blijven omdat het niet goed met haar gaat.

Dus gaan Marko en ik alleen. We glippen de grens naar Griekenland over, gaan door naar Thessaloniki, vinden de familie van mijn moeder, delen de paspoorten uit en glippen weer de grens over naar huis.

Over een week zijn we terug.

Overmorgen varen we uit.

God, ik had gehoopt dat ik nog veel meer kon vertellen.

Maar goed, een andere keer…

O, voor ik het vergeet. Vannacht had ik een rare droom. Meestal onthoud ik mijn dromen niet. Alleen de natte.

Afijn. Deze droom speelde zich af in de Oudheid. Ik stond te kijken naar een religieus ritueel. De mensen pakten hun narigheid en de fouten die ze hadden gemaakt op de rug van een *kapora*, het dier dat symbool staat voor zuiverheid, de zondebok in feite. Maar in dit geval was het een aap, zo een als Cheetah van Tarzan, maar dan hemelsblauw. Toen deze aap zó zwaar beladen was dat hij op zijn poten wankelde, sleepten ze hem naar het altaar, waar een priester klaarstond om hem te slachten, zodat het dier alle ellende van de mensen naar gene zijde mee zou slepen. Terwijl de priester op het punt stond de halsslagader door te snijden, keek de aap om, naar mij.

Hij had mijn gezicht.

Bizar.

Als ik terug ben moet ik de huishoudster van oom Jak, Ruhiye, eens vragen wat deze droom zou kunnen betekenen. Net als de meeste afstammelingen van de Yürük, de oorspronkelijke Turkse stammen uit Centraal-Azië, is zij goed in het verklaren van dromen.

Dus...

WORDT VERVOLGD..

ALS IK TERUG BEN..

MET GOED NIEUWS, ZO GOD WIL!

Appendix: Hierbij het verhaal van mijn vader

De Sakarya

De meeste historici zullen zeggen dat Mustafa Kemal Atatürk niet alleen een briljant staatsman was, maar ook een geniaal strateeg. Ter ondersteuning van deze stelling zullen zij uitweiden over zijn moedige en vaak onorthodoxe strategieën in Tripoli, Gallipoli, Syrië en in de Turkse Onafhankelijkheidsoorlog. Een paar van die strategieën zijn nu geloof ik verplichte leerstof op militaire academies overal ter wereld.

Maar alleen een historicus die de loopgravenoorlog heeft overleefd, die de stank kent van ontbindende lichamen, die verlamd door angst in helse granaatkraters lag, die rende als een dolle terwijl hij op open terrein werd beschoten, die op zijn gezond verstand bleef afgaan terwijl hij zag hoe de dood vele generatiegenoten van hem wegnam op velden waar kort daarvoor nog klaprozen, madeliefjes en goudsbloemen bloeiden, alleen zo iemand kan de kwaliteiten zien die Mustafa Kemal onverslaanbaar maakten in de oorlog.

Zo'n man heb ik gekend. Nikos Vassilikos. Destijds een Griekse kolonel. We namen hem in augustus 1921 gevangen, tijdens de slag bij de Sakarya, toen de Hellenen oprukten naar Ankara. Omdat ik de enige was in het regiment die Grieks sprak, had mijn Pasja mij gevraagd of ik hem wilde ondervragen.

Sta mij toe Mustafa Kemal mijn Pasja te noemen. Want zo leeft hij in mijn hart voort. Pasja, overigens, is de rang van opperveldheer; het Europese equivalent is veldmaarschalk.

Tijdens de ondervraging vertelde Vassilikos me regelmatig dat hij, in zijn streven een toegewijd officier te worden, mijn Pasja's strategieën in vorige veldtochten grondig had bestudeerd; zodoende kon hij begrijpen waarom — en hoe — mijn Pasja zijn tegenstanders altijd een stap voor was. Vassilikos had zelfs een uitgebreid rapport geschreven voor zijn Generale Staf over het krijgskundig vernuft van mijn Pasja, maar zij deden dat af als een mismoedige verhandeling – een stommiteit die Vassilikos sterkte in zijn overtuiging dat de meeste leden van de Generale Staf studeerkamersoldaten waren en dus stomkoppen. (Vassilikos is nu een gerespecteerd historicus. Zijn objectieve studie over het Turks-Griekse conflict is een standaardwerk geworden – behalve voor de onverbeterlijke xenofoben in zijn land.)

Vassilikos beweerde dat het opperbevel niet inzag, of weigerde in te zien, dat mijn Pasja simpelweg zijn tijd ver vooruit was. Net als Alexander de Grote. Hij was een man van de toekomst. Een scherpzinnig rationalist die snel doorhad dat precieze informatie over het moreel, het karakter, de capaciteiten en de opstelling van de troepen het belangrijkste wapen was in de strijd om de overwinning en niet een of ander stuk wapentuig uit het legerarsenaal, waar zijn gelijken bij zwoeren. Met vooruitziende blik zag hij van elke nieuwe uitvinding de militaire mogelijkheden in, met name op het gebied van spionage, lang voordat de pennenlikkers op het defensiedepartement dat deden.

Vassilikos staafde deze stelling met talloze voorbeelden. Omdat ik geen militair brein heb, ben ik de meeste vergeten. Maar één strategie zal ik altijd onthouden omdat ik er dankzij het lot een schakel in was.

Een van de uitvindingen die mijn Pasja gretig in gebruik nam was de veldtelefoon. Volgens Vassilikos kon de overwinning bij Gallipoli hoofdzakelijk worden toegeschreven aan mijn Pasja's bijzondere gebruik van dit communicatiemiddel. Veel oorlogshistorici zijn het tegenwoordig eens met deze stelling.

Door talloze uitkijkposten uit te zetten bij en in de periferie van het slagveld, die nadrukkelijk de opdracht kregen voortdurend verslag uit te brengen, kon mijn Pasja niet alleen vijandelijke zwakke plekken opsporen en op basis daarvan toeslaan, maar ook de toestand en het moreel vaststellen van zijn tegenstander, vaak *zelfs stukken beter dan de vijandelijke officieren zelf. Hij was vooral geïnteresseerd in zaken die de meeste opperbevelhebbers irrelevant vonden. Hoe goed waren de soldaten uitgerust? In welke staat verkeerden hun uniformen en schoenen? Hoe vaak aten ze? Wat aten ze? Hoe vaak kregen ze pauze? Rookten ze veel? Zongen ze liedjes? Zo ja, wat voor liedjes – treurige of vrolijke? Hoe vaak wasten en schoren ze zich? Hoe vaak gingen ze naar de wc? Enzovoort...*

Mijn Pasja drukte ons op het hart dat men op basis van deze schijnbaar onbelangrijke details zeer belangrijke conclusies kon trekken. Zaken als de uitrusting van de soldaten, de staat van hun uniformen en schoenen en wat zij te eten kregen, gaven aan hoe goed de vijand werd bevoorraad. Hoe vaak ze aten en rookten, het soort liedjes dat ze zongen en hoe vaak ze zich wasten en schoren vormden uitstekende indicaties voor het moreel. En een banaal detail als het aantal keren dat de soldaten de latrine bezochten, kon het verschil betekenen tussen een overwinning en een neder-laag. Als de mannen zich te vaak ontlastten, kon dat betekenen dat de vijand was getroffen door diarree, misschien zelfs dysenterie, en dat ze waarschijnlijk te zwak of uitgeput zouden zijn om zich te verdedigen tegen een grootscheepse aanval.

In 1921 was ik een van de seiners die voor mijn Pasja dit soort informatie verzamelden.

Hoe kwam dat zo?

Welnu, een groot aantal rekruten onder de minderheden – joden zoals ik, Armeniërs, Levantijnen, bewoners uit de Pontos enzovoort – werden geselecteerd voor de verbindingsdienst en snel opgeleid. Wij kregen de voorkeur omdat de verwaarlozing door het Ottomaans bestuur van hun eigen volk, vooral op het gebied van het onderwijs, zo schandelijk groot was dat een flink percentage van onze wapenbroeders analfabeet was. De meeste minderheden daarentegen, die hun eigen scholen en cultuur mochten behouden of als zij dat wensten een Europese opleiding mochten volgen aan een van de buitenlandse instituten die in de grotere steden waren geopend, hadden een hoog opleidingsniveau. Bijna al deze scholen waren opgericht in de negentiende eeuw als logisch gevolg van de concessies die het Ottomaanse rijk aan enkele Europese naties had toegekend. Omdat geletterdheid en talenkennis van essentieel belang waren voor de inlichtingendienst, kwamen de meeste soldaten uit minderheidsgroepen bij dit onderdeel terecht.

Gezien de wreedheden waaronder de Armeniërs hadden geleden onder de Pasja's Enver en Talat, en gezien de Armeense nationalistische beweging die onder het verdrag van Sèvres in augustus 1920 leidde tot de oprichting van de Armeense Socialistische Republiek, verbaast het de lezer misschien dat er in de Onafhankelijkheidsoorlog ook Armeense rekruten in het Turkse leger zaten – zoals er inderdaad ook Armeniërs hadden meegevochten in de Eerste Wereldoorlog. Ondanks het feit dat de Armeense Socialistische Republiek een paar maanden na de oprichting in elkaar stortte en door de Russen werd geannexeerd, is de aanwezigheid van Armeense soldaten in het Turkse leger een duidelijk voorbeeld van de paradox die het Ottomaanse rijk was, en die het nieuwe Turkije is, zij het in mindere mate. Het geeft ook aan dat mijn Pasja respect had voor de niet-mohammedaanse minderheden.

Terug naar mijn verhaal. Van mij, Pepo, als verstrekker van levensbelangrijke inlichtingen.

Amper negentien was ik, een stadsjongen met weinig opleiding die zich, geïnspireerd door de oproep van mijn Pasja, had gemeld om mee te strijden voor niets minder dan het bestaan van Turkije. Een knul die nog nooit eerder in zijn leven een wapen had gezien. Een knul die zo enthousiast was als een jonge knul maar kan zijn, maar tegelijk doodsbang. Een knul die, koud aangekomen bij de Turkse linie – wat nog een gevaarlijke tocht was voor rekruten zoals ik die uit Izmir of uit een van de Egeïsche provincies moesten komen die destijds door de Grieken waren bezet – meteen midden in de hel van de oorlog terechtkwam. Een knul die ofwel verstijfd van angst onder zware artilleriebeschietingen talloze meters tele-

foondraad opnieuw legde, ofwel als een krankzinnige onder de rook van het front de telegraafontvanger en de lastige seinsleutel tegelijk bediende die waren verbonden aan uitkijkposten met veldtelefoons. Een knul met meer levens dan duizend katten, vooral tijdens het herstellen van communicatielijnen die door vijandelijke verkenners waren doorgeknipt of compleet waren weggevaagd bij een van de aanhoudende bombardementen. Een knul die, in plaats van te dagdromen over meisjes en geestdriftig te masturberen alsof er een wereldrecord moest worden gevestigd, niet alleen morse leerde, maar ook de laatste nieuwigheden op het gebied van cryptografie.

Ik vind het gênant – maar ben er ook trots op – te moeten toegeven dat ik een expert werd – de beste volgens mijn instructeurs. Ik kon snel en tegelijkertijd verschillende berichten ontvangen en transcriberen. Ik werd er zelfs zowel links- als rechtshandig van. Vandaar dat ik van het ene naar het andere slagveld werd gestuurd totdat ik terechtkwam op de commandopost van mijn Pasja bij de Sakarya, in het middenwesten van Anatolië.

De slag bij de rivier de Sakarya vormde, zoals we nu weten, een keerpunt in de Onafhankelijkheidsoorlog. Hij duurde eenentwintig dagen, waarbij aan beide zijden fel gevochten werd. Het op sommige plekken twintig kilometer brede front was honderd kilometer lang, bijna net zo lang als het gebied waar de rivier de Sakarya een brede lus vormt alvorens naar het noorden te kronkelen, de Zwarte Zee in. Het Griekse leger, goed uitgerust en bevoorraad vanuit de Egeïsche Zee, was op 14 augustus aan zijn offensief begonnen vanuit posities bij Eskişehir en Kütahya, plaatsen die in juli waren veroverd. Het hoofddoel was door te stoten naar Ankara, de zetel van de Turkse nationalisten, en zo een eind te maken aan de droom van mijn Pasja, die op de ruïnes van het Ottomaanse rijk een nieuw Turkije wilde bouwen. Na de Griekse veroveringen in juli had İsmet Pasja, de kundigste commandant van mijn Pasja – en nu, sinds de dood van mijn Pasja, president van Turkije – het Turkse leger zich laten terugtrekken naar het

Haymanaplateau, ten oosten van de Sakarya; dit ongeveer negenhonderd meter hoge terrein was niet alleen beter te verdedigen, maar bood tevens vanuit een aantal heuvels ongehinderd uitzicht op de Griekse troepen. Daarachter lagen de wegen naar Ankara, dat de hoofdstad van het land moest worden.

Op 17 augustus nam mijn Pasja het algemene commando over van de Turkse troepen en zette hij bij Alagöz zijn hoofdkwartier op, amper vijf dagen nadat hij tijdens de voorbereidingen op de veldslag een rib had gebroken.

Het Griekse leger, dat een divisie stationeerde op het punt waar de Sakarya samenkomt met zijtak de Ilıca, viel vanuit het zuiden aan, optrekkend om de lus van de rivier heen. Op die manier probeerde men niet alleen een moeizame oversteek te voorkomen, maar ook het Turkse leger in zijn zachte onderbuik te treffen.

Er volgden bittere en aanhoudende gevechten. De Grieken rukten gestaag op en namen enkele heuvels in. Sommige Turkse commandanten adviseerden terugtrekking naar Ankara, maar daar wilde mijn Pasja niet van horen. Deze slag ging niet om het verdedigen van een onbelangrijke militaire positie; wij verdedigden het hart van het moederland. Om die reden mochten wij de vijand geen millimeter gunnen. 'Sluit vrede met je God,' spoorde mijn Pasja ons aan, 'want misschien oordeelt Hij op deze plek over ons.'

Op 2 september namen de Grieken de heuvel Çal in, de meest strategische positie op het slagveld. Ankara was nu niet ver weg meer. Maar inmiddels hadden de Grieken zware verliezen geleden en waren ze bijna door hun voorraden heen. De moed was ze in de schoenen gezonken. Zij die het hadden overleefd, hadden niet het gevoel dat er iets te vieren viel. Omdat ze wisten dat het volgende offensief nog bloediger zou zijn, hadden ze de hoop op een overwinning opgegeven. Ze verlangden naar huis.

Ook wij hadden zware verliezen geleden. Ook onze voorraden schoten ernstig te kort. Maar wij waren in eigen land. Dat konden we niet laten plunderen. We hadden de opdracht aanvaard om het tot de laatste man te verdedigen. Dus waar we ook stonden, groeven wij ons in.

En de gevechten gingen door. Het bloed stroomde als spoelwater en sleurde hoofden, ledematen en torso's mee als de kwartiermeester van een onverzadigbare oorlogsgod.

Mijn Pasja, die er vervaarlijk uitzag in zijn eenvoudige, streeploze uniform van Mehmetcik – de spreekwoordelijke Jan Soldaat van Turkije – spoedde zich van de ene naar de andere eenheid om zijn mannen aan te sporen hun posities te verdedigen, hun ervan verzekerend dat de Grieken snel zouden capituleren, ja, dat je hen door het gebulder van de kanonnen heen al kon horen bezwijken.

Hou het nog één dag vol.

En Mehmetcik geloofde hem. Want mijn Pasja was niet alleen een van hen, hij zag er in zijn streeploze soldatenuniform net zo uit.

En Mehmetcik hield het nog een dag vol…

Toen werd het 4 september.

Ik heb die dag in mijn geheugen gegrift. Een beetje door een flatterend waas, moet ik bekennen, maar ik was dan ook al voordat de vijandelijkheden waren begonnen dag en nacht paraat geweest en leed ernstig aan slaaptekort.

Volgens de verkenners en wachters was het Griekse kamp de hele nacht in rep en roer geweest. We konden niet precies achterhalen wat er aan de hand was; door de dorheid van de streek werd elke beweging gehuld in stofwolken. Mijn Pasja was ervan overtuigd dat de Grieken zich voorbereidden op hun aftocht. Maar tegelijk onderschepten wij berichten van het Griekse opperbevel, waarin gezegd werd dat er verse voorraden en zware bepantsering onderweg waren deze nacht – hoewel geen van onze verkenners dit kon bevestigen.

Toen het licht begon te worden en ik amper twee minuten daarvoor mijn ogen had laten dichtvallen, schudde mijn Pasja me wakker. 'Dit is niet het moment om tegen me aan in slaap vallen, Pepo! Niet nu. Niet vandaag!'

Ik schudde mijn hoofd en probeerde mijn ogen open te houden. 'Ik doe mijn best, commandant!'

Hij trok me omhoog vanachter mijn bedieningspaneel. 'Kom op! We gaan een eindje wandelen!'

Flauwtjes wees ik naar mijn toestellen en sputterde: 'En dit dan…?'

'We houden onze oren gespitst. Kom op. Voorwaarts mars!'

'Natuurlijk, commandant. Voorwaarts mars!'

Mijn Pasja had al meer dan een maand niet geslapen. Dat deed hij nooit op het slagveld, maar hij zag er desondanks zo fris als een hoentje uit, alsof hij net een ochtendduik had genomen. En dat terwijl zijn borst in het verband zat, want zijn gebroken rib was nog steeds niet genezen. Maar afgezien van de rochelende ademhaling die de zware roker kenmerkt, leek hij geen adem te kort te komen, en zijn greep was als altijd stevig als die van een worstelaar.

Geleid door de bovenmenselijke kwaliteiten van deze man slingerde ik mijn benen voorwaarts.

We liepen heen en weer door de houten barak die gevaarlijk balanceerde op de rand van Alagöz. Enkele van mijn Pasja's lijfwachten – pezige krijgers uit Lazen, yiğits genoemd, uit de streken bij de Zwarte Zee, die altijd theatraal in het zwart gehuld gaan – marcheerden met ons mee. De hut kraakte en wankelde onder onze voeten alsof hij elk moment door zijn palen kon zakken. Het tafereel maakte op mij een bizarre indruk – uitputting heeft een scherp gevoel voor humor – waardoor ik grinnikte.

Mijn Pasja tikte me op de schouder. 'Vind voor mij een man die lacht bij tegenslag en ik wijs je een jood aan!'

'Ik ben joods, mijn Pasja…'

'Wat de reden is waarom ik je heb aangesteld als mijn oren en ogen!'

'Allah zij geprezen!'

'Ben je godsdienstig, Pepo?'

'Nee, mijn Pasja...'

'Mooi. Houden zo.'

'Maar ik geloof wel in God...'

'Dat doen we allemaal. Anders zouden we deze oorlog niet voeren.'

Ik wierp een steelse blik op hem, dacht dat hij het sarcastisch had bedoeld. Maar nee, zijn gezicht had zijn frisheid verloren. Hij leek opgejaagd en uitgehold. De ogen, die normaalgesproken twinkelden door zijn sardonische glimlach waarmee hij zelfs het Duitse opperbevel had geïntimideerd, leken dof door kwellende gedachten.

Ik vroeg me af of deze indruk werd gewekt door zijn eenvoudige uniform, dat er inmiddels uitzag als een lijkwade. Waarom had de Nationale Assemblé in Ankara hem nog geen rang gegeven – terwijl ze hem al wél tot maarschalk hadden benoemd? Verwachtten ze soms dat hij met zijn Ottomaanse legerrang zou paraderen? Iedereen wist toch zeker dat, sinds de nieuwe sultan zijn volk zo bot aan de Britten had overgegeven, mijn Pasja alles wat Ottomaans was de rug had toegekeerd? Turken in een vrij land, een republikeins Turkije – daar vocht hij voor, dat was de reden waarom het sultanaat hem ter dood veroordeeld had.

'Ook de vijand denkt dat God aan hun kant staat.'

'Natuurlijk denkt hij dat. De Grieken houden van God. En God houdt van de Grieken. Vertel mij wat. Ik ben in Thessaloniki geboren.'

'Waardoor dit een gekke oorlog is...'

'Dat klopt, knul. Gek voor God. Maar een zaak van leven en dood voor ons sterflijken.'

Terwijl ik langs het kapotte raam van de hut liep, voelde ik een zachte ochtendbries over mijn gezicht strijken, een bries die tevens koud aanvoelde, wat weer eens aantoont dat september een maand is die graag plaagt. Ik haalde diep adem en gaf me over aan het gedreun van onze voetstappen. Even later leek het of ik in slaap werd gewiegd, alsof ik in de trein zat terwijl een vrouw – mijn moeder? – een slaapliedje zong.

Mijn Pasja trok me omhoog. 'Je valt in slaap!'

Ik probeerde rechtop te staan. 'Nee! Ik bedoel, ik probeer juist wakker te blijven...'

'Dat is je geraden!'

'Maar ik heb al god weet hoe lang niet meer geslapen...'

'Waarschijnlijk zul je nog minstens zo lang wakker moeten blijven.'

Ik begon te lachen. 'Fijn vooruitzicht...'

Mijn Pasja lachte met me mee en stak me zijn gouden sigarettenkoker toe.

'Neem een sigaret.'

Ik nam er eentje aan.

Hij stak onze sigaretten aan en riep tegen zijn lijfwachten: 'Ga een kop koffie voor hem halen!'

Terwijl de yiğits gedienstig het bevel opvolgden, haalde ik diep adem. Ik hoestte door de sterke tabak. De krampen maakten me een beetje wakker.

Mijn Pasja glimlachte. 'Ik had eerder aan sigaretten moeten denken.' Hij leidde me terug naar mijn bedieningspaneel. 'Genoeg gemarcheerd.'

Ik zakte in mijn stoel en staarde hem met ontzag aan. 'Hoe doet u dat? Zo lang wakker blijven, bedoel ik.'

Hij liep naar het raam, veegde een paar spinnenwebben weg en staarde naar de rivier die door de vlakte liep. Hij wees naar de rivierbedding, nog ondiep in deze tijd van het jaar. 'Ergens aan de andere kant van de Sakarya – wonen twee meisjes... die ik wil hebben...'

Ik keek hem verbaasd aan. 'Meisjes, wat bedoelt u?'

'De ene heet Victoria. De andere Historie. Ik heb ze nodig om het land te redden.'

'Nu begrijp ik het.'

'Wat vind je trouwens van het zwakke geslacht, Pepo?'

Ik grinnikte. 'Ik ben dol op meisjes. Vooral als ze van die roze rondingen hebben.'

155

'Beste man. Waar hou je nog meer van?'

'Van eten – veel eten.'

'Van raki?'

'Uiteraard. Maar ik kan er niet zo goed tegen.'

'En verder?'

'Van het leven, daarvan nog het meest.'

'Aha… Je bent dus geen martelaarstype, of wel?'

'O nee. Ik ga nog liever dood!'

Mijn Pasja schoot in de lach. 'Wakker blijven dus… dan kom je niet om.'

Plotseling gebeurde er van alles tegelijk. Een yiğit rende naar binnen met een koffiemok en zette die met een klap op mijn tafeltje voor me neer. Een andere yiğit kon haast niks zeggen en trok mijn Pasja aan zijn mouw naar het raam toe. Er kwamen nog meer yiğits binnen die het gebeuren beter wilden zien door de verrekijker bij het raam van de hut. En mijn schakelbord en telegraafontvangers begonnen te kraken als een nest jonge vogels.

Ik sloeg mijn koffie achterover en luisterde naar de binnenkomende berichten.

Achter me tuurde mijn Pasja over het slagveld en riep juichend: 'Ze trekken zich terug! Ze trekken zich terug! Zei ik het niet? Toch?'

Ik kreeg vanuit alle uitkijkposten hetzelfde bericht. Ik draaide me om en riep: 'Ze trekken zich terug! Het is echt waar!'

Mijn Pasja zong een Lazisch lied en deed samen met zijn yiğits een paar danspasjes.

Ik bleef roepen: 'Ze trekken zich terug! Ze trekken zich terug!'

'Ja zeker, Pepo, beste jongen! Ze trekken zich terug!' Ruw trok hij me uit mijn stoel. 'Kom, dans met ons mee!'

Hetgeen ik deed – een paar pasjes. Maar het gekraak van mijn ontvangers riep me terug. Elke seiner deed hetzelfde verslag. Het Griekse leger trok zich voltallig terug.

Mijn Pasja gunde zich nog een moment van vreugde, maar herwon daarna zijn waardigheid. Hij gaf de yiğits het bevel de officieren erbij te halen.

156

Hij kwam naast me zitten. 'Goed, Pepo, dit is het moment. Het belangrijkste moment in je hele leven.'

'Dat besef ik.'

'Tijd om ze terug te jagen! Ik zal om de minuut bevelen geven. Ik eis je volledige aandacht.'

Die kreeg hij. Ik was niet meer moe en slaperig. Dankzij de magie van de ophanden zijnde overwinning. 'Ik verzeker u van mijn volledige aandacht.'

'Dit zal het laatste Griekse offensief zijn geweest. Dit is het begin van het einde. Vanaf nu totdat we de Grieken in hun boten zien stappen vormen wij een Siamese tweeling.'

'Tot uw dienst.'

En zo geschiedde. De Grieken trokken zich terug naar hun oude stellingen bij Eskişher en Afyon Karahisar. Zoals mijn Pasja had voorspeld, bleek de slag bij de Sakarya hun laatste offensief te zijn. Gedurende de winter en het voorjaar bereidden we ons voor op de overwinning.

Op 25 augustus 1922 raakten we weer met de Grieken in gevecht.

Op 30 augustus versloegen we hen bij Dumlupınar en brachten we hun zware verliezen toe. Ze vluchtten verder naar de Egeïsche Zee en verbrandden en vernietigden alle velden en dorpen die ze onderweg tegenkwamen en slachtten de boerenbevolking af – voornamelijk ouderen en kinderen, de rest zat in het leger.

Op 9 september bevrijdden Turkse troepen Izmir.

Op 10 september trok mijn Pasja door de stad.

Op 13 september, terwijl de Grieken zich op het schiereiland Urla inscheepten, had in Izmir een verschrikkelijk bloedbad plaats. Terwijl een groepje inwoners overal in de stad branden stichtten, slachtten wraakgierige Turken talloze Griekse burgers af. De militaire commandant van de stad keek hulpeloos toe.

Op 16 september, toen alle Griekse troepen het Turkse vasteland hadden verlaten – velen hadden letterlijk naar hun schepen moeten zwemmen – was driekwart van Izmir platgebrand en

hadden tienduizenden daklozen hun toevlucht gezocht in buitenlandse oorlogsschepen, als ze niet door het Turkse leger waren
geëvacueerd.

Gedurende deze hele periode verzorgde ik het telegraafverkeer
voor mijn Pasja en verzond ik zijn bevelen. Ook seinde ik zijn
berichten naar het nationalistische parlement in Ankara en naar
de functionarissen van buitenlandse machten met wie hij onder-
handelde over de toekomst van Turkije.

Toen kreeg ik een ongeluk. Ik had verlof gekregen, precies op de
dag van de grote brand in Izmir, zodat ik me opnieuw in mijn
eigen geboortestad kon oriënteren en vrienden en familieleden kon
opzoeken. Ik liep door een oude residentiewijk, op zoek naar een
voormalige schoolvriend, toen het vuur snel om zich heen greep en
de hele buurt verzwolg. Ik hielp mee met de reddingsacties van
mensen die vastzaten in hun brandende huis. Men stuurde ons
naar een Grieks weeshuis. We gingen naar binnen en brachten de
kinderen naar buiten. Terwijl we hen veilig naar de kant van de
zee toe leidden, vond er een explosie plaats. Door de brand was een
munitiedepot in de buurt ontploft. Rechts van mij stond een muur
op springen. Ik hield aan elke hand een kind vast. Ik weet niet wat
er door me heen ging, maar ik duwde de kinderen plat op de
grond en stortte mezelf boven op hen. Stukken muur vielen over
me heen en verbrijzelden mijn benen. Maar de kinderen bleven
ongedeerd.

Mijn herstel nam bijna drie jaar in beslag.

Inmiddels had mijn Pasja zijn soldatenuniform verruild voor
het kostuum van een staatsman. Hij had Turkije tot republiek
uitgeroepen en werd de eerste president van het land.

Maar hij hield contact met mij. Hij zag erop toe dat ik goed
werd verzorgd. Hij stuurde me benodigdheden, kleren en boeken.
Door hem kwam ik in aanraking met de poëzie van Nâzım
Hikmet. 'Een gek,' stelde hij, 'maar ons soort gek omdat hij net
zo van Turkije houdt als wij.' Hij ontbood me zelfs af en toe bij
hem thuis. En toen ik weer ging werken gaf hij me soms een klus,
totdat hij ziek werd.

Nog een laatste opmerking.

Sinds Sakarya, toen ik dagelijks voor mijn Pasja de telegraaf bediende, kon ik de overwinning voor me zien. En de groeiende overtuiging dat Turkije zou worden gered veroorzaakte in mij zo'n spanning dat ik geen behoefte meer aan slaap had.

Nog jaren daarna kon ik niet goed slapen. De verschrikkingen van de Griekse tactiek der verschroeide aarde en de wraak die op de Grieken werd genomen in Izmir en op het schiereiland Urla bleven me achtervolgen.

Wat ze nog steeds doen.

6: Yusuf

Zijn vrucht is mijn gehemelte zoet

Schepen onder water had ik al zo vaak gezien. Ze lagen in rijen in de jachthavens aan de Bosporus, doelbewust ondergedompeld, 'namen een bad', zoals de gepensioneerde zeeman kapitein Ali altijd zei, omdat ook boten van vlees en bloed zijn en hun planken gezond en lenig moeten houden.

Maar de verwoeste schepen in de haven van Piraeus, die met hun gehavende casco's uit het water staken, deden mij denken aan het verhaal van Mahmut de Simurg over monsters die stierven op verre zeeën omdat de mensen geen respect meer hadden voor het leven.

Het was een warme dag. Half juni. Er was geen ontkomen aan de zon op het derdeklasdek dat wij, tussendekspassagiers, mochten gebruiken, maar toch rilde ik tot op het bot.

Ik begon te snikken.

Tot mijn verbazing werd ik door iemand vastgepakt. Ik draaide me om.

Het was de vrouw die al naar me staarde sinds we in Istanbul aan boord waren gegaan. 'Wat is er toch met je?'

Ik wees naar de dodenschepen. 'Die verwoesting…'

Ze drukte mijn hoofd tegen haar borst. 'Arme jongen…'

Ik liet mijn tranen de vrije loop, alsof die uitdrukking konden geven aan de angst van iemand die jong en alleen was in een wereld die weinig gaf om de zwakkeren en onschuldigen.

Het schip naderde de wal. De haven lag in puin. Van de passagiersterminal, met uitgebrande ramen als holle oogkassen, was nog maar een schim over. Ook een slachtoffer.

Ik stelde haar de vraag die me maar niet losliet. 'Houden oorlogen ooit op?'

Ze keek me aan; haar ogen werden vochtig. Ze aaide me over mijn bol. 'Wat een vraag!'

Ik hield op met huilen. Haar tederheid was als balsem. 'Ja of nee?'

Ze dacht even na. 'Soms, voor sommige mensen. Voor anderen nooit.' Er klonk onmetelijk verdriet in haar stem. Behoorde zij tot die laatste groep?

'Ik geloof niet dat het ooit zal ophouden...'

Weer werden haar ogen vochtig. 'Misschien heb je gelijk. Maar we moeten blijven hopen.' Ze streelde over mijn wang. 'Klopt het dat je alleen reist?'

'Ja.'

'We varen niet uit vandaag. Er is een excursie. Naar de Akropolis. Heb je zin om mee te gaan?'

Met mijn dertien jaar was ik als enige jongen die alleen reisde de mascotte van het schip geworden. Maar de oude Fuat, de hoofdpurser van de derde klasse en het tussendek, had me verteld dat de bemanning het tijdens de tussenstop te druk zou hebben om zich met mij te bemoeien. Natuurlijk mocht ik door het eersteklas gedeelte slenteren, de keuken plunderen waarin naar men zei maaltijden voor sultans werden bereid, maar een groot deel van de tijd zou ik alleen zijn. Ik was te ontregeld om op mezelf te zijn. En te overstuur door die scheepswrakken.

Ik had gretig ingestemd met de suggestie van mijn ouders dat ik oud genoeg zou zijn om alleen te reizen – ik had immers net mijn bar mitswa gedaan en was officieel volwassen. Maar ik had niet verwacht dat overal alles in puin lag en dat ik me zo verlaten zou voelen. (De schade in Piraeus was niets vergeleken bij de verwoestingen in Europa, had de oude Fuat gezegd).

'Ik heb niet veel te besteden.'

'Maak je geen zorgen. Ik koop wel een paar sigaretten voor je in de scheepswinkel. Tegenwoordig zijn sigaretten in Europa meer waard dan goud.'

'O, daar heb ik nog wel geld voor.'

'Goed. Dat is dan afgesproken. Mijn naam is Saadet.'

Ze was ongeveer net zo oud als mijn moeder. Maar ze was stevig gebouwd, als een Anatolische vrouw die tijdens de Onafhankelijkheidsoorlog met munitie sjouwde. Maar anders dan mijn moeder, die de wereld beschouwde als een wilde straathond die getemd en afgericht moest worden, was zij de vriendelijkheid zelve. Saadet betekent 'geluk' en ze zag eruit alsof ze, wanneer ze de kans kreeg, de hele wereld gelukkig zou kunnen maken, vooral de kinderen.

Ik pakte haar hand. 'Yusuf.'

Er gingen veel mensen mee op excursie naar de Akropolis. Omdat alle tussendekspassagiers fatsoenshalve verbleven in aparte accommodatie voor mannen en vrouwen – ook echtelieden – bood het uitje aan gezinnen de kans om bij elkaar te zijn.

In 1947, twee jaar na het einde van de Tweede Wereldoorlog, waren er nog steeds veel Turkse families die maar al te graag familieleden wilden opzoeken die de oorlog in Europa hadden overleefd of op zoek waren naar vermiste of ontheemde personen. Vandaar dat de boot naar Marseille, via Napels en Piraeus, zoals de onze, altijd barstensvol zat. (De algemene chaos in Europa, zo liet de pers het publiek nadrukkelijk weten, toonde aan hoe fenomenaal het leiderschap van onze president was geweest. Door pas op het allerlaatst aan de oorlog mee te doen, in februari 1945 – ondanks de zware druk die de geallieerden jarenlang hadden uitgeoefend – had onze wijze leider, İsmet İnönü, vriend en wapenbroeder van Atatürk, diens leerling en opvolger, niet alleen het land gered van de vernietiging, maar Turkije ook laten horen bij de oprichters van de Verenigde Naties.)

Tijdens de excursie vroegen verschillende jongens of ik met hen mee wilde gaan.

Maar ik bleef liever bij Saadet. Eén reden daarvoor was dat ze maar bleef zeggen hoe moedig ze het vond dat ik alleen durfde te reizen. Ze gaf me het gevoel dat ik bijzonder was – inderdaad een 'jonge Odysseus', zoals ze me noemde. De andere reden was dat ze, toen ik haar vertelde dat ik alleen maar in mijn eentje reisde omdat mijn ouders geen kaartjes hadden kunnen bemachtigen voor het hele gezin, me een pluim gaf omdat ik zo onbaatzuchtig had geaccepteerd dat ze mij alleen achterlieten en ik hen vooruit had laten reizen.

(Ook al was ik nog zo gevleid door het predikaat jonge Odysseus, ik weersprak Saadets suggestie dat mijn ouders zich niet om mij zouden bekommeren. Ik beschouwde mezelf absoluut niet als 'alleen achtergelaten' – al zou ik het willen. Zo vreemd was het toch niet dat een jonge jongen alleen reisde! Mijn vader werkte al toen hij zo oud was als ik. Bovendien was ik, ondanks mijn 'gevoelige leeftijd', zoals Saadet het uitdrukte, behoorlijk rijp voor mijn jaren. Dat vond iedereen. Als enig kind had ik mijn jonge jaren doorgebracht in het gezelschap van volwassenen: tantes, ooms, grootouders en hun nog oudere tantes, ooms en grootouders; ik had misschien niet veel van het leven gezien, maar er wel veel over gehoord. Er was dus geen sprake van 'verwaarlozing'. Ik vond het gewoon niet prettig om van mijn ouders te zijn gescheiden – wat alleen maar normaal is voor een liefhebbende zoon.)

De ware reden waarom ik op Saadet gesteld raakte, was volgens mij omdat ze iets met zich meedroeg. Dat deed ik ook. Net als mijn moeder. Maar Saadet was niet onbereikbaar – 'gepantserd' zou mijn vader zeggen – zoals mijn moeder. Ik hoefde alleen maar te kijken naar haar trillende handen om te weten dat ze achter die façade van gelatenheid net als ik vaak in tranen was. En ongetwijfeld had ze, toen ze me huilend op het dek zag staan, gezien dat we uit hetzelfde hout waren gesneden. Ik had haar zoon kunnen zijn. Saadet was op late leeftijd getrouwd – na haar veertigste. En omdat ze niet over kinderen had gesproken, nam ik aan dat ze die niet had.

Een opmerking over mijn melancholie. Mijn ouders, leraren en ook een paar van mijn vrienden schreven die toe aan mijn puberteit of aan een soort fin de siècle-achtige zwartgalligheid die ik had opgelopen door het lezen van poëzie. (Ik las graag gedichten. Nog steeds.) Maar dit waren verklaringen die ze slim hadden bedacht, zodat ze hun blik konden afwenden van de waarheid die zo overduidelijk was dat ze zelfs blinden niet kon ontgaan. En die waarheid was: alle schoonheid, vreugde en geluk in deze wereld is zinsbegoocheling. De werkelijkheid bestaat uit wormen en maden, bloedbaden en verwoesting. Denk maar aan het onbekende graf van Bilâl, die in Griekenland omkwam en om wie zijn vrienden – vooral mijn neef, Can – nog steeds bitter rouwen.

Overigens verborg Saadet de reden voor haar gekweldheid niet. Ze maakte een onzekere reis naar een bestemming waar haar hoogstwaarschijnlijk een bittere teleurstelling wachtte. Ze wilde uitzoeken of de bureaus voor Ontheemde Personen een oude vriend van haar hadden opgespoord, een jood die ze voor de oorlog in Parijs had leren kennen. Ze durfde nergens op te hopen, maar voelde zich toch gesteund toen ik vertelde dat de familieleden van mijn vader, ook joods, de oorlog hadden overleefd en allemaal op mij wachtten om dit gepast te vieren.

Saadet leek overal vanaf te weten. Ze had vóór de oorlog uitgebreid door Europa gereisd met de vriend die ze nu probeerde op te sporen. Telkens als ze me iets vertelde, deed ze dat zo ongedwongen alsof we van dezelfde leeftijd waren. Ze noemde de Akropolis een van de wereldwonderen en liet me, beter dan welke leraar ook, de verschillen tussen de klassieke zuilen zien. Hoe de Dorische zuilen, die 'mannelijk, streng en resoluut, als een onaantastbare macht' waren, door het statige Parthenon uiting gaven aan de hoge status van het klassieke Athene. Hoe de 'kwetsbare, vrouwelijke en sensuele' Ionische zuilen een aanlokkelijke ingang naar het Erechtheum vormden, de tempel van Athena. Saadet wakkerde mijn verbeelding zo sterk aan dat ik bij de propyleeën, het poortgebouw naar de Akropolis, waar Dorische en Ionische zuilen elkaar aanvulden, besloot architect te worden.

Laat op de avond werd ik heen en weer schuddend wakker. Ik werd helemaal door elkaar geklutst. Als ik niet tussen een muur en het rek van het stapelbed had gelegen, was ik uit bed gerold.

Ik slaagde erin om me heen te kijken. Ook mijn medepassagiers hielden zich uit alle macht aan hun bed vast.

Ik dacht dat we op het punt stonden te zinken, dus besloot ik aan dek te gaan, zodat ik direct van boord kon duiken. Ik was stevig gebouwd en kon goed zwemmen. Ik maakte kans het er levend af te brengen.

Ik probeerde op te staan. Maar een doffe hartslag bonkte in mijn hoofd. Ik moest overgeven. Ik jammerde. 'Mama... Mama...'

De oude Fuat hoorde me en kwam toegesneld. 'Het komt goed... Het komt allemaal goed...'

'Zijn we aan het zinken?'

De oude Fuat had zich over me ontfermd omdat ik hem deed denken aan zijn kleinzoon, die volgens hem dezelfde donkere huidskleur had als ik – een teken van dapperheid, werd wel gezegd. Hij grinnikte. 'We stampen nog een paar uur verder. In deze strook van de Middellandse Zee hongeren de zeemeerminnen naar mannen. Ze proberen ons te vangen in hun onderstromen en kolken.'

Ik keek vol walging naar mijn kooi. 'Ik heb gekotst.'

'Dat ruim ik wel voor je op.'

Ik begon weer over te geven. 'Ik kan mijn hoofd niet recht houden.'

'Ga aan dek. Daar knap je van op. Frisse lucht.'

'Ik probeerde al...'

'Ik zal je helpen.' Hij gaf me mijn trui aan. 'Het waait flink daarboven.'

Plotseling schoot me iets te binnen. 's Avonds was het dek verboden voor kinderen. Niet omdat het er gevaarlijk was, maar omdat de verborgen hoekjes een beetje privacy boden aan de echtelieden die apart moesten slapen. 'Maar daar mag ik 's avonds niet komen...'

De oude Fuat glimlachte. 'Daar zullen vanavond geen verliefde paartjes over wandelen, geloof me.'

Hij sleepte me mijn bed uit. De meeste mensen in de slaaphutten lagen te kotsen. Door de stank kreeg ik nog meer braakneigingen. Ik begon gal over te geven.

De oude Fuat liet me bij de trap alleen verdergaan. 'Ga maar. Ik zie je straks weer.'

Ik klom de trap op, hijgend en kwijlend als een hond.

Het was een treurige donkere nacht; de lampen van het schip schenen er niet doorheen. De lucht moest zwaarbewolkt zijn; ik kon geen sterren zien. Ik raakte in paniek. Mijn hoofd tolde en ik kon amper mijn evenwicht bewaren. In een wanhopige poging me staande te houden, probeerde ik me te concentreren op de schoorsteenpijp van de boot. Maar daar werd ik alleen maar banger van. Het maakte nog duidelijker hoe woest het schip heen en weer werd geslingerd, niet alleen van voor- naar achtersteven, maar ook van stuur- naar bakboord.

Ondanks mijn angst bracht het geschommel me in een trance. De zee, oplichtend door het schuim waar de boeg door het water ploegde, wenkte me. Het water en het luchtruim vormden een oneindigheid. Ik voelde me de laatste mens op aarde.

De oneindigheid opende zich. Ze sprak tot mij. Ze heette me welkom in haar diepten. Daar was plaats voor me.

Ik schuifelde naar voren. Ik betreurde het niet meer dat ik de laatste overgeblevene op aarde was. En ik was niet meer bang. Ik had een plaats gekregen. Mijn eigen plek. In een universum dat zich speciaal voor mij had geopend. Een belangrijke plaats. Van daaruit zou ik het universum genezen. Daarbinnen zou ik aarde, water en lucht verenigen. Een schuilplaats bieden aan kinderen en gezinnen, aan berooiden en bevoorrechten, aan vermisten en levenden.

Ik schreed naar de oneindigheid. Ik stapte op een sponzige zeebedding, alsof het water uit elkaar ging zoals gebeurde toen Mozes de Rode Zee doorkliefde om de Israëlieten te redden van de Egyptenaren.

Ik klom naar het hoogste punt van het dek en zag hoe de achtersteven van het schip uit het water rees. Ik haalde diep adem en wachtte tot hij weer onderging en mij op het water afzette. Ik pakte het luchtruim en stond op het punt dat met de zee te verenigen.

Iemand haalde me bij mijn benen onderuit.

Ik viel plat neer en bezeerde mijn arm. Ik jankte.

'Ben je wel goed bij je hoofd?'

Ik keek op, gedesoriënteerd. Ik lag plat uitgestrekt op het dek. Saadet knielde naast me neer en schudde me door elkaar.

Ik staarde naar haar, in verwarring. 'Hoezo?'

'Je wilde springen!'

Ze kraamde onzin uit. 'Dat is niet waar!'

'Je stond op de bovenste reling…'

Ik lachte, maar herinnerde me dat ik op iets hoogs stond en toekeek hoe de achtersteven van het schip uit het water opsteeg. 'Maar niet om te springen!'

'Waarom dan wél?'

'Ik… Ik werd… ernaartoe getrokken…'

'Waar werd je naartoe getrokken?'

'Ik was op weg naar… Ik had mijn eigen plek…'

'Jouw plek is hier. Thuis. Bij je ouders. Vrienden.'

'Dit was anders… Dit was mijn plek… Mijn plek… Hele-maal alleen van mij… Waar ik alles bij elkaar hield…'

Ze kwam tot rust. 'Je was gedesoriënteerd…'

'Het was schitterend…'

Ze knikte. 'Ben je nog steeds draaierig?'

Ik was de zwaarte in mijn hoofd vergeten. Die was minder geworden. 'Het gaat wel.'

'Nog steeds misselijk?'

'Een beetje.'

'Haal een paar keer diep adem. De oude Fuat zegt dat frisse lucht goed is...'

'Ben je door hem gestuurd?'

'Hij zei dat je niet lekker was.' Ze ging op het dek zitten en legde mijn hoofd in haar schoot. 'Rust maar uit...'

Haar dijen voelden krachtig, maar zacht aan. Ik raakte opgewonden. Niet het soort vluchtige opwinding dat ik voelde als vriendinnen van mijn moeder me aan hun borst drukten, het ging dieper. Was het een opwinding waarvan men niet mocht genieten? De verboden opwinding?

Ik voelde me schuldig. Ik probeerde rechtop te zitten. 'Ik kan maar beter naar mijn slaaphut...'

'Vannacht niet...'

'Maar ik kan hier toch niet slapen...'

'Waarom niet?'

'Het is te koud...'

'Ik heb een deken meegenomen.'

'Die heb je zelf nodig.'

'Maak je om mij geen zorgen.'

Ik bracht de hele avond en de dag daarna op het dek door. Telkens als ik naar de wc of naar de wasruimte ging, moest ik gal overgeven. Alleen op het dek voelde ik me redelijk goed.

Tot opluchting van de oude Fuat, die al voor genoeg zieke mensen moest zorgen, bleef Saadet het grootste deel van de tijd in mijn buurt. Ze zorgde ervoor dat ik genoeg dronk en hield me schoon. Vaak, maar vooral wanneer ze over mijn voorhoofd streek om me in slaap te sussen, welde het diepe gevoel van opwinding weer in me op. Ik onderdrukte het zo goed als ik kon. Ik wilde haar niet in verlegenheid brengen, vooral omdat ik niet wist of haar altijd aarzelende streling juist bedoeld was om afstand tot me te nemen – mijn moeder was zo – of omdat ze mijn verlangens niet wilde aanmoedigen.

De avond voordat we in Napels arriveerden, kwam de zee tot bedaren. Mijn maag werd rustig. De wereld kreeg weer kleur. Stelletjes begonnen terug te keren naar het dek. Degenen onder ons die daar eerder hun toevlucht hadden gezocht, werd verzocht terug te gaan naar de slaapvertrekken.

Met pijn in mijn hart nam ik afscheid van Saadet. Terwijl we naar de trap liepen, hield ik haar hand vast.

Plotseling schreeuwde iemand: 'Hé, jij daar! Nu is het genoeg geweest! Genoeg!'

Ik draaide me om. Het was Mueller Hanım, de bejaarde vrouw die met iedereen ruziemaakte. Ze was noch van adel noch Turks, maar stond erop met Hanım te worden aangesproken, 'dame', in plaats van met het gewone Bayan, 'mevrouw', alsof die titel de pijn waaraan ze zichtbaar leed kon verzachten.

Ik zocht om me heen naar degene tot wie ze zich richtte.

Saadet had zich ook omgedraaid. 'Moet u mij hebben?'

Mueller Hanım imiteerde Saadet. 'Moet u mij hebben?'

Ze was een Duitse musicus die volgens de oude Fuat in de jaren dertig, toen Atatürk de poorten had geopend voor intellectuelen die door de nazi's werden vervolgd, in Turkije asiel had gekregen en mocht gaan werken als docent op het *Conservatoire*. Ze was niet joods, maar katholiek en had zich verzet tegen Hitlers racistische wetgeving. Via Italië ging ze terug naar Duitsland om na te gaan of er nog familieleden van haar in leven waren. Net als de vele anderen die een vergelijkbare zoektocht maakten, had ze weinig hoop.

Saadet besloot haar te negeren en liep weg.

Mueller Hanım gilde: 'Draai je rug niet naar me toe! Je valt die jongen al dagen lastig! Schaam je je niet? Laat hem nu gaan!'

Saadet keek haar geagiteerd aan. 'Moet je horen…'

Mueller Hanım stapte op ons af. 'Wat doen jullie hierboven op het dek, als een getrouwd stel? De lijkenlucht is nog niet weggetrokken en jij denkt alleen maar aan vreemdgaan! En nog wel met een kind!'

Woedend gaf Saadet Mueller Hanım een klap in haar gezicht. 'Giftige adder…'

Mueller Hanım begon te slaan. 'Denk je dat de daad een tegengif is voor de dood? Een bevestiging van het leven? Een lotusbloem om de mensen te vergeten die meedogenloos zijn afgeslacht?'

Saadet probeerde de klappen van Mueller Hanım af te weren. 'Hij is ziek! En helemaal alleen!'

Enkele passagiers kwamen aangesneld om ze uit elkaar te halen.

Mueller Hanım sloeg onbeheerst om zich heen. 'Denk je dat het leven waarde heeft? Het is waardeloos. Totaal waardeloos!'

Een paar mannen trokken Mueller Hanım weg. Anderen hielden Saadet tegen.

Mueller Hanım schreeuwde verder: 'Laat het leven los! Verenig je met de doden!'

Saadet schreeuwde terug. 'Deze jongen heeft zorg nodig!'

'Hij kon je zoon zijn!'

'Ja, en wat dan nog!'

'Laat hem met rust! Zorg voor je eigen zoon!'

'Dat kan niet!'

'Je bent een slecht mens! Net als de anderen!'

Saadets stem sloeg over toen ze terugriep: 'Mijn zoon is dood!'

Mueller Hanım verstijfde van schrik. Ze keek Saadet ontzet aan. 'Dood?' Haar lichaam leek weg te zakken. Ze klapte in elkaar. 'O god, nee!' Wankelend op haar benen stortte ze in. 'Lieve heer, nee…' Ze greep Saadet bij haar arm vast. 'O, het spijt me… Vergeef het me… Alsjeblieft…'

Saadet, van haar stuk gebracht door Mueller Hanıms plotselinge val, probeerde zich uit haar greep los te maken.

Maar Mueller Hanım klampte zich aan haar arm vast. 'Ben je daarom…? Ga je naar waar… je zoon… Hoe is hij omgekomen…? Waar was je…?'

Saadet huilde: 'Doet dat ertoe?'

Mueller Hanım snikte. 'Ik had ook een zoontje… Ik liet hem in de steek… Ik dacht dat het veiliger voor hem zou zijn als zijn communistische moeder uit de buurt bleef… Ben jij ook weggelopen?'

De tranen stroomden over Saadets gezicht. 'Ik lette niet op…'

Mueller Hanım keek haar verwonderd aan. 'Lette niet op…?'

Op bittere toon herhaalde Saadet wat ze gezegd had. 'Ik lette niet op.'

Ze keek me aan. Vluchtig kuste ze me op mijn voorhoofd. 'Morgen is er weer een excursie. Tot morgenvroeg.'

Toen rende ze weg.

Mueller Hanım, opgekruld als een egel, huilde hysterisch.

Ik liep weg.

Ik was geschrokken. Saadet had een zoon gehad. Ik was jaloers, ook al leefde hij niet meer.

Hij was gestorven omdat ze niet had opgelet.

Dat vond ik nog het schokkendst. Hoe kon een ouder nou niet opletten?

De haven van Napels was een nog groter scheepskerkhof dan Piraeus. De stad, waar men nog steeds het puin ruimde van de bombardementen, leek één grote bouwput. We konden daardoor maar een paar bezienswaardigheden bezoeken. Om deze tegenvaller te compenseren besloot de gids ons mee te nemen naar Pompeji.

Aanvankelijk wilde Saadet niet mee. Dat zou geen probleem

zijn, dacht ze, omdat de oude Fuat, die een dagje vrij had kunnen nemen, ook mee op excursie ging en op me zou letten. Maar toen ze zag hoe teleurgesteld ik was, ging ze met ons mee.

De terreinen waar het archeologisch werk door de oorlog stil was komen te liggen, waren afgezet. Omdat er verder nog steeds een tekort was aan gekwalificeerd personeel, waren maar een paar gedeelten toegankelijk voor bezoekers. Dat gold ook voor het museum.

Toch kreeg ik wandelend door de oude straten van Pompeji het gevoel alsof ik in een moderne stad was – vreemd genoeg zelfs een stad die ik goed kende, alsof ik er pas nog was geweest. Dat verbaasde de oude Fuat niet; hij had gehoord dat bij sommige mensen verdriet uit het verleden zich mengde met pijn van het heden. Daardoor had ik het gevoel alsof de inwoners hooguit even weg waren, misschien een uitje maakten of siësta hielden, en dat ze elk moment terug konden komen om hun dagelijkse bezigheden op te pakken, zonder zich al te veel te bekommeren om de Vesuvius boven hen, die druk bezig was met de voorbereidingen op hun dood.

Ik slenterde dus door de ruïnes alsof ik een herhaling kon verwachten van de uitbarsting op 24 augustus in het jaar 79, toen de stad binnen luttele uren bedolven raakte onder de as en het pyroclastische puin. Ik registreerde alleen maar vreemde details, zoals de onregelmatigheden in de weg of de vorm van het amfitheater, die griezelig overeenkwam met die van de vulkaankrater, of de zuilengang in het Forum die daar gisteren leek neergezet. En waar ik ook stond, de Vesuvius bleef me rochelend en paffend als de Edward Robinson onder de vulkanen waarschuwen dat hij slechts drie jaar geleden, in 1944, was uitgebarsten en dat elk moment opnieuw zou kunnen doen.

Toen hoorde ik Saadet schreeuwen.

Een langgerekte schreeuw.

Het was de schreeuw, zo stelde ik me voor, van iemand die in brand is gezet. Zo'n schreeuw die aanhoudt totdat het speeksel van het slachtoffer door de hitte is verdampt. De schreeuw die Pompeji voor het nageslacht had nagelaten. De schreeuw die de martelaren van de Spaanse Inquisitie wilden uitbrengen op de brandstapels, toen ze niet in staat waren de vlammen die hun lichamen verteerden met hun handen te bedwingen aangezien die waren vastgebonden aan crucifixen die verlossing moesten brengen. De schreeuw van de talloze onschuldige slachtoffers die in de concentratiekampen tot as waren gereduceerd.

Ik draaide me om.

Saadet rende weg – weg van het museum. Ze leek helemaal in paniek. Om de paar stappen veranderde ze van richting alsof ze zich alleen maar veilig kon voelen door nergens naartoe te vluchten.

Ik was net daarvoor in het museum geweest, maar had niets ongewoons gezien: wat aardewerk, een paar voorwerpen, de vorm van een man en een kind in versteende as.

De oude Fuat, die buiten het museum stond te roken, ging achter Saadet aan.

Ik rende achter hen aan.

Toen we haar hadden ingehaald, sloeg ze om zich heen en schreeuwde als een krankzinnige.

De oude Fuat, die zijn armen om haar heen legde, probeerde haar te sussen.

Langzaam kwam ze tot rust. Ze begon te huilen.

De oude Fuat liet haar op het gras zitten. Hij vouwde zijn jasje tot een hoofdkussen en zorgde dat ze ging liggen. 'Huil maar, meisje. Zoveel als je wilt. Wij zijn bij je.'

Ook ik ging zitten en hield Saadets hand vast, wat ze toestond.

Zo bleven we een poos zitten. Saadet dommelde in. Af en toe trilde ze.

Toen begon onze groep zich te verzamelen.

Saadet stond op. Ze kuste de hand van de oude Fuat en omhelsde me; toen ze zag dat wij nog steeds bezorgd keken, probeerde ze het uit te leggen. 'De figuur van die jongen... gestold in as... Ik kon het niet helpen... Ik moest denken aan mijn zoontje...'

De volgende dag bleef Saadet op zichzelf.

Ik bedacht allerlei smoezen om naar het tussendek te gaan waar ze zich had teruggetrokken, zodat ik op haar kon letten. Ze zat in zichzelf gekeerd op een bolder. Sinds Pompeji had ze geen woord meer gezegd.

Ik voelde me beroofd. Dit was onze op één na laatste dag. Over veertig uur zouden we in Marseille aankomen en ieder zijn eigen weg inslaan. Hoogstwaarschijnlijk zou ik haar nooit meer zien, nooit meer kunnen genieten van het gevoel dat ik als een zoon voor haar was.

Maar de volgende ochtend liet ze me bij zich komen. Hoewel ze nog steeds gespannen was, leek ze rustiger. We brachten de dag door met kaartspelletjes en domino, gesprekken, zonnebaden en dutjes.

Toen na het eten de mensen de eetzaal hadden verlaten, vroeg ze of de oude Fuat bij ons kwam zitten. Ze had een kleine blocnote en een potlood bij zich. 'Laten we contact houden. Ik wil jullie adressen hebben.'

De oude Fuat en ik gaven gretig onze adressen.

Saadet gaf ieder van ons een stukje papier waarop ze haar adres geschreven had.

De oude Fuat merkte op dat er een andere naam stond bij het adres van Saadet. 'Mag je van je man geen brieven ontvangen?'

'Hoezo?'

'Dit is ter attentie van iemand. Vitali Behar, advocaat.'

Die naam kende ik goed. 'Is dat die jurist die bij ons in de buurt woont? Hij heeft een zoon, Zeki...'

174

Saadet knikte. 'Hij is een goede huisvriend... Ik zal het uitleggen...' Ze pakte een fles Griekse cognac en nam een flinke slok. 'Dat wilde ik al eerder doen... Ik wil niet dat jullie denken dat ik krankzinnig ben...' Ze bood ons de fles aan. 'Als je het nodig hebt, gaat er niks boven cognac...'

De oude Fuat nam een slok. Ook ik nam er manhaftig een. 'Hij is een heel fatsoenlijk mens, Abdülkerim, mijn man. Hij was weduwnaar. Een stuk ouder dan ik. Maar ik hou echt van hem. En ik kan goed met zijn zoons en dochters opschieten. Die zijn allemaal al getrouwd. Hebben kinderen. Zeven inmiddels. Ik beschouw ze als mijn eigen kleinkinderen. Vooral de allerkleinsten, die geboren zijn nadat ik erbij was gekomen... We zijn namelijk pas getrouwd. Twee jaar geleden...'

De oude Fuat wilde een grapje maken. 'Nog steeds het blozende bruidje, of niet?

Saadet glimlachte zacht. 'Abdülkerim is mijn tweede man. Mijn eerste huwelijk werd voltrokken in Parijs. In 1928. Ik trouwde met een Turkse jood. In 1935 kreeg ik een zoontje.' Ze streek over mijn wang. 'Hij zou nu ongeveer net zo oud zijn als jij en misschien wel net zo knap...'

Onnadenkend onderbrak ik haar. 'De zoon die je verloor doordat je niet oplette?'

Saadet sloot haar ogen. Schielijk nam ze weer een slok cognac. 'Precies.'

Ik beet op mijn lip. Voelde me gekweld. Ik wilde haar verhaal niet horen. Maar ik moest wel.

'Ik was stapelgek op mijn eerste man, Efraim Pesah. Zoals in het Hooglied staat: "Zijn vrucht is mijn gehemelte zoet." Ik heb nog nooit zo van iemand gehouden. Zelfs niet, moet ik tot mijn schaamte bekennen, van mijn eigen zoon, İshak. Efraim was net zo dol op mij. Hij had een groot vermogen tot liefhebben...

Hij kwam uit een arm gezin. Maar hij kon goed leren. Hij kreeg een beurs van de Alliance Israélite en leerde perfect Frans.

In de eerste jaren van de republiek, toen de werkeloosheid hoog was, emigreerde hij naar Frankrijk. Nam alles aan wat op zijn pad kwam. Maar hij keek goed om zich heen. Na een tijd ontdekte hij dat er een markt was voor oosterse tapijten en *objets d'art*. Dus begon hij met een neef in Edirne een zaak en ging hij importeren. Het bleek een groot succes.

Hierdoor kwamen we met elkaar in contact. Ik was net afgestudeerd aan de Academie der Schone Kunsten en werkte voor een kunstveiling in Istanbul. Efraim bezocht een van onze verkopingen en kocht een paar voorwerpen. Ik assisteerde hem bij de exportformaliteiten. We mochten elkaar meteen. Hij vroeg of hij me nu en dan over Ottomaans antiek mocht raadplegen. Ik had een beetje deskundigheid op dat gebied. Ik voelde me gevleid en stemde natuurlijk in.

Een paar maanden later nodigde hij me uit in Parijs. Hij was bezig met de inrichting van een appartement voor een rijke Egyptenaar en wilde ideeën opdoen. Ik deed enkele suggesties, die enorm bij de Egyptenaar in de smaak vielen. Efraim nam me mee naar Biarritz om het te vieren...

Twee weken later waren we getrouwd.

Ik verhuisde naar Parijs.

De zaak floreerde. Ging internationaal. We reisden door heel Europa. En Amerika. We werden rijk... En waren zorge-loos omdat Vitali Behar, met wie Efraim bevriend was geraakt toen Vitali in Parijs rechten studeerde, onze zaken perfect regelde.

Toen besloten we ons geluk te bekronen met een kind.

We kregen İshak...

En toen begonnen de zorgen. Want we waren zo gelukkig. We hadden alles. Ik dacht: dit kan nooit lang duren. Het lot is zelden vrijgevig. Als het je overspoelt met zegeningen, is dat een waarschuwing voor de jaren van ellende die voor je liggen...

Ik kreeg natuurlijk gelijk.

Plotseling begon de oorlog.

Het ergste is dat we wisten waar Hitler mee bezig was. Op onze reizen door Duitsland hadden we gezien hoe de nazi's de joden behandelden. We sloten onze ogen ervoor. We hadden onze biezen moeten pakken en terug naar Turkije moeten gaan, zoals Vitali ons bleef smeken. Maar we ging zo in elkaar op dat we nergens anders bij stilstonden.

En we hadden İshak op de wereld gezet, een onvergeeflijke daad. Nog een jood voor Hitler. Hoewel hij strikt genomen geen jood was natuurlijk, omdat ik, zijn moeder, een moslim was. Maar probeer dat de Gestapo maar eens uit te leggen...

Voor we het wisten werd Parijs bezet.

De Franse autoriteiten, die met de nazi's meewerkten, begonnen joden op te pakken. Pas toen ze ons appartement in beslag namen, drong het tot ons door. We belandden van de ene in de andere akelige situatie. Overal werden we geconfronteerd met chantage, aangiften, arrestaties en deportatie.

Toen hoorde Efraim dat de Turkse overheid joden redde, met name joden van Turkse komaf. Die werden gerepatrieerd. De overheid huurde daarvoor treinen in omdat de zeeën onveilig waren. Dus haastten we ons naar het consulaat.

Daar werden we prettig ontvangen. Efraim, die zijn paspoort had laten verlopen, en İshak – we hadden verzuimd hem aan te geven bij de burgerlijke stand – kregen allebei een nieuw paspoort. Het mijne, dat nog geldig was, werd voor alle zekerheid verlengd. We konden met de eerstvolgende trein vertrekken, op 14 maart 1943.

Dat was op een zondag. Een dag waarop de Gestapo en de politie extra alert waren omdat op zondag veel mensen buiten flaneerden en joden die naar een onderduikadres zochten in de menigte probeerden op te gaan.

We zouden om zeven uur 's avonds vertrekken. Laat op de middag begaven we ons op weg in de hoop dat tegen die tijd de bewaking minder streng zou zijn. Maar toen we bij Gare de l'Est aankwamen, krioelde het er van de Gestapo en de politie.

Het was niet in ons opgekomen dat de treinen naar Turkije grondig op verstekelingen werden gecontroleerd.

Efraim duwde ons vooruit. We hoefden nergens bang voor te zijn. We hadden authentieke paspoorten en stonden op de passagierslijst van het consulaat.

İshak hield mijn hand vast.

Toen we naar de controlepost liepen, glimlachte een Duitse wacht naar İshak. Het was een prettige glimlach – de glimlach van iemand die van kinderen houdt. Maar İshak werd er bang van.

"Hij denkt dat ik joods ben", zei hij.

Omdat ik hem wilde kalmeren met een knuffel – hij werd graag geknuffeld – liet ik zijn hand los.

Dat is het enige wat ik deed. Ik liet zijn hand los. Een fractie van een seconde. Om hem te knuffelen.

Dat was mijn fout. Dat was mijn onoplettendheid.

Ik weet niet of hij dacht dat ik hem, door zijn hand los te laten, de opdracht gaf om weg te rennen. Maar dat deed hij. Hij rende weg.

Efraim rende achter hem aan.

Net als de wachten natuurlijk.

Toen ik bij zinnen kwam, waren Efraim en İshak al in een busje geduwd en vertrokken.

Ik stormde op de wachten af. Ik schreeuwde de longen uit mijn lijf. Ik wilde ze slaan. Ze reageerden bruut. Gaven me een stomp. Deelden klappen uit met hun geweren. Ik dacht dat ze me gingen vermoorden. Ik hoopte dat ze me vermoordden.

De Turkse consul was mijn redding. Hij had me herkend en schoot te hulp. De Turken waren vastbesloten ervoor te zorgen dat hun joden niets werd aangedaan. Daarom hielden zij toezicht bij de treinen naar Turkije. Ze plaatsten zelfs functionarissen langs de route om er zeker van te zijn dat er niemand van de treinen werd gehaald.

De consul nam het voortouw. De autoriteiten stonden erop

dat ik zou instappen. Dat weigerde ik. Zonder mijn gezin ging ik nergens heen. De consul toonde begrip. Hij vroeg waar Efraim en İshak naartoe werden gebracht. Ze zeiden dat ze naar Drancy zouden gaan – even buiten Parijs, waar de nazi's een doorgangskamp hadden opgezet. De consul liet zijn wagen komen. We zouden ernaartoe rijden en hij zou persoonlijk voor hun vrijlating zorgen.

Maar Efraim en İshak waren niet naar Drancy gebracht.

Wekenlang zochten we naar hen. We zijn een paar keer naar Drancy gegaan, voor het geval ze er later alsnog terecht waren gekomen. Twee keer zagen we hoe joden in veewagens werden geladen, op transport naar de concentratiekampen.

Ongeveer twee maanden later kreeg de consul te horen dat Efraim en İshak onmiddellijk na hun arrestatie naar de grens waren gebracht en op een transport naar een kamp waren gezet. De Turkse autoriteiten konden niets doen, alleen maar heftig protesteren.

De consul probeerde me te troosten. Adviseerde me te wachten tot de oorlog was afgelopen. Hij zei dat de concentratiekampen niet zo erg konden zijn als werd beweerd. Zowel Efraim als İshak was gezond en zou de internering wel overleven.

Ik ging dus terug naar Turkije en wachtte op het einde van de oorlog. Toen die voorbij was, kwam ik de waarheid over de concentratiekampen te weten. Hoewel ik zeker wist dat Efraim en İshak waren omgekomen, gaf ik toch hun namen op bij de bureaus voor Ontheemde Personen.

In december 1945 kreeg ik bericht dat volgens een document van de Gestapo zowel Efraim als İshak was overleden tijdens een transport van het ene naar het andere kamp. Een dodenmars moet dat geweest zijn...

Inmiddels werkte ik al voor Abdülkerim. In zijn antiekzaak. We waren goede vrienden van elkaar geworden. Hij was aardig, zorgzaam en begripvol. En eenzaam. Een weduwnaar, zoals ik al zei. Toen ik hem vertelde dat Efraim dood was, vroeg hij me ten huwelijk.

Ik accepteerde zijn aanzoek. Wat kon ik anders? Ik was door mijn reserves heen. Ik was murw geslagen. Ik was helemaal alleen. Ik had zelfs niemand om van te houden. Om te verzorgen. Om op te passen. Ik had net zo goed dood kunnen zijn. Maar iets in mij wilde verder.

Abdülkerim en Vitali handelden de formaliteiten af. Ik werd officieel weduwe. Daarna zijn we getrouwd.

En toen, een maand geleden, nam een bureau voor Ontheemde Personen contact met me op. Ze hadden een man gevonden in een psychiatrische inrichting in Colmar, in de Elzas, die Turks sprak en voldeed aan de beschrijving van Efraim. Ondanks zijn verwarde geest hadden ze kunnen vaststellen dat hij in een concentratiekamp had gezeten en het op een of andere manier had overleefd. Of ik kon komen kijken.

Je kunt je voorstellen hoe erg ik schrok…

En de ontsteltenis… Wat moest ik doen?

Abdülkerim hakte voor mij de knoop door. Ga naar deze man, zei hij. Anders blijft hij ons de rest van ons leven achtervolgen.

En dat doe ik nu dus…

En ik ben doodsbang…

Ik zie steeds voor me dat ik een man aantref die, als de doden in Pompeji, in as versteend is…'

De volgende ochtend hadden Saadet en ik vroeg afgesproken, zodat we op aanbeveling van de oude Fuat konden genieten van het schitterende uitzicht op de haven van Marseille.

Haar onthulling – 'bekentenis' noemde ze het zelf – had ons nieuwe kracht gegeven. Mij vooral, hoewel ik die aanvankelijk niet had willen horen. Haar verhaal had ons zelfs dichter bij elkaar gebracht. Zoals ze me later zou zeggen, kon ze haar gevoelens voor me uitdrukken zonder bang te zijn de nagedachtenis aan haar zoon te verraden. En ik kon haar in mijn armen sluiten als de moeder die ik zo graag had willen hebben door te accepteren dat voor sommige moeders, zoals de mijne, het ouderschap een zware opgave is wegens hun eigen geschiedenis en opvoeding.

En dus voelden we ons gesterkt en daardoor beter in staat te leven met tegenslag. Marseille, zo hielden we ons voor, zou een nieuw begin zijn. Saadet zou vaststellen dat de man in de inrichting niet haar eerste echtgenoot was – dat kon toch niet? – en met een zuiver geweten terug naar Abdülkerim gaan. Ik, jonge Odysseus, zou mijn *rite de passage* voltooien en thuiskomen als iemand op wie men, en vooral ikzelf, trots kon zijn.

Toen we de haven binnenvoeren viel mij op dat er geen wrakken lagen. Ik beschouwde dat als een goed voorteken.

Maar het dok lag nog in puin. Mensen die waren gekomen om bekenden op te halen, verdrongen zich in gekartelde rijen langs de puinhopen.

Toen zag ik mijn oom. Ik herkende hem aan zijn stugge haar, een familietrekje. Ik zwaaide als een gek. Hij zag me, dook de menigte in en kwam daar even later met mijn vader uit. Beiden schreeuwden ze: 'We hebben boordkaarten. We komen naar je toe…'

Iets – misschien de vreugde om mijn vader te zien – maakte haar overstuur. Ze gaf een kneepje in mijn hand en liep toen weg.

Uren later, toen alle passagiers al van boord waren en de bemanning was begonnen met de voorbereidingen op de terugreis, waren wij nog steeds aan boord. Saadet had zichzelf opgesloten in een toilet en wilde er niet uit voordat de boot koers terug naar Turkije had gezet.

De oude Fuat en ik zaten op de grond en deelden haar angst. De kapitein en een paar van zijn stuurmannen, mijn vader en mijn oom ijsbeerden door de gang. Omdat ze het verhaal van

Saadet hadden gehoord, toonden ook zij begrip – vooral mijn oom, die tijdens de oorlog in kloosters ondergedoken had gezeten en zelf een overlevende was. Niettemin deden zij, als mannen die er prat op gingen dat ze praktisch waren, hun best een oplossing te vinden voor haar probleem.

Maar het conflict van Saadet lag buiten hun macht – dat begreep ik zelfs. Ze had niet, zoals ze dachten, zomaar de moed laten zakken. Nu ze alles wist over de concentratiekampen, vreesde ze dat ze het niet kon opbrengen iemand te ontmoeten die het had overleefd. En wat als door een speling van het lot Efraim de overlevende bleek te zijn? Hoe kon zij, die zijn verschrikkingen niet had beleefd, hem onder ogen komen? En als ze hem onder ogen kwam, wat zou ze kunnen doen? Zou ze hem kunnen aanraken? Voor hem zorgen? Waar zou ze met hem moeten wonen? Thuis? Waar was dat? Was dat het huis in Parijs – gesteld dat ze dat konden terugkrijgen? Of het huis van Abdülkerim? En hoe moest het verder met Abdülkerim? Wat moest ze met hem? En met hun huwelijk? Hoe zat dat juridisch?

Daarom had ze besloten om alles te laten zoals het was. En terug naar Abdülkerim te gaan. Om een soort van leven te leiden – met steeds minder herinneringen, als ze geluk had; en anders door terug te keren naar dat innerlijke heiligdom waar ze zichzelf in opgesloten hield met de schimmen van Efraim en İshak.

Uiteindelijk kwam ik met een oplossing. Ik stelde voor dat we allemaal met haar zouden meegaan. Dan hoefde ze die beproeving niet alleen te ondergaan; ze zou zich gesteund weten.

Zowel mijn vader als mijn oom vond het een verstandige oplossing, maar praktisch gezien was het niet uitvoerbaar. Mijn oom moest terug naar zijn werk. Mijn vader moest met mij terug naar Parijs, waar mijn moeder en onze familie op ons wachtten. We zouden snel weer terug naar Turkije gaan en moesten al onze tijd aan elkaar besteden.

Ik stelde een compromis voor: mijn vader en oom konden gaan en ik zou Saadet vergezellen. Ik zou me bij de familie voegen als zij het ergste achter de rug had – over een dag of zo, als alles goed was.

We steggelden er nog een tijdje over door. Plotseling besefte ik dat ik een eigen wil had ontwikkeld, voor mezelf opkwam. Daardoor won ik. Ik had zelfs het genoegen dat mijn vader, die me normaalgesproken een kus gaf en omhelsde, me een hand gaf.

Een uur later kwam Saadet de wc uit. Ook zij had me niet kunnen overtuigen met mijn vader mee te gaan. Ze staarde me een lange tijd aan en kuste toen mijn hand. Ik had het gevoel dat ik niet alleen als een zoon voor haar was, maar ook haar beschermer.

Op het moment dat we de zaal binnenkwamen werden de patiënten onrustig. Sommigen begonnen te schelden en wilden ons verjagen. Anderen smeekten ons hen te claimen als broer, vader of zoon. Weer anderen vielen ons lastig door ons hun geslachtsdelen te tonen.

De arts wees naar een uitgemergelde figuur op een bed helemaal achter in de zaal.

Hij had ons al op het ergste voorbereid. We zouden een uiterst breekbare en diepgestoorde man te zien krijgen, met ogen die, voorzover dat kon worden vastgesteld, permanent naar binnen waren gericht. Hoogstwaarschijnlijk was die innerlijke wereld – hels of paradijselijk, dat konden ze nog niet zeggen – op de een of andere manier zijn redding geweest.

Ook waarschuwde hij ons dat de patiënt meestal voor zich uit bazelde, in verschillende graden van samenhangendheid. Voortdurende en associatieve monologen waren een symptoom van zijn ziektebeeld.

Saadet liep – schuifelde – naar hem toe.

Ik volgde haar – net zo zenuwachtig.

Ik keek naar de patiënt. Ernstig sprak hij in het Turks een denkbeeldig publiek toe, alsof hij een lezing gaf. Ik probeerde te begrijpen wat hij zei. Tevergeefs. Hij bleef de woorden verhaspelen. Toch verroerde hij zich hierbij niet. Ondanks de kakofonie van zijn woorden lag hij erbij als een dier dat zich dood hield.

Saadet mompelde. 'Wat is hij dun…'

De arts zuchtte. 'Hij weigert te eten. Hij hamstert. We moeten hem sondevoeding geven.'

'Hij hamstert?'

'Dat doen veel mensen die in de kampen hebben gezeten. Een achtergehouden broodkorstje betekende weer een dag overleven.'

Saadet wankelde en hield zich vast aan de arts. 'O, mijn god…'

De patiënt ving een glimp op van Saadets wankeling en keek steels onze richting uit. Hij wilde zijn blik afwenden, maar bedacht zich; toen draaide hij zich om en keek ons weer aan. Ditmaal keek hij gericht – eerst naar Saadet, toen naar mij. Ik voelde me onzeker, vermoedde dat hij haar herkend had. Ook bedacht ik ineens dat hij misschien İshak in mij zag. Toen knipperde hij met zijn ogen alsof hij onze aanwezigheid van zich wilde afschudden en begon hij weer voor zich uit te bazelen.

Saadet ging aan zijn bed staan.

Hij keek haar niet aan, maar hield zijn blik strak op het raam gericht. Op deze manier liet hij zijn hele gezicht zien – alsof hij wilde dat zij hem herkende.

Het lukte me om een beetje van zijn wartaal op te vangen. Hij somde de ingrediënten op voor Circassische kip.

Saadet onderdrukte een kreet. 'Dat is zijn favoriete gerecht.'

Om een of andere reden schrok ik daarvan. 'Wat?'

Saadet draaide zich om naar de arts en knikte bedroefd. 'Hij is het. Efraim.'

De arts was verrast. 'Weet u het zeker?'

'Zijn mond...'

In welke staat ze Efraim ook zou aantreffen, had ze gezegd toen ze me een paar foto's liet zien die ze had meegenomen, ze zou hem aan zijn mond herkennen. Uit duizenden herkende ze die volle lippen die subtiel naar boven krulden en op het punt leken te staan te lachen of iets liefs te zeggen.

Ze huilde zacht, alsof ze haar tranen voor zichzelf wilde houden. 'Die mond – dat is hem. De rest niet. Voor de rest is hij het helemaal niet.'

Hier leken haar zenuwen voor haar te spreken. Want ik kon zien, ondanks de woordenstroom, ondanks zijn doffe, wezenloze blik, dat deze Efraim nog steeds iets had van de atletische, charmante Efraim op de foto's. Net als een olijfboom die gezien wordt door een bezoedelde lens had hij zijn glans verloren, maar was hij nog steeds herkenbaar.

Ik voelde me ellendig. Ik had gehoopt dat hij iemand anders bleek te zijn. Dan had Saadet minder gekweld naar Turkije terug kunnen gaan. En had ik een tweede moeder kunnen hebben, een die minder afstandelijk en liefdevoller en intiemer was.

Voorzichtig omhelsde Saadet Efraim. 'Lieve schat... Ik ben het! Saadet...'

Efraim bleef naar het raam staren, hij rilde alsof er een stroomstoot door hem heen ging. Hij praatte sneller, verhief zijn stem; de woorden verloren hun betekenis.

Saadet hield hem stevig in haar armen. 'Ik ben het, Efraim... Ik ben het, mijn lief...'

Efraims woordenstroom veranderde in een onbegrijpelijk gegil. Nog steeds keek hij roerloos voor zich uit. Een Pinokkio, levenloos op de nerveus trillende, holle wangen na.

Saadet keek om naar mij en de arts. 'Willen jullie me even met hem alleen laten?'

's Avonds zaten we in een restaurantje vlak bij het ziekenhuis. We raakten ons eten nauwelijks aan en Saadet zei de meeste tijd niets, behalve wanneer ze me bedankte voor het feit dat ik 'als familie' voor haar was, dat ik 'haar gezond verstand, ja, zelfs haar ziel had gered'. Ik bleef nieuwsgierig naar wat er in haar omging, wilde vragen wat ze van plan was te doen, maar kon me inhouden.

Later, toen we naar ons pension liepen, stopte ze voor een tot woonhuis omgebouwd schuurtje bij een boerderij. 'Mooi huisje, vind je niet?'

Ik haalde mijn schouders op. 'Ja.'

'Mijn nieuwe thuis. Ik heb het vanmiddag gehuurd.'

Ik stond perplex. 'Wat?'

'Ik blijf hier.'

Ik hapte naar adem. 'Nee! Waarom?'

Ze pakte mijn hand. 'Omdat Efraim mijn man is.'

'En Abdülkerim dan?'

'Niet meer.'

'Heb je contact met hem gehad, met Abdülkerim? Heeft hij je dat gezegd?'

'Abdülkerim is een goed mens. Hij zal het begrijpen. Efraim is mijn leven. Mijn lot. Ik kan weer leven.' Ze haalde een klein doosje uit haar zak en gaf dat aan mij. 'Mijn trouwring. Zou je die aan Abdülkerim willen geven als je terug bent?'

Aarzelend nam ik het doosje aan. 'Maar Efraim leeft…'

Saadet aaide over mijn wang. '…in een ontoegankelijke wereld? Ja, dat klopt. Maar wie weet, misschien niet hele-maal… Soms zie ik hem door zijn geraaskal heen verstoppertje spelen, zoals we vroeger deden. Ik ga dus proberen hem te vangen…' Ze hield mijn handen vast. 'Ook heb ik soms het gevoel alsof mijn zoon bij hem is – in zijn wezen… Wat me logisch lijkt. Ik bedoel, İshak is dood, omgekomen tijdens die dodenmars. Ik heb genoeg van Efraims monologen begrepen om dat met zekerheid te zeggen. Maar hij heeft İshak in leven gehouden, in zijn verzonken wereld... Ik denk dat hij het op die manier heeft overleefd... Zo wíl ik dat hij het overleefd heeft – door onze zoon in leven te houden. Zowel voor hemzelf als voor mij.'

Ik probeerde hier als een volwassene op te reageren, de indruk te wekken dat ik haar redenering begreep. In plaats daarvan jammerde ik: 'En ik dan?'

'Jij, jonge Odysseus, geloof het of niet, bracht mijn zoon tot leven... Hij zat, bijna dood, in Efraim... Ik haalde hem uit Efraim. Gaf hem een plaatsje in mijzelf. Maar jij, jij blies leven in hem. Jij gaf İshak jouw gezicht, jouw verstand, jouw diepe gevoelens... Ik heb het gevoel alsof ik İshak verraad door dit te zeggen, maar elke keer als ik aan hem denk, zal ik aan jou denken. Elke keer als ik hem voor de geest wil halen, zal ik jouw gezicht zien...'

Ik wilde huilen, maar kon me beheersen. 'Als ik ooit iets voor je kan betekenen...'

Ze nam me in haar armen. 'Ik weet het, lieve Yusuf... Ik weet het, mijn lieve, lieve Yusuf...'

Er viel niets meer te zeggen. Of toch wel, maar ik kreeg het niet over mijn lippen.

Saadet glimlachte, hield mijn hand vast. 'Jij wilt nog iets zeggen, hè?'

Ik knikte.

'Zeg het maar.'

'Als... Als Efraim...'

Saadet sloot haar ogen. 'Overlijdt?'

'Of niet geneest?'

Ze keek in de donkere avondlucht. 'Ik zal God danken dat Hij mij zo'n man gegeven heeft. Zoals de joden zeggen met Pesach: *Dayyenu* – het is genoeg...'

7: Havva

Een worstelaar

Mahmut de Simurg weet alles. Hij is de verhalenverteller die overdag de wijken in gaat en 's avonds optreedt als onze vuureter. Hij zegt dat elke gebeurtenis een oorzaak en gevolg heeft en dat de oorzaak altijd op een hemellichaam begint. Als er bijvoorbeeld op de Hondster een vlo landt, heeft zijn gewicht, hoe klein ook, effect op de aantrekkingskracht die de ster op ons uitoefent, en verandert hij zo de loop van onze levens.

Ik stel me voor dat mijn leven, en het leven van de mensen om me heen, is veranderd door de komeet die onlangs voorbijschoot en langs de aarde scheerde.

Ik voelde het begin van deze verandering aankomen op de avond toen we in Sulukule naar de dronkaard zochten, waarvoor de hulp van mijn vader Babacık was ingeschakeld. Maar ongetwijfeld was het daarvóór al begonnen met een sterfgeval, want zoals Mahmut de Simurg zou zeggen, er is geen begin zonder Dood.

Babacık leidde de weg. Mama Meryem en ik volgden hem.

Sulukule is een van de armste wijken in Istanbul. Een wirwar van smalle straatjes die door de Byzantijnse ruïnes kronkelen. In elke kuil vormt zich een plas rioolwater. In de vuilnishopen overal wordt alles wat eetbaar is, zelfs als het rot is, meteen door hongerige monden gesnaaid. De huizen hangen tegen elkaar aan zodat ze niet omvallen en achter veel deuren schuilt een goedkope kroeg. Ik hoorde Hacı Turgut zeggen – hij was een van de mannen die had gevraagd of Babacık de mysterieuze dronkaard wilde helpen – dat mannen naar dit soort gelegenheden gaan om zichzelf te doden – ofwel met raki ofwel door hun laatste geld uit te geven aan opium rokende buikdanseressen die de munten met hun schaamdelen aannemen.

Geen plek voor Mama Meryem, die er zo Italiaans uitziet als Anna Magnani en dat ook is, noch voor een tenger meisje zoals ik. Maar zelfs een hele bende zou ons niet durven molesteren met Babacık aan onze zijde.

Af en toe stond Babacık even stil om enkele druppels op de keistenen te bestuderen. Omdat ons dat verbaasde, legde hij uit: 'Dronkelappen zijn net gewonde dieren. Je kunt ze aan de hand van hun bloedspoor opsporen. Alleen bloeden zij geen bloed, maar het sap van hun ziel.'

We knikten. Als Babacık spreekt, spitst iedereen zijn oren.

'Welke kleur heeft dat sap, Babacık? Is het ook rood?'

Mama Meryem glimlachte. Ze vindt het leuk als ik een vraag stel, omdat zij dat nooit doet. Babacık is het gezinshoofd en Mama Meryem neemt de conventies in acht. En ik – ik ben maar een vondeling. Ik hoef me niet zoals de rest te gedragen. Ik mag het straatkind zijn dat ik ben.

'Hangt van de persoon af.'

Babacık vindt het leuk dat ik een straatkind ben, want straatkinderen zijn volgens hem slim, anders waren ze wel omgekomen toen ze door hun arme, wanhopige ouders in de steek waren gelaten. Daarom geeft hij altijd antwoord op mijn vragen. Toch vertrouwt hij het woord niet. Woorden zijn spiegelbeelden, zegt hij. Ze misleiden de mens, vooral jonge mensen, en vertroebelen hun gedachten. Hij vindt dat mensen alleen op hun daden beoordeeld mogen worden.

Ik schilder hem af als streng. Maar hij is zo zacht als een vlinder. De enige man ter wereld die mensen neemt zoals ze zijn. Daarom is hij bij de hele troep geliefd. Daarom komt iedereen voor een voorstelling bij onze tent zitten om te ontspannen. Natuurlijk zijn ze ook dol op hem omdat hij iedereen aan het lachen brengt, maar dat komt omdat zij die de wereld kunnen laten lachen een ziel hebben die straalt. Dat is een geschenk van Allah. Wij circusmensen weten dat. Bij Babacık

– de reuzenclown die door de hele piste tuimelt – doen zelfs *jinns* het in hun broek. (Mijn bijnaam voor hem, 'kleine papa', klinkt u misschien vreemd in de oren. Toen ik een peuter was en het verschil nog niet kende tussen groot en klein, had ik hem ooit zo genoemd. Hij vond dat ontzettend grappig. Dus bleef ik hem zo noemen.)

Met nog meer vastberadenheid keek ik om me heen. Ik was benieuwd naar dat sap. Ik heb een perfect gezichtsvermogen – cruciaal voor jongleurs. Daar ben ik nu voor aan het trainen. Jongleren met tien ringen en zes kegels, dat is mijn doel.

Er kwam een groepje mannen uit een kroeg gerold, hun armen om elkaars schouders geslagen.

Babacık deed een stap naar voren om ons te beschermen. Hij was vroeger een worstelaar, Babacık. De beste ooit. Onverslagen in alle officiële competities. Daardoor is hij nog beter dan Hacı Turgut, die enkele gouden medailles op de Olympische Spelen heeft gewonnen en nu coach is van het nationale team. Hacı Turgut noemt Babacık zelfs zijn 'meester', ook al zijn ze ongeveer even oud. De reden daarvoor is dat Hacı Turgut in de paar jaren dat ze samen op de mat hebben gestaan, Babacık nooit heeft verslagen. Babacık won altijd met een *tuş* – door de schouders van Hacı Turgut op de mat te drukken. Dat weten we van Hacı Turgut zelf; Babacık schept nooit over zichzelf op.

De dronken mannen negeerden ons en wankelden verder naar de wallen. Ze probeerden te pissen, maar vielen om. Ze huilden terwijl de urine uit hun broek sijpelde.

Het leek alsof Babacık ook ging huilen. 'Dit zijn mannen die geen werk kunnen vinden. Dit is hun sap, Griet: tranen.'

Mama Meryem streelde Babacık liefdevol over zijn wang. Allahs gedreven dienaren hebben vrouwen die twee keer zoveel lijden als zijzelf.

De reden waarom Babacık niet zo beroemd is als Hacı Turgut en nooit gevraagd zou worden om onze worstelaars te coachen is omdat hij op een duistere dag zijn amateurstatus had verloren. De amateurstatus is heel belangrijk voor sportmensen. Als ze die niet hebben, mogen ze niet meedoen aan de Olympische Spelen. Babacık werd een professional toen hij zich door een Hongaarse promotor liet inschrijven voor een paar belangrijke wedstrijden in Europa. Dat was nog voor de oorlog. Hij was de oudste van een groot gezin en moest voor de kost zorgen. Mama Meryem vertelde me dat die jaren heel vernederend voor hem waren; soms moest hij, om publiek te trekken, opzettelijk verliezen van mindere worstelaars.

Maar alle narigheid van Babacık leidde tot mijn geluk. Toen hij in staat was zich van die 'slavernij', zoals hij het noemt, te verlossen, ging hij bij het circus. En toen Mama Meryem me zag in de restauratietent, naamloos, gehuld in met bloed bevlekte vodden, een baby die meteen na de geboorte was verlaten, sloot Babacık me meteen in zijn hart. En onmiddellijk wist hij het gezelschap ervan te overtuigen dat het beter was om mij niet naar de politie te brengen, die me zou onderbrengen in een weeshuis, maar mij te adopteren, zodat hij me als ik wat ouder was, kon opleiden voor een act.

Ik hoorde glas rinkelen. Ik draaide me om en zag een man tegen een paar kratjes met lege flessen aan leunen. Hij grinnikte en tuurde naar zijn handen. Er lag een kapotte fles bij zijn voeten. Een stevige man, ondanks zijn toestand. Ik wist onmiddellijk dat hij de man was naar wie we zochten. 'Dat is 'm!'

Babacık had hem ook gezien. 'Goed gezien, Griet.'

Toen ik nog een kind was, werd ik 'Emanet' genoemd, dat betekent 'onder hoede genomen'. Nu ik ouder ben, noemen ze me 'Griet' of 'Schat' of als ze kwaad op me zijn 'Kerata', een dubbelzinnig plat woord, dat zowel 'hoorndrager' als 'kleine duvel' kan betekenen. In mijn geval moet het wel 'kleine duvel' betekenen, want alleen mannen kunnen de 'horens opgezet' krijgen; ik ben trouwens pas zestien en nog niet getrouwd – en dat ben ik ook niet van plan, want trouwen betekent kinderen krijgen en die wil ik niet. Hoe dan ook, Griet en Kerata zijn namen waar niemand van opkijkt. Maar Emanet – onder de hoede genomen, voor wie dan wel? Voor mijn ouders, die me niet wilden hebben? Voor een van de helden van Mahmut de Simurg die louter door naar een meisje te kijken haar zo mooi kon maken als de maan? Daar kan ik toch niet op wachten, of wel?

Nee, op een dag geef ik mezelf een naam – een naam die bij iedereen bewondering afdwingt.

Babacık sprak de man aan. 'Goede avond.'

De man negeerde hem. Misschien had hij ons niet gezien. Hij pakte weer een fles op en gooide die in de lucht. Toen die neerkwam, probeerde hij hem te vangen, maar dat mislukte. De fles viel in scherven neer. De man keek naar zijn handen, die enorm waren, en lachte bitter.

Babacık liep op hem af. 'Wat valt er te lachen?'

De man snauwde. 'Wegwezen, oude lul!'

Mama Meryem deed een stap naar voren, wilde haar man beschermen. 'Hij alleen vraag stellen: wat valt er te lachen?'

Ik kon mijn lach bijna niet inhouden. Die lieve Mama Meryem toch. Wanneer ze zich opwindt, wordt haar accent sterker en klinkt ze als onze komiek Kadir als hij buitenlandse politici imiteert.

De man aarzelde. Ik kon zien dat hij kwader werd, maar hij was duidelijk niet iemand die tegen een vrouw zou schreeuwen. Dat leek me een pluspunt. 'Als je het zo graag wilt weten, opoe, ik kan niet vangen. Helemaal niet. Zelfs niet de dood, waarover men nog wel beweert dat die voor het grijpen ligt. Dat valt er te lachen.'

Babacık knikte medelijdend. 'Misschien ben je zo geboren.'

De man snoof. 'Nou, dat is het gekke van alles! Ik was namelijk vanger. Een echte vanger. De beste, moet je weten. Ik kon de hemel vangen als het moest.'

'Wat is er gebeurd?'

'Hoepel toch op, oude zak. Scheer je weg!'

'Mijn naam is Kudret. Ik neem je mee naar huis. Wees mijn gast.'

'Wat zeg je nou?'

'Dit is mijn vrouw, Meryem. Mijn dochter.'

Ik grijnsde. Geen naam. Alleen 'dochter'. Het werd echt tijd dat ik mezelf een naam gaf. Dat zou iedereen moeten doen. Dat zou een betere beschrijving opleveren van een persoon. Want wie kent een persoon nou beter dan de persoon zelf? Sommige moeders beweren dat van hun kinderen, maar dat geloof ik niet. En niet omdat ik door mijn eigen moeder ben verlaten. Ik heb er echt over nagedacht. We zijn allemaal zo verschillend als de knobbels in een olijfboom. Alleen de persoon zelf ziet wie zij werkelijk is. Alleen zij weet of ze iemand is die neemt of geeft of een beetje van beide doet of alles wat daartussenin zit. Maar de waarheid vereist moed, en die heb ik. Veel mensen hebben die niet. Dus behouden ze de namen van grootsheid of goedheid die ze van hun ouders hebben gekregen, ook al passen die hun als de te grote jas van een clown. (Maar er zijn uitzonderingen. De vader van Babacık gaf zijn zoon de juiste naam: Kudret betekent 'kracht'.)

De man begon weer te lachen. 'Je bent niet goed snik.'

'Kom mee...'

De man strompelde naar voren. 'Donder op of...' Door een kramp viel hij op zijn knieën en begon over te geven.

Babacık zuchtte. 'Dat is zijn sap, Griet – kots. Het sap van verloren zielen.'

De man braakte er alles uit. Daarna, toen hij probeerde op te staan, viel hij flauw.

Babacık pakte hem op.

Ik stapte op hem af. 'Ik zal je helpen.'

Babacık knikte. 'Voorzichtig. Laat hem voelen dat we om hem geven.'

Mama Meryem lachte. 'Hij niks meer voelen!'

Babacık schudde zijn hoofd. 'Hij voelt onze handen. Hij weet het.'

We droegen de man alsof hij van antiek glas was.

We namen Adem mee naar onze tent. Zo heette hij, Adem. Hij sliep de hele nacht en nog een groot deel van de volgende dag. Hij kreunde en huilde veel. Alcoholvergiftiging, stelde Babacık vast.

Toen Hacı Turgut hoorde dat Babacık Adem had gevonden, kwam hij er onmiddellijk aan. Hij had zijn neef Osman meegenomen en diens vrouw Hatice.

Hacı Turgut bleef niet lang – precies de voorgeschreven tijd om Babacık te bedanken en zijn voeten te kussen om wat hij voor Adem had gedaan. Maar Osman en Hatice zetten hun tent op op het kampeerterrein van het circus alsof ze zich bij de troep hadden aangesloten. Osman is trapezeartiest – een vlieger, zoals wij zeggen – en zoekt al een tijd naar een partner, een vanger. Hatice – een flinke vrouw – waakt over hem als het wezen met de honderd ogen uit een verhaal van Mahmut de Simurg; als het aan haar lag zou ze een ring in Osmans neus zetten en hem als een zigeunerbeer domineren.

De hele avond en bijna de hele dag daarna waakten we over Adem. Of Osman waakte over hem en Hatice en ik waakten over de wakende Osman. We zagen dat hij de ledematen van Adem een voor een in zich opnam, zoals een mier een kever in stukjes en beetjes naar zijn nest sleept. En al die tijd bleven zijn ogen gericht op Adems handen. Dat had ik voorzien. Voor een vlieger is de aanblik van een goed stel handen, zoals oudgedienden zeggen, als het visioen dat een derwisj in trance brengt, wanneer hij op het punt staat rechtstreeks in de armen van God te wervelen.

Ik was jaloers. Ook ik was door Adem gefascineerd. Wanneer hij wakker werd, zou hij Osmans gezicht als eerste zien. Ik weet hoe dat gaat bij sommige mannen: al na één blik zijn ze zielsverwanten. Ook al ben ik amper zestien en niet van plan om te trouwen, dat wil niet zeggen dat ik niet in mannen ben geïnteresseerd. Anders zou ik me niet zo'n zorgen maken over mijn uiterlijk. Mensen zeggen dat ik eruitzie en ruik als oranjebloesem – geen onaanzienlijke prestatie op een plek als het circus, waar zelfs de schmink naar de stallen ruikt.

Dus ging ik net als Osman waken over Adem, totdat ook ik zijn ledematen een voor een in me opnam. Hij was een stevige kerel. Maar hij had een fijn gezicht, alsof het door een kantwerker was verfraaid. En ja, mijn ogen bleven gefixeerd op zijn handen, die een paar maten leken uitvergroot, als in een lachspiegel. Het scheen mij toe dat die niet alleen de hemel konden omvatten, maar ook de hele aardbol. Geen wonder dat Osman zo onder de indruk van hem was. Een trapezepaar moet vergelijkbaar zijn met walnoten en gedroogde vijgen, een bijna perfecte combinatie. De beste combinaties komen in de hemel tot stand.

Mama Meryem vertelde ons wat Hacı Turgut over Adem had verteld.

Hij kwam uit de Kaukasus, een Abchaaz. Geen moslim, maar een christen. Velen van hen zijn christelijk. Zijn vader, een imker uit Sukhumi, was zo blij dat hij met een zoon gezegend was, dat hij als dankbetuiging priester werd. In het goddeloze Rusland van Stalin was dat een dwaze daad; zowel hij als zijn vrouw werd geëxecuteerd.

Naaste verwanten was het gelukt het kind – dat Vladislav werd gedoopt – te redden. Ze hadden hem naar Turkije gesmokkeld en toevertrouwd aan een Abchazische familie in Rize die nog een ereschuld had in te lossen. Maar deze familie kwam zijn afspraken niet na; ze hadden de jongen als een slaaf op hun theeplantage laten werken in plaats van hem als hun eigen kind te behandelen.

Uiteindelijk vluchtte de jongen weg. Na talloze ondergeschikte baantjes kwam hij aan in Istanbul. Daar vond hij een baantje als stalknecht bij Circus Karelya, dat gerund werd door een vluchteling uit Wit-Rusland, Pyotr Nadolski. Op een gegeven moment liet deze Nadolski, die de grote handen van Vladislav had gezien – de handen van een imker als zijn vader – hem de trapeze uitproberen. De jongeman bleek een natuurtalent. Vanaf toen had Nadolski, die Vladislavs naam had veranderd in Adem – een degelijke Turkse naam die bovendien kracht suggereert – hem opgeleid totdat hij een uitmuntende vanger werd.

Maar om het volledige uit een vanger te kunnen halen, heb je een even getalenteerde vlieger nodig, dus begon Nadolski naar zo'n wonderkind te zoeken. Adems steeds grotere bekendheid had velen vol hoop aan de deur gebracht, maar ze waren of middelmatig of over hun hoogtepunt heen.

Toen kwam op een dag een jonge Griek binnenlopen. Hij heette Yorgo, kwam van een klein Egeïsch circus en vroeg of hij auditie mocht doen. Er zat iets in de combinatie van verlegenheid en gretigheid, van twijfel en zelfverzekerdheid wat Nadolski aansprak. Hij gaf hem een kans. Ouderen die getuigen waren geweest van de auditie, zweren dat de handen van Adem en Yorgo een klik maakten, dat er een geluid klonk alsof Allah aan de borst van de natuur zoog.

Daarna hadden de twee mannen, die zich Kartallar noemden, 'de Arenden', niet alleen de driedubbele salto geperfectioneerd, een act die slechts een handjevol trapezeartiesten beheerste, maar begonnen ze ook te trainen voor de vierdubbele – een prestatie die onmogelijk werd geacht.

Toen sloeg het noodlot toe.

Tijdens een voorstelling had Yorgo zijn sprong niet goed getimed en vloog hij iets te vroeg op zijn partner af. Ze raakten nog net elkaar vingers, maar hun handen maakten geen klik. Yorgo suisde neer, kwam op de rand van het net terecht, stuiterde ervanaf, tuimelde de piste in en brak zijn nek. Hij was meteen dood.

Hoewel alle getuigen in het onderzoek de foute timing van Yorgo weten aan het teveel aan opium dat hij de avond daarvoor had gebruikt, kon Adem daar geen vrede mee hebben. Hij gaf zichzelf de schuld, beweerde dat hij, omdat hij de vingers van Yorgo nog kon raken, in staat had moeten zijn hem te vangen; hij had gefaald omdat zijn handen hadden gefaald. En daarom had hij onmiddellijk na Yorgo's begrafenis het circus van Nadolski verlaten en zwerft hij sindsdien rond.

Toen Adem in beweging kwam en wakker leek te worden, stuurde Babacık ons naar buiten. Mensen kunnen beter alleen wakker worden uit een nachtmerrie, zei hij. Daar was ik blij om. Dan zou Adem niet meteen Osman zien.

We zaten met een kop thee bij de tent. We hadden nog een paar uur voor de avondvoorstelling. Een magisch moment van de dag in een circus. We hadden de piste schoongespoeld, de stoelen en de tribune geboend en gecontroleerd of onze uitrusting goed was opgeborgen. Behalve voor de degenen die de dieren moesten verzorgen, was het tijd om de spieren te ontspannen, te roken, het normale leven voort te zetten, het laatste nieuws te horen, eventuele spanningen in de maag weg te nemen en nieuwe kunststukjes te bedenken. We vormen een goed gezelschap, ook al hebben we niet veel aanzien. (Daarom hebben we een trapezeact nodig. Gemakkelijker gezegd dan gedaan wanneer goede trapezeartiesten zo zeldzaam zijn als sneeuwvlokken in de woestijn.)

Babacık trok zijn pak aan en schminkte zich, deed zich te goed aan de waterpijp, samen met buurman Fevzi, de Syrische acrobaat en oprichter van De Ziggurats. Daarna deelden de 'kleine mensen', Ekrem en Esin, koekjes uit die Esin die dag had gebakken (Als ze geen lilliputter was geweest, zou Esin vast een beroemde kokkin zijn geworden.) Al snel zat het hele gezelschap zoals elke avond met elkaar te babbelen, behalve Mahmut de Simurg, die altijd zijn mond hield om zijn keel vochtig te houden voor zijn vuurspuweract.

(Ik zag dat Osman de sfeer afgunstig in zich opnam. En ik besefte hoe moeilijk het leven moet zijn voor een vlieger zonder partner.)

Net toen iedereen zich gereed wilde maken voor de show, struikelde Adem de tent uit. Hij keek verdwaasd rond. 'Waar... ben ik...'

Osman stapte op hem af. 'Bij het circus, waar Kudret Reis werkt...' Hij strekte zijn armen uit, handpalmen naar beneden, zoals trapezeartiesten dat doen. 'Welkom...'

Adem staarde naar Osman, toen naar Osmans handen. Zijn stem kraakte. 'Yorgo...?'

'Osman.'

De twee mannen konden hun ogen niet van elkaar afhouden. Hoewel ze elkaar net hadden ontmoet, leek het alsof ze zich gedwongen voelden iets te creëren – dat ook aan het doen waren. Vroeger dacht ik dat mensen op die manier kindertjes maakten, door met hun ogen de liefde te bedrijven.

Ik werd weer jaloers. Ik sprong op. 'Ik ben...' Ik probeerde een goede naam te bedenken, maar besloot mijn oude roepnaam te gebruiken. 'Emanet...'

Daarmee was de betovering gebroken. Adem draaide zich om. 'Jou... ken ik... Die oude man – je vader...'

Ik wees naar Babacık, die nog een trek nam van zijn waterpijp en naar hem staarde.

Adem keek naar Babacıks kostuum. 'Een clown?'

Babacık zwaaide met zijn hand. 'Hoe gaat het?'

Adem, die Babacık aan zijn omvang herkende, snauwde: 'Waarom heb je me hier mee naartoe genomen?'

'Omdat ik hier woon.'

'Waarom mij?'

'Omdat je hulp nodig hebt.'

'Van jou?'

Babacık zwaaide met zijn arm naar het circus. 'Van ons

allemaal.' Hij wees naar de omstanders die kwamen aange-
druppeld. 'Van het publiek.' Toen wees hij naar Osman.
'Vooral van hem.'

'Wie is dat?'

Weer wilde Osman hem een hand geven. 'Osman. Ik ben
een vlieger.'

Adem begon te beven. Toen gaf hij Osman een gemene
stomp. 'Klootzak!' Hij draaide zich naar ons om. 'Klootzak-
ken! Allemaal!'

En hij rende weg.

Lang geleden, toen Babacık nog een jongen was, was er een
man uit zijn dorp verdwenen. Hij heette Veysi en was gezegend
met een goede echtgenote, een paar kinderen en een vruchtbare lap grond. Aangezien hij populair was en mensen in die
tijd niet zomaar verdwenen – zelfs als men bij een ongeluk was
omgekomen of door struikrovers of wolven was geveld, werd
altijd nog iets van het stoffelijk overschot gevonden – zochten
dorpelingen uit de hele streek naar hem. Zonder resultaat.
Toen herinnerde een oude vrouw zich dat Veysi een Armeniër
was, dat hij een tweelingbroer had en dat zij beiden, aangezien
ze in 1896 waren geboren, tijdens het dieptepunt van de wrede
vervolging van de Armeniërs door sultan Abdülhamit de
Tweede, geadopteerd waren door twee verschillende moslim-
families. Toen ze dit hoorden begonnen ze te zoeken naar zijn
broer; want een oude wijsheid zegt, dat als we weten waar
iemand tot stof wil terugkeren, we ook weten waar we hem
kunnen vinden. Volgens een andere oude wijsheid kunnen
tweelingbroers of -zussen, ook als ze bij geboorte zijn gescheiden, op onverklaarbare wijze met elkaar communiceren. En zo
vonden ze na lang zoeken in Kastamonu Veysi's tweelingbroer.
Kort daarvoor was hij begraven. Bij zijn graf ontdekten ze dat
Veysi naast hem lag begraven. Dit was er gebeurd: Veysi, die
een voorgevoel had dat zijn tweelingbroer ziek was, had zijn

broer kunnen opsporen en stond ineens voor zijn neus. Door de opwinding van de hereniging kregen ze allebei een hartstilstand en stierven ze.

Met dit verhaal in gedachten ging ik Adem zoeken op treinstations. Sirkeci doorzocht ik vluchtig. Omdat vanuit dit station alleen treinen naar Thracië en Europa gaan, en Adem geen band heeft met deze gebieden, verwachtte ik hem daar niet te vinden.

Daarna ging ik naar Haydarpaşa, het hoofdstation met bestemmingen naar Anatolië en van daaruit naar Azië en Arabië.

En daar stond hij. Zwalkend op zijn benen omdat hij weer had gedronken, probeerde hij de vertrektijden te lezen.

Ik liep naar hem toe. 'Kom terug.'

Hij keek me aan, met een mengelmoes van schrik en woede. 'Wie heeft je gestuurd? Die ouwe soms? Of die charlatan die zichzelf vlieger noemt?'

'Ik kwam uit mezelf.'

'En ze laten jou, een kind nog, helemaal alleen gaan in deze harde wereld?'

'Ik ben geen kind meer. Ik ben al zestien. Ik red me wel!'

'Dat doe je dan maar ergens anders!'

'Waar ligt Yorgo begraven?'

Hij hief zijn hand, wilde me slaan.

Ik bleef onverschrokken staan. 'Vertel op!'

Hij gromde. 'Je ziet eruit als een sloerie!'

'Wat zeg je?'

'Met al die make-up…'

'Dat is geen make-up, dat is henna.'

'Waarom doe je dat?'

'Om er leuk uit te zien.'

'Voor mij?'

Ik kon het niet ontkennen. Ik probeerde er 'vrouwelijk' uit te zien, zoals de slangenzussen Halide en Pınar zouden zeggen. 'Ja.'

Hij gniffelde. 'Je bent niet goed wijs.'

'Waar ligt Yorgo begraven?'

'Ik zei je toch: hou daarover op!'

'Waar? Vertel op!'

Hij wilde zijn rug naar me toe keren, maar plofte op een bankje neer. 'Konya...'

'Wat ben je van plan als je in Konya aankomt?'

Hij keek naar zijn handen, vervolgens naar zijn polsen. 'O, ik wil...'

'Je polsen doorsnijden?'

Hij begon te huilen. 'Je begrijpt het niet... Hij was mijn ziel... Twee baarmoeders, twee verschillende volken – het Griekse en het Abchazische volk – brachten samen één man voort. Eén lichaam en ziel... Dat was het wonder. Ik was hij en hij was ik... Samen waren we één... We vulden elkaar aan... Als wij de piste in gingen, kwam God naar ons kijken...'

Ik zat naast hem. 'Jij en Osman zouden ook...'

'Ach, hou toch op!'

'Waarom?'

'Zoals Nadolski heeft gezegd: we hebben geen leeuwen meer.'

'Wat bedoel je?'

'Dat de zon is ondergegaan. De leeuwen geven geen voorstellingen meer. Ze zijn vertrokken naar een andere planeet.'

'De zon komt wel weer op. Zoals altijd.'

'Je begrijpt het niet, hè? De leeuwen traden op omdat Yorgo en ik een perfect koppel waren. Ze deden ons na. Daar stelden ze een eer in. Toen liet ik hem vallen. Ze beseften dat wij niet perfect waren – dat lichaam en ziel niet compleet samenvielen. Ineens waren we gewoon een stel nutteloze mensen. Ze besloten toen ook maar nutteloos te worden. Niet als de koningen van het dierenrijk die ze dachten te zijn, maar als uit de kluiten gewassen huiskatten. Dus gingen ze ervandoor...'

'Ze kunnen terugkomen...'

'O ja? Hoe dan?'

'Dat weet ik niet. Dat moet je aan Babacık vragen. Ik weet zeker dat hij hen terug kan laten komen.'

'Je bent echt niet goed snik. En hij ook niet! Het zit zeker in jullie familie…'

'Geef het nog een kans… Wat heb je te verliezen?'

Hij stond aarzelend op. Toen begon hij te lachen.

'Waarom lach je?'

'Je bedoelt dat de dood wel kan wachten? Ik kan altijd morgen of overmorgen nog dood gaan. Dat hoeft niet per se vandaag.'

'Zoiets ja…'

Hij schudde zijn hoofd. 'Het kan altijd nog gekker…'

Ik wilde hem bij zijn hand pakken. 'Kom…'

Hij wilde niet worden aangeraakt en stak zijn handen in zijn zakken. Maar hij kwam wél achter me aan.

Toen we over de trappen het station uit liepen naar de steiger, zag ik Osman en Hatice. Ze probeerden zich te verbergen. Blijkbaar had Babacık Osman achter me aan gestuurd om te voorkomen dat mij iets overkwam. En Hatice was achter hem aan gelopen. Haar man beschermen was het doel van Hatices leven.

We stapten op de boot naar Karaköy. Nauwelijks zaten we of Adem viel in slaap.

Ik ving weer een glimp op van Osman en Hatice. Nu zag ik ook Hacı Turgut. Hij was met een groepje van zijn leerlingen, onder wie die leuke jongen, Rıfat, die een van onze vaste bezoekers is, omdat hij verzot is op de verhalen van Mahmut de Simurg. Waren zij daar allemaal om mij te beschermen?

Osman, zag ik, lachte en mimede felicitaties. Hatice keek zo somber als een grijze dag.

Adem weigerde bij iemand in te trekken. Hij wilde een eigen plek. Babacık gaf hem daarom een hoekje in de stallen. Dat stelde hij op prijs. In de stallen was zijn circusleven begonnen. Hij kon goed met paarden omgaan. Hij praatte er zelfs tegen. Ik hoorde hem verhalen vertellen over verre prairies waar paarden in het wild leefden omdat daar geen mensen konden komen.

En iedere avond zag ik hem tijdens de voorstelling in het donker staan, zo ver mogelijk van de Grote Tent vandaan; hij luisterde naar de opwinding van het publiek, nam de spanning, de opluchting en het applaus in zich op, terwijl act na act zijn climax bereikte. En op sommige avonden zag ik zijn ogen glanzen en wist ik dat hij huilde.

Wekenlang hield hij zich buiten de piste. Daar trainde Osman en hij wilde niet zien wat Osman zoal kon.

Osman was onvermoeibaar. Uren achter elkaar slingerde hij aan zijn trapeze, maakte hij draaibewegingen, schroeven en salto's. Elke week schoof hij zijn platform iets hoger naar de nok van de tent om zichzelf meer ruimte en tijd te geven in de lucht. Hij trainde voor de vierdubbele salto – 'de onmogelijke'. Dat was een obsessie voor hem geworden sinds hij had gehoord dat Adem en Yorgo er een gooi naar hadden gedaan. Hij geloofde dat hij het kon – mits hij en Adem gingen samenwerken en mits de nok van de tent hoog genoeg was om de salto's te kunnen maken.

Ook al was ik bang dat ik op de tweede plaats zou komen wanneer hij en Adem een team vormden, ik moest toegeven dat Osman absoluut geweldig was. Hij had de gratie en behendigheid van een valk in volle vlucht.

In die weken bracht Adem de meeste tijd door met Babacık. Ik zou hem in de gaten houden terwijl hij zich afzijdig probeerde te houden door karweitjes te zoeken in de stallen of te helpen bij de andere dieren en zelfs door de stad in te gaan. Maar al snel zou hij terugkrabbelen, bij ons komen zitten om te helpen met het schuren van de schaakstukken die Babacık uit hout had gesneden voor een souvenirwinkel die gespecialiseerd was in reproducties van Ottomaanse sets – nauwgezet werk omdat de stukken kleine beeldhouwwerken waren van Turkse soldaten, vestingtorens, grootviziers, sultans en sultana's.

Ik genoot van die momenten omdat ik er dan bij kon zitten, als ik tenminste niet met mijn kegels hoefde te trainen. Mama Meryem was er trouwens niet blij mee als ik dat deed. Ze had een hekel aan Adem gekregen. Ik had haar verschillende keren horen zeggen dat mensen die anderen met hun problemen opzadelen als lintwormen waren.

En ze was bang dat ik voor hem zou vallen. Het volgende heb ik ook van haar gehoord: 'De hersens van de vrouw zitten tussen haar benen! Voor iedere ram laten ze hun rok zakken!'

Ik, verliefd worden? En dan? Al op mijn zestiende? Nou, nee dus. Dwepen, misschien! Hooguit om het hart wat sneller te laten kloppen.

Gelukkig nam Babacık Mama Meryem niet serieus. En omdat ze nooit tegen zijn zin in ging, stond ze mijn aanwezigheid toe.

Na verloop van tijd begon Adem te praten over Yorgo. Vaak herhaalde hij zich. Dat Yorgo de beste vlieger aller tijden was. Dat ze samen één lichaam en ziel waren. Hoe ze waren bijgezet bij dat uitmuntende gezelschap van entertainers die helemaal terugvoerden tot het klassieke Egypte. Hoe ze de driedubbele salto hadden geperfectioneerd en werkten aan de drie en een halve, ja zelfs vierdubbele salto…

En op het eind van zijn treurige verhaal zei hij altijd: 'Waarom kon ik hem niet vangen, opa?'

Zo noemde hij Babacık – opa. (Zag hij iets aankomen waarvan ik geen weet had?)

En Babacık zei dan: 'Waarom sterven kinderen?'

De werkelijke betekenis van die vraag ontging Adem altijd. Dus begon hij nog meer te jammeren. 'Plat op de grond als een kapotte pop lag hij… Het bloed – zulk rood bloed had ik nog nooit gezien, opa – stroomde uit zijn mond…'

En Babacık probeerde hem te troosten. 'We zijn zwak. Maar we zijn ook nobel. We doen wat we moeten doen – en dat doen we met de borst vooruit, nooit door de rug te keren...'

Adem moest dan huilen. 'Waarom ik, opa? Waarom moest mij dit overkomen?'

Babacık keek hem dan streng aan. 'Waarom niet? Waarom zou dat jou bespaard zijn gebleven? Wat is er zo bijzonder aan jou?'

En bij deze woorden liep Adem weg. Ik wilde altijd achter hem aan lopen, maar hield me in. Ik tart niet graag het ongeruste hart van Mama Meryem, vooral niet als het zich zorgen maakt om mij.

'Ik ben een moordenaar', verklaarde Adem op zijn gebruikelijke mismoedige manier op een maandag, onze rustdag.

Dit irriteerde Mama Meryem mateloos. 'Wat een onzin zeg!'

We zaten te picknicken bij Çamlıca, het naaldbomenbos aan de Aziatische kant van de Bosporus, het stukje natuur dat het dichtst bij ons circus lag.

Adem hield zijn handen omhoog. 'Kijk, de handen van een moordenaar!'

'Ik ken moordenaars. Jij bent er geen.'

Mama Meryem zat te naaien, een nieuw pak voor Vahit, de koorddanser. Ze maakte de kostuums voor het hele gezelschap. Babacık sneed schaakstukken uit hout. Ze waren altijd bezig, zelfs tijdens een picknick.

Ik begon het eten te verdelen. 'Ik hoop maar dat iedereen honger heeft. Ik sterf.'

Adem legde zijn handen in zijn schoot en tuurde ernaar. 'Het erge is dat het zo makkelijk is... om iemand te vermoorden...'

Mama Meryem wierp snel een blik op Babacık alsof ze toestemming vroeg om er iets van te zeggen. Toen hij geen blijk gaf van afkeuring, barstte ze los. 'Hoor even. Ik ken moordenaars. Zo ik Kudret hebben ontmoet, onze Baba! Zoals met alles in wereld heb je twee soorten moordenaars: gekke en niet-gekke. De gekken moorden omdat ze hebben pijn of omdat zij vergiftigd zijn door gestoorde figuur; zij doden tot ze zelf kapot zijn. De niet-gekken vermoorden iemand wanneer beschermengelen even niet opletten; daarna, rest van hun leven zij proberen de wereld met goedheid te verbeteren. Baba is tweede soort. Jij geen.'

Adem keek me aan alsof ik dit niet had mogen horen. Ik keek vriendelijk naar hem terug en ging verder met het uitdelen van de lunch. Ik kende het verhaal – van Babacık mogen er geen geheimen in het gezin bestaan. Ook genoot ik van de uitbarsting van Mama Meryem. Haar accent was zo zwaar dat het leek alsof ze een van haar favoriete aria's zong.

Ontdaan vroeg Adem aan Babacık: 'Heb jij iemand vermoord, opa?'

Babacık ging donker kijken zoals altijd als hij aan de slechte perioden in zijn leven werd herinnerd. 'Ja.'

'Hoe is dat zo gekomen?'

Mama Meryem gaf het antwoord. 'Hij sloeg man! Eén klap!'

Ik stootte Adem aan. 'Je moet vragen waarom!'

'Waarom?'

'Hij was nog worstelaar. Zijn team spelen in Italië. In Triëst. Zijn baas deal gesloten met gokkers. Kudret moest verliezen. Maar Kudrets tegenstander waardeloos. Toen Kudret hem aanraakte, hij vallen. Dus gokkers achter Kudret aan. Met ijzeren staven. Kudret vechten tegen hen. Toen eentje dood, de anderen wegrennen. Maar eerst schieten op Kudret. Gelukkig kwam politie. Kudret meteen naar het ziekenhuis.'

Trots onderbrak ik haar. 'Hij had vijf wonden. Mama Meryem redde zijn leven. Ze was verpleegster.'

Mama Meryem giechelde. 'Ik bijna non. Verpleegster in

dienst van God. Maar toen ik Kudret zag, godsdienst niet meer belangrijk. Toen hij beter werd, ik besluiten bruid van Kudret te zijn, niet van Jezus. Geen zuster Maria. Maar Mama Meryem.'

'Maar werd hij niet van moord beschuldigd?'

'Natuurlijk. Maar was duidelijk zelfverdediging. Kreeg twee jaar.'

'Daar heeft hij dan geluk mee gehad.'

Ik onderbrak hem weer. 'Toch zou het nog zes jaar duren voordat ze gingen trouwen.'

'Waarom?'

Mama Meryem slaakte een zucht. 'Omdat ineens oorlog. Kudret naar werkkamp. Ik naar veldhospitaal. Toen Amerikanen mij gevangennemen. Na de oorlog Kudret en ik geen contact.'

'Maar Babacık vond haar weer.'

Babacık schudde zijn hoofd. 'Nee, de helderziende zigeunerin Fatma kon haar traceren. Ze stuurden me terug naar Turkije. Ik vond werk in een circus. Op een kermis vroeg ik Fatma om raad. Fatma vertelde me dat Meryem in een ziekenhuis in Genua werkte. Ik ging naar iemand die kon schrijven, liet hem een brief aan haar schrijven…'

Trots vertelde ik de clou. 'Binnen een maand was ze hier.'

Mama Meryem knikte sentimenteel. 'Tweeëntwintig dagen, vier uur en acht minuten.'

Adem was ontroerd. Zijn stem klonk ongelukkig en melancholisch. 'En toen leefden jullie nog lang en gelukkig…'

Babacık keek naar de schaakstukken die hij net had uitgesneden. 'Ja. En nee.'

'Hoezo "en nee"?'

'Omdat ik verder leefde met de angst dat ik het nog een keer zou doen.'

'Waarom zou je?'

'Als iemand aan Griet of aan mijn Meryem komt…'

207

Mama Meryem mompelde angstig. 'En ik bang – dat iemand Baba wil vermoorden...'

'Maar wie zou dat nou willen? Iedereen is dol op hem.'

'Maar zij hem ook beschermen?'

'Tegen wie?'

Mama Meryem keek Adem indringend aan. 'Tegen hemzelf – vooral.'

Adem wendde zijn blik af en keek naar mij. 'Waar ben jij bang voor?'

Ik lachte. 'Nergens voor. Ik ben niet bang.' Ik wees naar het eten. 'Lunch!'

Op een dag stond Babacık op het veld zijn worsteloefeningen te doen. Die deed hij nog elke dag. Ik ging altijd met hem mee. Dan deed ik mijn jongleeroefeningen.

Terwijl hij de verdedigingspositie innam waarbij de worstelaar zichzelf zodanig met zijn hoofd en benen klemzet – als een omgekeerde 'U' – dat zijn schouders de mat niet kunnen raken, kwam Adem eraan.

(Ik moet bekennen: sinds Adem er was, fantaseerde ik vaak dat hij mijn jongleervoorwerp was en dat ik hem de lucht in gooide en weer opving als hij in mijn handen kwam gevlogen!)

'Dat ziet er moeilijk uit, opa. Hoe doe je dat?'

'Dit is een brug. Een verdedigingspositie. Om te voorkomen dat je tegenstander je schouders neerdrukt.'

'Ziet er behoorlijk onverwoestbaar uit.'

'Ik heb betere gezien.'

Babacık deed bescheiden. Van Hacı Turgut hadden we gehoord dat niemand ooit de brug van Babacık had gebroken. Ook herinnerde ik me dat, toen ik jonger was, alle kinderen van het circusgezelschap op hem klommen en dat zijn brug geen moment wankelde.

'Ik heb gehoord dat je de beste was, opa.'

Babacık ging rechtop staan. 'Ik was oké.'

'Ben je blij dat je ermee bent opgehouden?'

'Wie houdt er nou graag mee op?'

'Ik.'

'En jij denkt dat ik dat geloof?'

'Eh…'

'Heb je ooit geworsteld, Adem?'

'Nee.'

Babacık stak zijn hand naar hem uit. 'Probeer het eens. Gebruik de spieren die je hebt gekregen. Begrijp wat het betekent…'

Adem weigerde de hand van Babacık aan te nemen. 'Wat wát betekent?'

'Worstelen.'

'Worstelen is worstelen…'

'Het is veel meer dan dat. Het is liefde – om het simpel te zeggen. We worstelen uit liefde. We kijken naar een man en zien dat hij mooi is, vanbinnen en vanbuiten. Hierdoor ontstaat respect, bewondering. We willen hem aanraken, van hem houden. Dus gaan we worstelen.'

Adem wierp beschaamd een blik op mij. 'Klinkt geweldig, opa. Maar uiteindelijk is het niet meer dan een spelletje, gaat het om winnen of verliezen.'

'Niet voor een worstelaar. Een spelletje, nooit! Het is eerder een viering. Je worstelt zo goed als je kunt. Je eert de schepping. Wie wint er bij het bedrijven van de liefde? Beide partners. En naar hun voorbeeld, iedereen.'

'Dat is de gekste regel die ik ooit gehoord heb!'

'Regels, die leer je binnen vijf minuten. Ik heb het over klassiek worstelen. Over waarom een man een eerlijk gevecht aangaat, waarom hij zijn tegenstander ziet als zijn gelijke.'

'En haat? Wat gebeurt er als je je partner haat – ik bedoel je tegenstander?'

'Voor haat is geen ruimte. Dat is meer voor mannen die op de vuist gaan, huichelaars, bedriegers. Niet voor ons.'

'Voor ons?'

'Toen jij met Yorgo je magische luchtvoorstellingen deed, hoe voelde dat?'

'Dat weet ik niet meer, opa...'

'Ik wel. Ik heb jullie gezien. Eenheid. Eenvoud. Gratie. Een perfecte eenheid.'

'Misschien heb je gelijk. Ik bedoel, vaak was het inderdaad alsof we tegelijk ademden... Bijvoorbeeld als we de driedub-bele deden... Als hij bij de laatste zwaai zijn trapeze losliet – zo hoog dat hij de nok van de tent bijna kon raken – dan voelde ik dat hij zijn adem inhield, net als ik. En als hij de salto's deed, als ik naar hem toe schommelde, hielden we onze adem in. En dan viel hij als een veertje in mijn handen. Je hoorde hoe onze handen in elkaar grepen – klak! Een perfecte greep. Zo strak als maar zijn kan. En daarna ademden we uit, tegelijk, alsof we dezelfde longen hadden...'

'Dat is precies wat ik probeer te zeggen, Adem. Waar vlees met liefde ander vlees raakt, daar is schoonheid. Daar is een-heid.'

Adem glimlachte.

Babacık stak zijn hand weer uit. 'Kom. Laten we een partijtje worstelen...'

Weer bedankte Adem daarvoor. 'Een andere keer, opa...'

Toen liep hij weg.

Een paar weken later durfde Adem eindelijk de Grote Tent in te gaan.

Babacık beschouwde dat als een teken dat Adem zich beter voelde. Hij ging zelf ook de Grote Tent in.

Mama Meryem en ik volgden hem.

We zagen Adem naar Osman kijken aan de trapeze.

Osman, die duidelijk door onze aanwezigheid werd geïnspi-reerd, presteerde schitterend.

Ik zag dat Hatice ongemakkelijk naar Adem bleef kijken.

Net als Mama Meryem, die bang was dat Adem mijn hoofd op hol zou brengen, vreesde Hatice dat ook Osman door Adem zou worden betoverd. Mama Meryem had Hatice moeten zeggen, wat ze iedere vrouw zei die haar om advies vroeg, dat ze, vooropgesteld dat ze tussen haar benen een thuis voor Osman had gemaakt, zich nergens druk om hoefde te maken.

Osman was klaar met zijn oefeningen en klom naar beneden. Hij stapte meteen op Adem af. 'Was ik goed?'

Adem knikte beleefd. 'Ja.'

'Zullen we het eens proberen...'

Adem schudde nors zijn hoofd. 'Nee.' Toen werd zijn toon zachter. 'Sorry...'

Osman probeerde zijn teleurstelling te verbergen. 'Een andere keer...'

Hatice, die met een handdoek het zweet van Osman afveegde, trok hem weg. 'Kom, straks vat je kou...'

Mama Meryem, die van deze wending gebruikmaakte, duwde me vooruit. 'We gaan. Er gebeurt hier verder niks vandaag.'

Ik liep met haar mee naar buiten, en nadat ik haar had verteld dat ik beloofd had mee te helpen in de stallen, glipte ik weer naar binnen.

Babacık en Adem zaten op hun hurken in de piste te praten. Ik hield me schuil in het donker en luisterde.

Babacık vroeg van man tot man: 'Vind je hem goed, Osman?'

Adem knikte onwillig. 'Redelijk.'

'Net zo goed als Yorgo?'

'Nee!'

'Kan hij dat worden?'

Adem knikte weer afwijzend. 'Misschien...'

'Laten we hopen dat hij niet aan de opium begint...'

Adem werd witheet. 'Wat wil je daarmee zeggen...?'

211

'Lijkt me niet goed voor een vlieger – opium…'

'Is dat wat ze zeggen? Dat Yorgo verslaafd was?'

'Was hij dat?'

'Hij rookte af en toe wat. We gunnen onszelf allemaal wel eens een pretje!'

'Ik niet. Meryem en Griet ook niet. Ik heb het jou nooit zien gebruiken…'

'En wat dan nog? Het kan geen kwaad als je het soms neemt…'

'Waarom?'

'Waarom wat?'

'Waarom rookte hij – af en toe?'

'Om te ontspannen. Om aan zichzelf te ontsnappen.'

'Was hij niet gelukkig met zichzelf?'

'Natuurlijk wel. Net als iedereen.'

'De meeste mensen zijn dat niet.'

Adem lachte nerveus. 'Soms was hij depressief, en wat dan nog? Dat is toch normaal.'

'Waarom was hij depressief?'

'Hoe kan ik dat nou weten? Mensen raken in een depressie! Ze kunnen zomaar ergens door overstuur raken!'

'Heeft hij jou nooit verteld waar hij zo van overstuur was?'

'Nee.'

'De avond dat hij viel, had hij toen gerookt?'

'Je mag niet roken als je nog aan de trapeze moet hangen!' antwoordde Adem laatdunkend.

'En hoe waren zijn prestaties?'

'Opa, ik weet niet waar je op doelt, maar…'

'Was hij depressief – vóór de voorstelling?'

'Wie zal het zeggen…'

'Heb je enig idee waarom hij depressief was?'

Adem protesteerde. 'Ik zei niet dat hij depressief was!' Hij staarde moe naar zijn handen. 'Als hij dat was, zou ik niet weten waarom! Ik wist niet wat er in hem omging!'

'Maar jullie waren zo hecht…'

'Toch…'

Babacık schudde zijn hoofd. 'Volgens mij weet je wél waarom hij depressief was.'

'Ik zeg het je, ik weet het niet!'

'Je ogen zeggen me dat je het wél weet.'

'Mijn ogen, mijn reet!'

'Ze zeggen dat er een gewicht om je nek hangt, en dat je zinkt…'

Adem jammerde. 'Opa!'

'Praat erover. Gooi die last van je af. Bevrijd je ervan.'

Adem zuchtte diep. 'Het ging nergens over. Stom, eigenlijk! We hadden ruzie…'

'Waarover?'

'Over iets wat hij had gedaan, wat ik niet leuk vond… Ik zei je toch, het was een kleinigheid…'

'Een kleinigheid waarvoor hij wilde sterven?'

'Hij wilde niet dood! Ik heb hem laten vallen!'

'Met opzet?'

'Nee!' Adem begon te sidderen. 'Denk je dat soms? Dat ik hem heb vermoord?'

'Nee. Dat is jouw angst. Ik weet, iedereen weet, dat hij viel omdat hij zijn sprong niet goed had getimed.'

'Dat is niet waar. Daar was hij te goed voor!'

Babacık knikte nadenkend. 'Wat had hij met je gedaan wat je niet leuk vond?'

'Ik zei toch – helemaal niks… Hij…'

'Wat?'

'Hij – bleef… naar me kijken…'

'Hoezo?'

'Als ik sliep… We woonden in dezelfde woonwagen…'

'Natuurlijk…'

'En ook…'

'Ja…'

'Ook streelde hij me, alsof ik een kind was...'

'Nou en... Wilde je liever gestreeld worden als een volwassene?'

'Ja! Nee! Ik wilde helemaal niet door hem worden aangeraakt!'

'Heb je hem dat gezegd?'

'Ja...'

'Je moet hem daarmee gekwetst hebben... De man die zijn adem met hem deelde en niet wilde worden aangeraakt...'

'Ja, ja, dus heb ik hem gekwetst...' Hij sprong op. 'Sorry, opa. Ik kan hier niet over te praten...'

Hij liep naar buiten.

Adem stond op het punt weer weg te lopen. En we wisten – zelfs ik wist dat – dat we hem deze keer niet zouden kunnen vinden.

Maar Babacık was niet iemand die een gesprek onbeslist liet. Hij holde de Grote Tent uit en hield Adem tegen, die de weinige kleren die hij sinds zijn verblijf had verzameld, uit onze tent bij elkaar had gegraaid.

'Voordat je gaat, Adem...' Het was voor het eerst dat ik Babacık hoorde schreeuwen. Zijn stem had zo veel kracht dat hij klonk als een van Mama Meryems formidabele profeten. 'Ik heb het al een keer met je over lijfelijk contact gehad. Ik zal het voor je herhalen!'

Adem stopte alsof hij door een onzichtbaar harnas werd tegengehouden.

Het hele gezelschap haastte zich naar buiten, zich afvragend wat er aan de hand was.

Babacık stak zijn handen in de lucht alsof hij ging bidden. 'Kijk! Onze handen! Die heeft Allah gemaakt om drie redenen.' Hij vouwde zijn handen open. 'Ten eerste: om handpalm te zijn – om te voelen, strelen, creëren, lief te hebben.' Toen sloeg hij ze ineen. 'Ten tweede: om een vuist te maken – om toe te slaan, pijn te doen, te vernietigen, te doden!' Toen stak hij ze in zijn zakken. 'Ten derde: om ze te verbergen – om te vluchten, niets te doen.'

Adem smeekte. 'Laat me gaan, opa!'

Babacık keek hem weer aan. 'Al het goede in deze wereld komt voort uit het voelen, als handen palmen zijn. Al het slechte komt voort uit een gebrek aan gevoel, als palmen vuisten zijn geworden. We moeten tasten alsof we moeders zijn die borstvoeding geven, met een glimlach en een zucht, en met dank aan Allah voor de tastzin.'

Adem raakte weer geïrriteerd. 'Opa, laat me alsjeblieft gaan!'

Babacık ging nog dichter bij hem staan. 'Als mannen en vrouwen elke dag in elkaar verstrengeld liggen, zijn ze zielsgelukkig. Als mensen zoals jij en ik met onze handen in elkaar grijpen, zijn we zielsgelukkig. Alle mensen die zoons en dochters aan hun borst koesteren, zijn zielsgelukkig. Omdat de aanraking liefde voortbrengt. De aanraking doet mannen en vrouwen als dolfijnen springen. Doet ons mannen het wonder van ons lichaam beseffen, de gratie van onze opbollende spieren bewonderen, de eerlijke manier waarop we onze krachten delen. Doet ons de wil van Allah uitvoeren!'

Adem schreeuwde. 'En als die aanraking niet helemaal oprecht is?'

Babacık bulderde. 'Als je met liefde wordt aangeraakt, is dat altijd oprecht!'

Adem loeide terug. 'Je begrijpt het niet!'

Babacık schreeuwde nog harder. 'Ik begrijp het maar al te goed!'

Woedend probeerde Adem Babacık een stomp te geven.

Babacık pakte Adems vuist vast en hield die in zijn palm.

Voor wat een eeuwigheid leek stonden ze elkaars krachten te meten, terwijl ze elkaar recht in de ogen aankeken.

Toen ontspande Adem zijn vuist, trok hij zijn hand uit de greep van Babacık en ging hij weg.

Deze keer hield Babacık hem niet tegen.

Zowel Osman als ik schoot naar voren om hem tegen te houden.

Babacık weerhield ons daarvan. 'Laat hem gaan. Als hij je waard is, komt hij wel terug.'

Weken later kwam hij terug, toen Osman en ik – in tegenstelling tot Babacık – de hoop al hadden opgegeven.

Ik had verwacht dat hij er zwak en verlopen uit zou zien van alle drank en misschien ook van de opium, net als Yorgo. Maar hij leek wel een filmster, een Errol Flynn die Engeland had gered voor Richard Leeuwenhart.

Per taxi kwam hij aan. Toen hij uitstapte liep hij straal voorbij de leden van het gezelschap die hem verwelkomden. Terwijl hij zuinige knikjes gaf, één naar Babacık en Mama Meryem en één naar mij, liep hij meteen door naar de Grote Tent, een grote koffer achter zich aan slepend.

Osman was zoals gewoonlijk aan het trainen. Toen hij Adem zag klom hij naar beneden om hem te begroeten. Ook hij kreeg een stuurs knikje.

Adem trok zijn jas, overhemd en broek uit. Daaronder droeg hij het witte vest en het maillot van de trapezewerker.

Inmiddels wist het hele gezelschap van zijn komst en had men zich in de Grote Tent verzameld. Terwijl ze rondom de piste gingen zitten, maakten ze vrolijke geluiden, als dieren die op hun eten afkomen.

Adem maakte de koffer open en haalde er zijn uitrusting uit. In de vangershoek monteerde hij zijn materiaal.

Ik vergaapte me aan zijn torso. Zelfs Babacık had niet zulke sterke schouders.

Babacık zag mijn verbazing. 'Hij begint in vorm te komen.'

'Hij ziet er heel sterk uit.'

'Dat is hij ook. Als een vlieger zich in de handen van de vanger stort, zweeft hij als een meteoor – op topsnelheid. Dat maakt hem veel zwaarder dan zijn gewicht. Als je niet sterk genoeg bent om zo'n val te stoppen, ruk je je schouders uit de kom of glij je van je stang af.'

Zijn trapeze was nu vastgemaakt, Adem zat op de stang. Hij begon te schommelen, eerst langzaam, daarna met steeds meer vaart. Als hij zijn kostuum niet aan had gehad, had hij op een groot kind in de speeltuin geleken.

Babacık leek tevreden. 'Een wijs man...'

'Hoezo?'

'Hij komt terug vanuit de diepten – misschien wel van de rand van het leven. Hij kruipt langzaam omhoog, probeert zijn hoofd erbij te houden.'

Adem leek wel uren te schommelen. Sommige leden van ons gezelschap vroegen of hij iets van zijn kunnen kon laten zien.

Hij sloeg geen acht op hen.

Babacık joeg ons naar buiten. 'Hij is er nog niet aan toe. Laat hem maar!'

Daarna ging Adem elke dag de Grote Tent in. Week in week uit zat hij op zijn trapeze en werkte hij aan zijn zwaaibeweging. Daarna oefende hij die in de positie van vanger, ondersteboven hangend aan de balk die hij met de binnenholten van zijn knieën omklemde.

Babacık liet hem zijn gang gaan.

Soms stelde Osman voor om samen te trainen. Adem weigerde dat – omzichtig, om hem niet te beledigen.

Wél mocht ik naar hem blijven kijken.

Wat ik ook deed. Ik verslond Adem – elk deel van hem – met mijn ogen en koesterde de vochtige warmte in mijn kruis. Ik kreeg zelfs visioenen van het moederschap.

Adem deed alsof hij mij niet zag. Ik wist dat hij deed alsof, want telkens als ik de piste verliet – om te plassen of mijn verband om te wisselen als ik ongesteld was of om, als er buiten commotie was ontstaan, te kijken wat er aan de hand was – zag hij me weggaan. En vaak trof ik hem, als ik terugkwam, onder aan de trapeze aan, waar hij zich zogenaamd stond af te drogen, maar stiekem naar mij zocht.

Op een dag was Mama Meryem me voor. Adem was van zijn trapeze geklommen en ze stond met hem te praten.

Ik verborg me zodat ik hen kon afluisteren.

Mama Meryem had haar katholieke stem opgezet, zoals Babacık die noemt. 'Heb jij andere vrouwen gekend, Adem?'

Adem voelde zich betrapt. 'Een paar...'

'En toen? Jij liefde bedrijven en verdwijnen?'

'Nee... Het was... in een bordeel...'

'Aha... Ooit van iemand gehouden?'

'Waarom vraagt u dat?'

'Nee dus. Nooit eerder. Geen type voor de liefde.'

Adem schoot in de verdediging. 'Ik heb wél liefgehad.'

'En wat is er met haar gebeurd?'

'Hij stierf.'

Mama Meryem stond met haar mond vol tanden. 'Dus jij zeggen jij niet van vrouwen houden?'

'Dat zeg ik niet...'

'Maar wat dan?'

'Dat ik kan liefhebben.'

'En hoe zit dat met mijn dochter?'

'Ik heb haar nog met geen vinger aangeraakt.'

'Weet ik. Anders ik dat gezien aan haar manier van lopen.'

'Waarom vraagt u het dan?'

'Luister, ik geen moslim. En ook niet meer katholiek. Als moeder wil ik Griet gelukkig zien. Ik geef geen kamelendrol om maagdenvlies. Mijn dochter zal vroeg of laat vlies breken. Hoe eerder hoe beter, zeg ik. Leven van vrouw begint pas als haar benen geopend zijn. Maar hóé Griet ontmaagd wordt, dat zorgelijk zijn! Is dat pats-boem op en neer. Of overal *koesjes* geven?'

'Maakt u zich daar maar geen zorgen over.'

Mama Meryem glimlachte geforceerd. 'Als jij niet van haar kunnen houden... Haar dan met rust laten... Alsjeblieft...'

Toen vroeg Adem op 10 juni – wat toevallig ook zijn verjaardag was – of Babacık, Mama Meryem, Osman, Hatice en ik hem in de Grote Tent wilden komen opzoeken.

Hij stond bij zijn trapeze. Hij had zijn vest en maillot gewassen en gestreken als voor een voorstelling en leek te gloeien. Ik moest denken aan Mahmut de Simurgs beschrijving van de Eeuwigheid, de Goede Onsterfelijke die de godheid Ahura Mazda had gebakken uit roodbruine Samarkandklei.

Hij had het vangnet gespannen. 'Vandaag word ik vijfentwintig. Ik wil een nieuw leven beginnen.'

Babacık haalde Adems haren door de war. 'Beste kerel!'

Adem legde zijn arm om Osmans schouder. 'Kan ik nog steeds je partner worden?'

Osman straalde. 'Maar natuurlijk!'

'Laten we het eens proberen. Eerst een paar keer vangen. Daarna misschien enkele eenvoudige draaibewegingen. Ik geef het signaal, met een handklap. Oké?'

'Perfect!' Osman rende naar zijn touwladder aan de vliegerskant van de piste en klom in zijn trapeze.

Adem klom in de zijne.

We gingen zitten.

Ik was opgewonden, maar ook zenuwachtig. Babacık zag het met vertrouwen tegemoet. Mama Meryem keek neutraal. Hatice klapperde met haar tanden.

Adem en Osman begonnen te schommelen. Toen ze op snelheid waren gekomen, namen ze hun posities in: Adem hing ondersteboven, armen en handen losjes naar beneden, klaar om te vangen; Osman hing aan de trapeze als een turner aan de rekstok.

Minuten leken er voorbij te gaan. We konden onze ogen

sluiten, maar dan nog zouden we door het gesuis van hun bewegingen kunnen horen dat ze volstrekt harmonieus aan het schommelen waren.

Maar Adem gaf geen signaal. We zagen hoe hij in zijn handen wreef, op die manier moed verzamelde.

We werden nerveus, bang.

Hatice sloeg haar ogen neer en prevelde een schietgebedje.

Uiteindelijk klapte Adem in zijn handen.

We hielden onze adem in.

Osman liet zijn trapeze los op het moment dat Adem naar hem toe zwaaide.

Hij zweefde perfect naar Adems handen.

Adem ving hem. En hield hem vast.

We applaudisseerden terwijl zij door de lucht zweefden.

Babacık maande ons tot stilte. 'Sssst!'

We keken weer naar boven.

Een verschrikkelijke grimas verwrong Adems gezicht. Osman glipte uit zijn handen.

Het lukte Adem Osman vast te houden totdat ze boven het midden van het vangnet hingen. Toen liet hij hem vallen. Even later stond hij rechtop op het kleine platform, bond zijn trapeze vast en klom naar beneden.

Osman rende op hem af. 'Adem, dat was perfect!'

Adem liep langs hem heen. 'Sorry, ik kan het niet!' Hij stapte af op Babacık. 'Ik heb het geprobeerd, opa! Je zag hoe ik mijn best deed! Ik dacht werkelijk dat ik het kon. Maar ik kan het niet!'

Babacık drukte hem tegen zijn borst aan. 'Je moet het nog een keer proberen, jongen. Probeer het nog eens.'

Adem kuste Babacıks handen. 'Nee!' Toen maakte hij zich los en rende naar buiten.

Babacık schreeuwde naar Osman. 'Haal het vangnet weg! Onmiddellijk!' Hij keerde zich naar mij. 'Griet, hou hem tegen voordat hij is verdwenen. Zeg dat ik zijn hulp nodig heb! Vertel hem dat het een zaak van leven en dood is. Mijn leven en dood!'

Ik rende naar buiten, zo geschrokken dat ik op mijn benen trilde.

Ik hoorde Mama Meryem jammeren. 'Baba, wat doe je nu? Waar jij mee bezig zijn?'

Ik haalde Adem bij de poort in. Osman kwam er even later ook aan. Adem wilde niet geloven dat Babacık zijn hulp nodig had. Of dat het ging om een kwestie van leven en dood. Niet voordat Mama Meryem en Hatice schreeuwend naar buiten kwamen en iedereen erbij riepen om Babacık te redden.

We renden terug naar de Grote Tent.

Babacık had Osmans trapeze in de hoogste stand gehangen en hing er nu aan te zwaaien.

Het vangnet was weggehaald. Hij zou meer dan twintig meter vallen. Hij zou de val niet overleven.

Een paar mensen van het gezelschap kwamen toegesneld om het vangnet op te trekken, maar Babacık verbood dat. Als ze niet deden wat hij zei, had hij gedreigd, zou hij zich meteen laten vallen – met zijn kop naar beneden.

Adem klom op de touwladder tot aan de hoogte van Babacık. 'Opa! Wat ben je nou aan het doen!'

'Ik wacht. Op jou.'

'Op mij?'

'Om me te vangen.'

Adem brulde. 'Opa, ik kan niet vangen! Dat heb je met je eigen ogen gezien, ik kan het niet!'

'Je hebt Osman prachtig gevangen.'

'Ik kon hem niet vasthouden!'

'Natuurlijk kon je dat wel. Maar ergens wilde je niet.'

'Wat?'

'Angst.'

'Dat kan zijn – ik was inderdaad bang dat ik Osman zou laten vallen!'

'En Yorgo? Was je ook bang van hem?'

'Nee! Ik weet het niet! Ik liet hem vallen omdat…'

'Je liet hem niet vallen. Hij maakte een verkeerde schatting…'

'Nee, opa, nee! Hij… Hij…'

'Tenzij je bedoelt dat jij hem liet vallen omdat hij je had aangeraakt…'

'Nee!'

'Hij hield van je.'

'Opa! Alsjeblieft!'

'Ik hou ook van je. Net als Griet! En Osman! En Mama Meryem en Hatice! Iedereen! Dus nu moet je bang zijn van ons allemaal!'

'Nee! Donder op allemaal. Jullie kunnen me niks schelen!'

'Dat zullen we nog eens zien!'

Vanuit de piste jankte Mama Meryem. 'Baba, ik hou niet van hem! Niemand van hem houden. Je kunt niet van hem houden. Hij bang voor de liefde! Hij vluchten voor de liefde! Ik smeek jou, alsjeblief, doe niet wat je wilt doen!'

'Ik doe helemaal niks, mijn lieve Meryem. Ik hang hier alleen maar. Totdat Adem mij vangt.'

Mama Meryem schreeuwde. 'Kudret! Alsjeblieft!'

Ook ik begon te schreeuwen. 'Alsjeblieft, Babacık!'

Iedereen begon hem nu te smeken.

Babacık bulderde. 'Stilte! Iedereen, stil!'

Adem kreeg tranen in zijn ogen. 'Opa, ik kan niet vangen. Waarom begrijpt u dat niet?'

'Ik ben behoorlijk sterk, Adem. Ik kan hier wel tien of twintig minuten, een halfuur blijven hangen. Misschien wel een uur. Maar dan val ik. Eens zul je me moeten vangen.'

'Waarom doet u dit, opa! Wat wilt u van me?'

'Je angst overwinnen. Voor handen. Voor het hart. Ik wil dat jij je bestemming bereikt. Dat jij de grote vanger wordt die je bent.'

'Waarom?'

'Voor jou. Voor Griet. Voor Osman. Voor mij. Voor Meryem. Voor iedereen. Of nergens voor! Moet voor jou alles een reden hebben?

Adem keek wanhopig uit zijn ogen. 'Opa, ik ben het niet waard!'

Mama Meryem rende naar zijn touwladder en begon eraan te schudden. 'Doe het! Doe het! Vang hem! Waar op wachten? Tot hij te pletter vallen? Wil jij enige engel op aarde vermoorden?'

'Nee, Mama Mer…'

'Red hem! Voordat hij vallen!'

Osman schreeuwde naar hem. 'Schiet op, man. Je kunt het…'

Tranen stroomden over Adems wangen. Ik kon zien: nog even, en hij zou wegvluchten.

Ik klom de touwladder op naar zijn platform. Ik pakte zijn handen, kuste ze. En toen – ook al waren mijn ouders erbij – trok ik zijn handen naar mijn borsten. Ik fluisterde. 'Je hebt prachtige handen. Handen bestemd om te vangen. Handen die de hemel omvatten.'

Hij probeerde zijn handen terug te trekken.

Maar ik liet ze niet gaan. Ik hield ze vast, drukte ze tegen mijn borsten aan. 'Handen bestemd om te strelen…'

Voor het eerst zag Adem me als een mens en niet als een attribuut van het circus. En ik kon zien aan de manier waarop hij ademde, zuchtte, de manier waarop zijn ogen alle kanten op gingen, dat hij met zichzelf in strijd was. Hij moest vechten om niet weg te vluchten.

Ik drukte zijn handen nog steviger tegen mijn borsten aan, deze keer om hem duidelijk te maken dat ik een vrouw was en geen meisje meer, dat als hij Babacık zou redden, hij alles zou krijgen, inclusief mij. Ik fluisterde weer. 'Vang hem. Je hebt zulke prachtige handen! Vang hem! Je kunt het!'

Zijn ogen sprankelden alsof hij mijn gedachten had gelezen. 'En als ik het niet kan?'

Toen schreeuwde ik tegen hem zo hard ik maar kon: 'Dan val je met hem neer! En sterf je met hem!'

Plotseling ontspande hij zich. Hij glimlachte. 'Ja. Dat kan ik altijd doen.'

Hij kuste mijn hand – teder – maakte zich los uit mijn greep en klauterde de touwladder af. 'Goed dan, opa! Ik kom eraan! Doe precies wat ik zeg!'

Babacık glimlachte. 'Natuurlijk.'

Adem klom via de andere touwladder naar de balk van de vanger.

We keken in stilte toe. Allah mag weten hoe we rechtop konden blijven staan.

Adem ging op zijn trapeze zitten. 'Alles oké, opa?'

'Ja.'

'Nou, je begint te schommelen. Steeds hoger. Je moet een punt bereiken, bijna helemaal boven me, en dan laat je los. Begrepen?'

'Natuurlijk. Ik heb genoeg trapezeacts gezien in mijn leven.'

'Goed. Dan kunnen we beginnen'

Babacık begon te schommelen.

Ook Adem begon te schommelen. Toen hij vaart begon te krijgen, nam hij de positie in van de vanger. 'Blijven schommelen, opa.'

Terwijl we toekeken bonsde ons hart in onze keel.

Babacık schommelde steeds hoger de lucht in.

Adem liet zijn armen losjes hangen, wreef in zijn handen. 'Opa, als ik in mijn handen klap, laat je los. Pas als ik klap. Geen seconde daarvoor of daarna. Begrepen?'

'Oké.'

Babacık en Adem schommelden naar elkaar toe.

Ze leken wel een eeuwigheid te schommelen.

Iedereen hield zijn adem in.

Adem klapte in zijn handen.

Babacık liet zich vallen.

Mama Meryem begroef haar gezicht in mijn boezem.

Babacık suisde neer. Zijn val leek eindeloos te duren.

Toen klonk er een geluid, een donderslag, door de piste.

Ik kon nog net door mijn tranen zien dat Babacık aan Adem hing. Stevig – o, zo stevig – door zijn handen vastgehouden.

Er klonk een luide schreeuw door de piste.

Mama Meryem viel op haar knieën, lachte en huilde en dankte de Maagd Maria.

Osman greep Hatice en begon met haar te dansen.

En Adem en Babacık schreeuwden zó hard dat ze de goden wakker konden maken.

Ik was de eerste die bij zinnen kwam. 'Span het vangnet! Laat ze naar beneden komen!'

In een oogwenk hadden Osman en een paar mannen het vangnet gespannen.

Adem liet Babacık in het net vallen; daarna plofte hijzelf met een salto neer.

Babacık stond wankelend op het deinende net en trok Adem tegen zijn borst aan. Terwijl ze elkaar omhelsden, verloren ze hun evenwicht. Ze lagen in elkaar verstrengeld, het leek alsof ze aan het worstelen waren.

Adem en Osman vormen nu een team. Ze noemen zich De Twee Pauwen – een suggestie van Mahmut de Simurg. Dat is het Arabische symbool van de Tweeling in de dierenriem.

Ze brengen de meeste tijd samen door met trainen, praten, plannen maken en dagdromen. Binnen een paar weken konden ze de dubbele en twee en een halve salto maken. Nu werken ze aan de driedubbele – tijdens de repetities hebben ze die al een paar keer uitgevoerd. Ze zijn ervan overtuigd dat ze binnenkort zullen werken aan de drie en een halve en inderdaad de vierdubbele salto. Ik heb Adem zelfs tegen Babacık horen zeggen dat Osman en hij de vijf- of zelfs zesdubbele salto konden maken als de nok van de tent maar hoog genoeg was, zoals Archimedes de aarde zou kunnen bewegen als zijn stok maar lang genoeg was.

Als ik ze soms zie trainen, als ik zie hoe perfect hun handen in elkaar grijpen, hoe liefdevol ze hun armen om elkaar heen slaan, word ik jaloers. Hierin ben ik net als Hatice geworden. Maar wat kan ik ertegen doen? Zodra ik zeventien ben geworden, zal ik Adems vrouw zijn.

Ik weet dat Adem en Osman meer van elkaar houden dan van ons, hun vrouwen. Maar Osman slaapt tenminste met Hatice en Adem met mij. En Babacık zegt dat niets in deze wereld zo dicht bij het paradijs komt als een man en vrouw die samen in één bed liggen. En telkens als hij dat zegt, glimlacht Mama Meryem veelbetekenend.

Tussen twee haakjes, ik heb inmiddels een eigen naam. Die heb ik zelf gekozen, zoals ik me had voorgenomen. Het is Havva geworden. De naam van de eerste vrouw. Adem, die naar de eerste man is genoemd, vindt het een goede keuze. Osman vindt het ook een mooie naam, maar misschien een beetje overmoedig. Dat vind ik niet erg. De naam geeft mij recht op Adem. Het werd tijd dat wij vrouwen ook ons zegje deden.

8: Mustafa

Rozenblaadjesjam

Onze beminde…

Ze gaf ons een voorproefje van de zevende hemel. En omdat zo'n voorproefje even zeldzaam is als de mythische Ankavogel, zegt het verstand dat je er je hele leven mee moet doen. Maar het verstand is machteloos onder de navel. En een voorproefje is nooit genoeg wanneer de honger niet te stillen is.

Liefdesgodin voor jongens van dertien…

Ze heeft nooit gezegd hoe ze heette. Toen ze was verdwenen, deden we navraag. In het begin heimelijk, ieder voor zich. Later, nadat we ontdekt hadden dat we allemaal geliefden van haar waren geweest, gezamenlijk. We ontdekten dat ze Suna Azade heette.

Suna…

Ze huurde tijdelijk een kamer in Bebek. Ze was daar alleen maar in de weekends. Volgens de nummerplaten van haar auto woonde ze in Edirne, wat vroeger Adrianopel was. Dat stelde ons teleur. Wat deed een godin als zij in zo'n saaie stad? (Als snobistische inwoners van Istanbul keken wij neer op Edirne; toch was dat vroeger vóór de verovering van Istanbul de Ottomaanse hoofdstad geweest en heeft de stad een rijk erfgoed.) De Griek Takis, die beweerde dat hij de Balkan goed kende, meende dat Suna een spionne was die Turkije tegen het communisme moest beschermen; haar missie bestond eruit de naburige landen te infiltreren – vaak riskeerde ze haar leven wanneer ze over gevaarlijke grenzen sloop – en hoge politici en generaals te verleiden, als een moderne Catherina de Grote. Een belachelijke theorie, ongetwijfeld. Toch werden we er suïcidaal van.

Onze mooie dame...

Ik had zelf een naam voor haar bedacht: 'rozenblaadjesjam'. Toen ze had gehoord dat dit mijn favoriete jam was, had ze me deze lekkernij prompt aangeboden, uitgesmeerd over haar glad geschoren vagina. De honingzoete smaak vermengd met haar overheerlijke liefdesdauw was en is een van de grootste verrassingen die het leven me heeft geschonken en zal dat altijd blijven. Zou iemand van de andere jongens dezelfde traktatie hebben gekregen? Ik weet het niet. Ik ga er liever van uit dat niemand in de slaapzaal zo dol op rozenblaadjesjam was als ik.

De beminde van de hele slaapzaal...

Toen jaren later haar gerotzooi met ons tot de mythen van de school was gaan behoren, kreeg ze de bijnaam Aphrocirce. Die naam was perfect gekozen: verlossing in de ene borst, verdoemenis in de andere.

Maar we hadden het kunnen weten. Zoals de verhalenverteller Mahmut de Simurg zegt, wanneer goden en godinnen onze wereld bezoeken, schroeien zij met hun aura de aarde. En hoewel ons aller beminde, onze Suna, onze mooie dame, onze belladonna, ons inderdaad verlossing bracht, moet daar meteen aan worden toegevoegd dat ze tevens ons belangrijkste wapenfeit kapot had gemaakt: de perfecte samenleving die onze slaapzaal was.

Onze slaapzaal...

Het toonbeeld van 'turksheid' zoals geschapen door onze leraar Âşık Ahmet...

Onze slaapzaal werd de 'Gelibolu'-zaal genoemd. Deze naam impliceerde dat de bewoners ervan hetzelfde karakter hadden als Atatürks troepen in Gallipoli. Dit was niet door onszelf maar door rivaliserende slaapzalen bedacht.

We verdienden die bijnaam. Hoewel onze groep relatief klein en jong was, waren we in de twee jaar dat we samen waren niet één keer verslagen in een slaapzaalgevecht. Deze prestatie is nog steeds ongeëvenaard op het college. Gezien het feit dat er in die tijd gewoonlijk jongens van verschillende leeftijden op één zaal sliepen – zelfs jongemannen van boven de twintig die uit het Anatolische achterland kwamen – en op onze zaal volgens de traditie alleen maar jongens van veertien en vijftien lagen, zal dat record waarschijnlijk niet worden verbroken.

Achteraf gezien durf ik zonder aarzeling te zeggen dat de kwaliteit die ons zo onverslaanbaar maakte, onze multi-etnische samenstelling was. In feite vertegenwoordigde onze groep van vierentwintig jongens het hele spectrum van de Turkse demografische cocktail: Abchazen, Albanezen, alevieten, Armeniërs, Azerbeidzjanen, Bosniërs, Circassiërs, dönme, Georgiërs, Griekse katholieken, Grieks-orthodoxen, joden, karaitische joden, Koerden, Lazen, Levantijnen, nusairiërs, Arabieren, Pomaken, inwoners van Pontos, Russen (Wit-Russen, zoals ze zichzelf liever noemen), süryani (de Syrisch-orthodoxe christenen), Tartaren, Turken en yezidi-Koerden. Zo kon niet één millet – het Ottomaanse woord voor 'etnisch volk' dat onze leraar van de vergetelheid had gered – een meerderheid vormen en overheersen of de superioriteit claimen, wat gangbaar was geweest en nog steeds is op sommige andere slaapzalen. (Eén incident, waarvan men de herinnering diep heeft weggestopt, toont perfect aan tot welke extreme situaties zulke scheidslijnen kunnen leiden. In een schooljaar in de late jaren twintig had het schoolbestuur, dat een 'verdeel en heers'-politiek uitvoerde, de slaapzalen verdeeld over islamitische en christelijke denominaties. Het gevolg was dat er bij elke godsdienstkwestie grote onenigheid ontstond tussen de slaapzalen. Het vanzelfsprekende gevolg hiervan was zo ernstig, dat aan het eind van het semester een paar slaapzalen waren vernield en een groot aantal leerlingen blessures had opgelopen.)

Toegegeven, toen onze slaapzaal voor het eerst bij elkaar kwam, hadden enkele jongens geprobeerd een kliekje te vormen met geloofsgenoten, maar deze pogingen waren meteen vergeten na de eerste aanval op onze slaapzaal. Terwijl we ons tegen onze aanvaller verdedigden, beseften we snel dat als we in facties versplinterd waren geweest, we in een wip waren verslagen. En dat zou betekenen dat we de dagelijkse klusjes voor onze overwinnaars konden doen: hun bedden opmaken, hun wc's schoonmaken, hun was sorteren, hun tafels dekken, hun maaltijden serveren en hun vaat doen. En dus voelden we dat we veranderd waren, nadat we onze tegenstanders hadden verjaagd en rondparaderend genoten van onze overwinning, en vooral genoten van onze blessures die het bewijs vormden van onze overwinning. (Ik had de beet van iemands tanden in mijn hand; het litteken is nog te zien.) Cengiz, de Tartaar, declameerde als eerste Atatürks lijfspreuk, waarmee hij had geprobeerd de minderheden van Turkije te verenigen: 'Gezegend is hij die kan zeggen: ik ben een Turk.' Daarop riep Agop, de Armeniër, een volbloed romanticus na lezing van *De drie musketiers*, zijn favoriete slogan uit: 'Allen voor één en één voor allen!' Waarop Zeki, de jood, bulderde: '*No pasarán*', die beroemde republikeinse kreet uit de Spaanse Burgeroorlog, waarin een Franse neef van zijn vader was omgekomen.

En zo, dronken van vreugde om onze pluraliteit, werden wij, de hybriden, schijnbaar vrienden voor het leven. We hebben nooit verraad meegemaakt binnen onze gelederen. Hoe streng het verhoor van de leraren ook was, iedereen hield zijn mond over zonden als wie er tegen de radiator had gepist en zo de hele zaal enorm had laten stinken, of wie als spook onder een laken de nachtwaakster had laten schrikken, of wie de poort had geopend toen Memduh laatst terugkwam van de hoeren, die hij minstens twee keer per week bezocht. (Memduh, de süryani, een laatbloeier in het onderwijs, was eenentwintig, kwam uit Diyarbakır, sliep op een rivaliserende zaal en gaf iedereen die de poort voor hem opendeed een riante beloning. Omdat hij verslaafd was aan seks had hij geen tijd voor onze slaapzaalgevechten.) Aangezien de oude traditionele straf op het college voor verraad het inbrengen van een chilipeper was in de anus van de verrader – een marteling die het slachtoffer, doordat zijn ingewanden nog dagen lang nabrandden, helemaal gek maakte – stond onze zaal erom bekend 'maagd in de aars' te zijn gebleven gedurende de jaren dat wij samen waren. Ook dat is een record dat niet snel gebroken zal worden.

Zoals gezegd was de multi-etnische samenstelling van onze slaapzaal het werk van onze literatuurdocent, professor Ahmet Poyraz – bijgenaamd Âşık Ahmet, 'amoureuze Ahmet', om redenen die ik zo zal uitleggen.

Âşık Ahmet, die voor bijna al zijn studenten een inspirerende mentor is gebleven, is een begenadigd verdediger van de enorme Ottomaanse bijdrage aan de beschaving. Meer precies: hij huldigde dit standpunt in een tijd dat de opinieleiders van het moderne Turkije met elkaar wedijverden om het erfgoed van hun voorouders te kleineren met als doel zichzelf geliefd te maken in het zogenaamde beschaafde Westen. Zijn afschuw van de hebzucht van de westerse machten, die beweren het toonbeeld van ethiek te zien terwijl ze vrolijk miljoenen mensen over de kling jagen in hun oorlogen en in hun jacht op koloniale bezittingen, is legendarisch geworden. Na eerst de millet-politiek van het Ottomaanse rijk – een politiek die tolerantie garandeerde tussen de vele bevolkingsgroepen – te hebben gekoesterd als een grote sprong voorwaarts in de politieke filosofie, had Âşık Ahmet zich geschaard achter Rousseau en de noodzaak om de mensheid in broederschap te verenigen. Uiteraard was hij ook diep beïnvloed door het concept van de Verenigde Naties, ook al was de eerste poging om zo'n organisatie te vormen, de Bond van Naties, uitgelopen op een rampzalige mislukking.

Derhalve ging hij ten faveure van de ontwikkeling van een 'wereldnatie' terug naar de oorsprong van wat hij de 'ware turksheid' noemde, de multi-millet samenleving. Onze slaap-zaal was zijn prototype. Wij zouden niet alleen aan de regering, maar zelfs aan de hele wereld laten zien dat een chauvinistische politiek om eenheid af te dwingen in een land met verschillende volken en religies, gedoemd was te mislukken omdat die er specifiek op uit was pluraliteit te reduceren tot uitzonderlijkheid. Wanneer dit doel zou worden behaald, zou de samenleving monolithisch worden en uiteindelijk ten onder gaan aan inteelt. Onze slaapzaal daarentegen zou aantonen dat er alleen maar door behoud van pluraliteit harmonie kon zijn, dat Turkije alleen maar door een multi-millet politiek groots kon worden, terwijl rabiaat nationalisme – dat altijd schuilging achter beladen termen als turkificatie of Kemalisme – het land onherroepelijk te gronde zou richten. Met ons prototype van een 'wereldnatie' zouden wij bewijzen dat in een vrije smeltkroes onder verschillende rassen en religies een ethiek van wederzijds respect zou ontstaan waarin alle individuen gelijk en vrij zouden zijn. Wij zouden bewijzen dat onze prestaties in een microkosmos ook bereikt konden worden in een macrokosmos.

(Het experiment, ik zeg het hier meteen bij, was een ongekend succes. Maar dat is het pluralisme altijd – totdat uiteraard het lot gaat knoeien met de doos van Pandora en een horde politici loslaat die zich gedragen als haaien bij een school vissen. Of, zoals in ons geval, Pandora in eigen persoon afleverde…)

Âşık Ahmet was een lange, pezige, atletisch gebouwde man met een onberispelijk gecoiffeerd kapsel en dito snor. Hij ging altijd sober gekleed in een donker pak en glanzende zwarte schoenen. De meisjes van de meisjesschool vonden hem bijzonder aantrekkelijk – een kruising tussen Errol Flynn en Boris Karloff. Maar omdat hij aan hen nooit lesgaf, kenden zij zijn felle opvliegendheid niet en hoefden zij geen dekking te zoeken wanneer hij als de noordenwind, zijn bijnaam, door de gangen

stormde. Hij was een held geweest in de Onafhankelijkheidsoorlog en doceerde nu en dan als gasthoogleraar aan verschillende universiteiten. Daardoor had hij binnen het lerarenkorps
meer status dan de inspecteur van de Regionale Onderwijskundige Dienst. In feite vormde hij een klasse apart, onaan-
vechtbaar, boven alle kritiek verheven.

Voor Âşık Ahmet begon onderwijs met poëzie. Als wij niet
werden gezalfd door de balsem van sublieme poëzie, beweerde
hij, zouden we opgroeien tot zielloze lichamen en een leven
leiden waar geen leven in zat.

Hij was een groot liefhebber van Nâzım Hikmet. Deze
dichter, ongetwijfeld een van de belangrijkste dichters van
de twintigste eeuw en voor velen onder ons de allerpuurste
Turkse ziel, was veroordeeld en gevangengezet wegens het
verkondigen van communistische ideeën; nadat hij van over-
heidswege was beschuldigd werden bijna al zijn geschriften
verboden. Desondanks gaf Âşık Ahmet niet alleen openlijk
lezingen over zijn poëzie, maar leidde hij ook een ondergrondse pers die zijn werken uitgaf. (Die toewijding aan de
gerechtigheid was typerend voor Âşık Ahmet. Zo had hij zich
aan het einde van de Tweede Wereldoorlog actief ingezet om
joden en andere minderheden te helpen die door de Varlık-
wet, die beruchte Weeldetaks, waren getroffen. Enkele zoons
van de mensen die hij had geholpen zaten later in zijn klas –
zoals Zeki, die op onze slaapzaal sliep, en Musa en Naim, twee
jaar voor ons.)

Voor leerlingen die niet van poëzie hielden had Âşık Ahmet
een heel assortiment straffen in petto. Een tik op de knokkels
voor iedereen die durfde te gapen als hij declameerde, wat hij
meeslepend en welluidend deed. Een draai om de oren voor
degenen die de precieuze stijl van de hoofse 'Divan'-literatuur
niet wisten te appreciëren of klaagden over de vele Arabische en
Perzische woorden in deze verzen, die allemaal moesten worden opgezocht. Dezelfde straf voor degenen die geen waarde-

ring konden opbrengen voor de eenvoud en directheid van de volksliteratuur, die altijd moest wedijveren met zijn hoofse tegenvoeter. Een pak slaag voor degenen die gniffelden als hij lyrisch deed over de dichter Hikmet. Een berg huiswerk voor degenen die een les hadden gemist. En in de hoop dat voorkomen beter is dan genezen kreeg iedereen die zonder dichtbundel in zijn handen in de gang werd aangetroffen een tik op zijn achterhoofd. Dat laatste kwam zelden voor: Âşık Ahmet was een kettingroker en verspreidde een indringende geur die een mengsel was van tabaksrook en zijn citroenfrisse eau de cologne; we konden hem dus letterlijk ruiken aankomen en ons tijdig uit de voeten maken.

Hoewel we gewillige proefkonijnen waren in zijn slaapzaalproject, trok hij ons nooit voor. Paradoxaal genoeg voor zo'n vrijgevochten persoon hield hij zich strikt aan het klassieke voorschrift dat de verhouding tussen leraar en leerling vergelijkbaar was met die tussen een sultan en een nederige onderdaan. Maar hoeveel angst hij ook inboezemde, hij was niet zonder genegenheid. Leerlingen, onder wie ik, die wél van poëzie konden genieten gaf hij regelmatig een schouderklopje of een aai over de bol of kregen als de ontmoeting plaatsvond buiten het terrein van de school van man tot man een sigaret aangeboden.

Toch vermoed ik dat Âşık Ahmet ons tijdens het semester waar ik hier op terugblik niet meer beschouwde als pubers die zo schuimig zijn als verse schapenmelk, maar als jonge volwassenen met de stevige substantie van yoghurt uit de bergen.

De meeste mensen op het college en bijna iedereen aan de voet van de heuvel in het dorp Bebek wist dat Âşık Ahmet een gepassioneerde verhouding had met de weduwe Leylâ. Zij kon niet hertrouwen omdat ze een zoontje had en het risico liep de voogdij over de jongen te verliezen aan haar schoonfamilie. Vandaar dat hij uiterst discreet was over hun romance en alle moeite deed om niet met haar gezien te worden. Wij, de hele

slaapzaal, hebben hem echter een keer in een zeer compro-
mitterende situatie betrapt. We hadden net weer een gevecht
gewonnen, waarbij onder de tegenstanders een paar neuzen
waren gebroken. Omdat we wisten dat we hiervoor flink ge-
straft zouden worden – op zijn minst intrekking van het weekendverlof – besloten we onszelf met het risico op nog meer straf
te troosten door die dag te spijbelen en op onze overwinning te
gaan drinken in een meyhane aan het strand. Toen we uiteindelijk laat op de middag opstapten en terug naar school
liepen, besloten we over de 'wilde flank' van de heuvel te gaan –
zo genoemd omdat er vanwege de rotsige bodem geen weg over
liep naar onze school – zodat we niet door de conciërges
konden worden betrapt. Plotseling zagen we in een verborgen
kreupelbosje halverwege de heuvel Âşık Ahmet en Leylâ elkaar
omarmen.

Toen we van de schrik bekomen waren, renden we zo
stilletjes als we konden weg, terwijl we ons inhielden om niet
wellustig om te kijken en gewoon deden alsof we niets hadden
gezien. Hoewel we in de weken daarna op basis van Âşık
Ahmets gedrag niet konden zeggen of hij ons had gezien,
hielden we ons behoedzaam op de vlakte. Ik denk dat degenen
die Suna nooit hebben gekend dat deden uit angst voor zijn
toorn. Maar de rest van ons, die met onze beminde Suna zowel
het toppunt als het dieptepunt van de liefde had beleefd,
ontdekte een nieuw gevoel van solidariteit met Âşık Ahmet.
De echte manlijkheid zwijgt, hadden we van onze beminde
geleerd toen ze ons liet beloven onze rendez-voustjes geheim te
houden. Mannen die hun mond voorbijpraten om op te
scheppen of te klagen zijn wezens van onbestemd geslacht.

Onze beminde…

Aan het begin van het tweede semester stond ze aan de poort
van de school.

Ik denk dat wij haar allemaal meteen zagen. Zoals ze naast

haar Studebaker met open dak stond te roken leek ze een plaatje uit het Amerikaanse tijdschrift *Esquire*. Aanvankelijk dacht ik dat ze, omdat ze altijd op zaterdag kwam, de dag waarop ons weekendverlof begon, een moeder was die haar zoon kwam ophalen. Terwijl ik toekeek hoe ze als Rita Hayworth haar sigaret rookte, kreeg ik medelijden met de jongen: fantasieën over voluptueuze moeders was ons basisvoer voor masturbatie. (Waarom roken sensuele vrouwen altijd? Is het om ons mannen te waarschuwen dat wij hooguit goed genoeg zijn voor een paar trekjes voordat we worden uitgedrukt?)

Ze had kastanjebruin haar dat goed kleurde bij het donkerrood van haar vulva, zoals ik later zou ontdekken. Ze had haar duistere seksuele kant geërfd, vertelde ze me in alle ernst, van een Sudanese voorouder die eunuch was in een van de harems van de sultan, maar kennelijk geen echte castraat was. Maar haar huid was zó wit dat wanneer ze naakt in de sneeuw zou liggen alleen haar haren, ogen, mond en tepels te zien zouden zijn.

Al snel werd haar aanwezigheid intrigerend. Ze had niemand geclaimd als haar zoon. Ze stond alleen maar bij de poort te kijken hoe wij de school uit renden als gevangenen die uit de Bastille werden vrijgelaten. Het leek alsof ze de zaterdagochtend had bestemd voor een wandeling over de promenade van Bebek, waar de zeebries en het uitzicht hemels waren en waar ze vast en zeker haar ogen te goed kon doen aan stevige jongemannen die op het strand stoeiden. Onwillekeurig moest ik denken aan verhalen over vieze mannen die rondhingen bij de meisjesschool en ik vroeg me af of zij daar een vrouwelijke tegenhanger van was. Want vieze mannen waren altijd oud en deze vrouw had onmiskenbaar een zekere leeftijd bereikt.

(Ik vraag me af of ze ouder was dan vijfendertig, maar voor een jongen van veertien, die niet kon wachten vijftien te worden, was iedere vrouw van zijn moeders leeftijd oud.)

Ik had er geen besef van dat ik later vrouwen van zekere

leeftijd juist zou adoreren omdat alleen zij, dankzij hun rijpheid, seksuele wonderen kunnen laten gebeuren. Om zich als seksbom te ontwikkelen moet een vrouw vele jaren ijverig hebben gepaard en vele mislukkingen achter de rug hebben. Vooral de mislukkingen zijn belangrijk, want zonder kennis van onkunde weet je niet wat extase is. Âşık Ahmet, die bijzonder gecharmeerd was van het soefisme, zei vaak: 'Zie hoe succes en mislukking, vreugde en verdriet, geboorte en dood dezelfde herfstachtige structuur hebben.'

Hoe dan ook, onze beminde...

Op een gegeven moment vond er een reeks rare voorvallen plaats; voorvallen die op zichzelf niet zo vreemd waren, maar die gezien de hartstochtelijke band die onze slaapzaalgroep bij elkaar hield, toch behoorlijk onverwacht en onverklaarbaar waren.

Een paar voorbeelden: Kâzım, de Azerbeidzjaan, kwam uiterst somber van een weekend terug en bleef dagenlang ontroostbaar voor zich uit staren, terwijl hij ons gewoonlijk liet brullen van de lach als hij ons vertelde over de irritaties die hij met zijn verrassende streken opwekte bij zijn ouders, broers, zussen en buren. Of de fanatieke weigering van Cengiz, de oersolide Tartaar, om een weekendverlof op te offeren en mee te doen aan een alles of niets voetbalwedstrijd tegen een vijandelijke slaapzaal, terwijl hij normaalgesproken dergelijk verzuim als puur verraad zou hebben beschouwd. Of de onverwachte weigering van de Lazische İsmail om ons zijn enige testikel te laten onderzoeken op eventuele kleine veranderingen, een onderzoek dat altijd leidde tot de these dat de ontbrekende testikel misschien aan zijn penis was toegevoegd aangezien die ook in slappe toestand het formaat had van een hengstenlul. Of de gekweldheid van Eşber, de vriendelijke, gargantueske Turk die ondanks zijn totale gebrek aan taalgevoel zijn beminde per se wilde overspoelen met gedichten en die onze bard – de joodse Zeki, die door niemand minder dan

Âşık Ahmet een veelbelovend dichter was genoemd – maar bleef lastigvallen met de vraag of hij zijn Cyrano wilde zijn.

En toen kwam ik aan de beurt.

Het was een weekend in april waarin een treurige, twee dagen aanhoudende motregen de zachte lentedagen had verdreven. De frustratie van de mensen die in de heuvels zochten naar een spoor van aardbeienloten was voelbaar in de lucht aanwezig.

Net als de meeste Pomaken ben ik een amfibie en op het einde van de winter kon ik niet wachten om mee te doen met de spelletjes van de dolfijnen. Daarom besloot ik om ondanks de regen na school een wandeling te maken over de boulevard. Mijn vrienden, die daar geen zin in hadden, haastten zich naar Bebek om de bus of tram te nemen of een deeltaxi, de *dolmuş*.

Ik stond te kijken naar een Chris-Craft die aan een boei vastzat en ongeveer twintig meter voor me lag. Over dit jacht droomde ik al maanden; ooit zou ik, had ik mezelf beloofd, zelf zo'n boot hebben. (Vraag me niet hoe ik dat voor elkaar moest krijgen want in navolging van het idealisme dat Âşık Ahmet op ons had overgebracht, had ik besloten het onderwijs in te gaan.)

Toen hoorde ik haar roepen.

'Jongeman!'

Ze reed in haar Studebaker en kwam tegen de stoeprand tot stilstand. Ze klonk misschien bits, maar was zo betoverend dat ik overdonderd bleef staren.

'Ja?'

'Ben je soms doof?'

'Pardon…?'

'Ik roep je al de hele tijd…'

'O… het spijt me… ik was aan het dagdromen…'

Ze glimlachte. 'Over zeemeerminnen?'

'Nee...'

'Zorg ervoor dat ze benen hebben. Aan vinnen valt niks te beleven.'

'Wat zegt u...? O...'

Ze lachte smakelijk om mijn verlegenheid. Ze klonk als een societylady die zichzelf een tikje boven de man verheven voelde. 'Bebek, hoe ver is dat nog?'

Ik wees naar het dorp dat nauwelijks een halve kilometer verderop lag. 'Dat is hier vlakbij.'

Ze raadpleegde een notitievelletje. 'Ik zoek een straat: Yeni Sokak. Daar woon ik. Kun je me helpen zoeken?'

'Op de hoek zit een kiosk. Daar weten ze het vast.'

Ze maakte het portier open. 'Stap maar in.' Toen ze me zag aarzelen, wenkte ze me. 'Kom op, vooruit. Je moet me helpen. Ik woon hier pas.'

Werktuiglijk stapte ik in. Ik wilde uiting geven aan mijn verbazing dat ze haar huis niet kon vinden. Bebek was immers maar een klein dorp; zelfs een blinde kon er niet verdwalen. Maar ik zat met mijn mond vol tanden.

Ze spurtte weg als een coureur. Ik keek naar haar met een mengelmoes van bewondering en verlegenheid. En ik registreerde wat ze aanhad: zwarte schoenen, zwarte kousen, zwarte rok, zwarte trui, zwarte sjaal, zwart leren jasje. Plotseling besefte ik: hier zat een echte existentialiste. Een Juliette Gréco; een icoon van mijn generatie. Een symbool van verdorvenheid voor het establishment en onze ouders. Hier zat de vleesgeworden rebellie.

Ze gaf me een por. 'Kiosk zei je. Waar?'

Ik wees naar de kiosk.

En bijna tegelijk ving ik een glimp op van Dimitri en İsmail, die aan weerszijden van de weg naar mij stonden te kijken. Ik zwaaide naar hen; ze zwaaiden niet terug.

Toen zag ik even later Cengiz, en Eşber, en daarna Agop en Kâzım, allemaal drentelend bij de kiosk. Ze waren doorweekt, maar hingen er kennelijk doelloos rond. Ik zwaaide ook naar hen. Ook zij zwaaiden niet terug.

Toen we aankwamen bij de kiosk, wees ze naar een straat rechts van ons. 'Deze herken ik. Zal ik hier inrijden?'

Ik las het straatnamenbord: Yeni Sokak. 'Ja, dit is 'm!'

Vrolijk kirrend reed ze de straat in. 'Er schuilt een ontdekkingsreiziger in me! Mevrouw Magalhães! Klinkt goed, vind je niet?'

Ik glimlachte en murmelde iets bevestigends.

'Het is op nummer 38.'

Ik kon mijn ogen niet afhouden van haar donker kastanjebruine haar, dat nu loshing en wapperde in de wind als de takken van een treurwilg. Een echte existentialiste. Maar ze was wel net zo oud als mijn moeder. Bestonden er wel zulke oude existentialisten?

Ze zag me kijken. 'Is er iets?'

'Nee. Eh… Ik zoek naar nummer 38.'

'Brave jongen.'

Nummer 38 bleek halverwege de straat te zijn. Het was een prachtig houten huis uit het Ottomaanse Istanbul. 'Daar!'

Ze stopte voor het huis, zette de motor af en zuchtte diep. 'We hebben het gehaald!'

Ternauwernood gaf ik een knikje.

Ze gaf me een schouderklopje. 'Dankjewel voor je geweldige hulp. Zonder jou had ik het nooit gevonden.'

Ik glimlachte verlegen. Toen stapte ik de auto uit omdat ik het gevoel had dat ik haar tot last werd.

Zij stapte ook uit en zocht in haar handtasje naar haar huissleutels.

Ik liep al weg. 'Dag…'

Ze had haar sleutels gevonden. 'Hé, zo gemakkelijk laat ik je niet gaan! Je bent zo aardig voor me geweest. Kom mee naar binnen en drink een glaasje! Laat mij maar zien hoe een jonge held als jij zijn raki drinkt!'

'Wat valt daaraan te zien?'

'De hele mystiek van zijn mannelijkheid.'

Onzeker keek ik haar aan.

'Verdun je het met water of alleen met ijs? En wat drink je erbij?'

Ik knikte onnozel. 'O, bedoelt u dat?' Ik probeerde wereldwijs te klinken. 'Waar u maar de voorkeur aan geeft.'

Inmiddels had ze de voordeur geopend. 'Kom binnen, laat het mij maar zien. Ooh! Wat is het hier lekker warm!'

Aarzelend bleef ik in de deuropening staan, al voelde ik me vereerd dat zo'n oude – rijpe – vrouw zo goed was mij uit te nodigen voor een drankje.

Ze trok me aan mijn mouw. 'Kom op, wat staan we hier nog in de regen.'

Terwijl ik in de barokke hal stond, rook ik het parfum waarvan het hele huis doortrokken was. Háár parfum. Jaren later kon ik die geur nog bij me oproepen.

Ze trapte haar schoenen uit en wees naar de voorkamer. 'Ga daar maar zitten. De raki staat naast de kast. Er is ijs en mineraalwater. Doe niet te zuinig. Er gaat niets boven een goed glas. Ik ben zo terug.' Ze vloog de trap op.

Ik hing mijn jas en schooltas aan een grote kostuumkoffer. Daarna deed ik mijn schoenen uit en schoot ik in de huisslippers voor gasten. Het waren magische slippers die me van de werkelijkheid naar een droom brachten.

De voorkamer versterkte met zijn zwijgende overdaad dit dromerige gevoel. Het was alsof ik het interieur was binnengewandeld van een typische Ottomaanse pronkkamer waarover ik wel eens had gelezen en waarvan ik wel eens foto's had gezien, maar die volgens Âşık Ahmet niet meer bestonden, behalve misschien in heel conservatieve huizen, omdat het land in de nasleep van Atatürks hervormingen in de greep was van trends uit het Westen. De kamer was volgepropt met lage sofa's, zachte kussens, met ivoor ingelegde koffietafels, talloze delicate snuisterijen en sierborden uit İznik, maar had desondanks iets ruimtelijks. De oorspronkelijke felle kleuren van het meubilair, vooral die van het antieke tapijt, gaven alles een warme gloed. Terwijl ik naar het kabinet liep waar verschillende drankflessen op een dienblad stonden, stelde ik me voor dat als ik met mijn vingers knipte een groepje odalisken zou verschijnen.

Tot mijn verrassing voelde ik me opgewonden. Omdat ik gezien de leeftijd van de gastvrouw nog helemaal niet aan seks met haar had gedacht – zulke situaties kwamen alleen maar voor in fantasieën – kan ik alleen maar aannemen dat ik aanvoelde wat er komen ging. Zoals Âşık Ahmet altijd zei, het lichaam is wijzer dan de geest.

Ik vulde twee glazen tot aan de rand met ijsklontjes en schonk forse hoeveelheden raki in. Daarna vulde ik twee glazen met mineraalwater en ijs en zette ik op een bijzettafeltje zo keurig mogelijk schaaltjes neer met noten, gedroogd fruit en zoetigheid.

Toen ze terugkwam was het ijs in de rakiglazen al gesmolten. Al die tijd had ik besluiteloos lopen ijsberen, denkend dat ik eigenlijk gewoon dag moest roepen en vertrekken, maar toch wilde ik blijven, al was het maar om de geur van haar parfum op te kunnen snuiven die in de kamer was blijven hangen en mijn opwinding instandhield.

Ze kwam nog geurender terug. Ditmaal rook ze naar muskzeep. Die sneed me niet alleen bijna letterlijk de adem af, maar verried ook dat ze net in bad was geweest. Het idee dat ze zich tijdens mijn aanwezigheid helemaal had uitgekleed, naakt had rond gelopen, haar schaamdelen had gewassen en ingezeept terwijl ik niet meer dan een plafond, een wand en een paar traptreden van haar was verwijderd, bracht mijn fantasie zo op hol dat ik niet meer kon nadenken.

Ze had een peignoir aangetrokken – zwart als haar kleren, en glanzend. Ze liep op blote voeten, haar nagels waren niet gelakt. Ze liet haar haren los over haar schouders golven. Ze had vrij veel krullen; gedrapeerd over haar zwarte peignoir kregen die een diepe glans. Het haar dat naar voren viel, omvatte een decolleté dat mij ongekend genereus leek, al waren haar borsten niet groot. Ze had geen beha aan.

Ik vergat onmiddellijk haar leeftijd.

Ik reikte haar de raki aan.

Ze keek er onderzoekend naar, alsof het een exotisch drankje was. 'Je drinkt het met water, zie ik...'

'Nee. Met ijs. Het is gesmolten. Maar pas net. U kunt het zo drinken.'

Ze knikte. 'En het mineraalwater? Dat drink je er dus bij? Of niet?'

'Zo heb ik mijn raki het liefst.'

'Daar kan ik me prima in vinden.' Ze knikte naar de versnaperingen op het bijzettafeltje. 'Doe of je thuis bent.' Ze wees naar een bankje. 'Ga toch zitten.'

Enorm opgewonden – en om die reden even opgelaten als beschaamd – plofte ik neer. Toen pakte ik een handvol pinda's in de hoop dat eten afleiding bood. Mijn hart klopte zo snel dat ik dacht dat hij uit mijn keel zou barsten en pas tegen de Byzantijnse stadsmuren knallend tot stilstand zou komen.

Ze zat tegenover me op een vloerkussen. 'Hoe heet je?'

Haar peignoir was opengevallen en onthulde een dijbeen. Vlezig, maar gespierd.

Ik kreeg een droge mond en perste er met moeite een hees geluid uit. 'Mustafa.'

Ze glimlachte. 'Genoemd naar Atatürk. Dat bevalt me.'

Ik kon mijn ogen niet van haar dijbeen afhouden. Wanhopig nam ik een paar flinke slokken raki. Ik was me ervan bewust dat ze zag hoe ik naar haar gluurde. Ik dwong mezelf iets te zeggen, het maakte niet uit wat. 'Ik ben een Pomak. Oorspronkelijk komen we uit Bulgarije.'

'Ben je besneden?'

'Pardon?'

'Pomaken zijn besneden, toch?'

'Natuurlijk. We zijn moslims.'

Ze sloeg haar benen over elkaar. 'Oogt veel beter, zo'n besneden pik. Esthetisch gesproken dan. Veel sierlijker.'

Mijn hart klopte wild. Toen ze haar benen over elkaar had geslagen, was haar peignoir nog verder verschoven; nu waren beide dijbenen ontbloot. Daarboven kon ik de welving van een bil zien en ook zag ik, als ik het niet droomde, het begin van haar schede.

'Vind je ook niet?'

'Wat?'

'Dat een besneden penis er veel verfijnder uitziet. Een voorhuid vormt zo'n lelijk tuitje.'

Ik bleef gespannen naar mijn drankje kijken. 'Ik… ik zou het niet weten.'

'Heb je nooit onbesneden jongens gezien? Ik dacht dat zo ongeveer alle rassen op jouw school vertegenwoordigd waren. Je hebt vast wel eens gekeken. In de slaapzaal. Of onder de douche.'

'Ja, maar…'

Nu had ik, terwijl ze haar benen uit elkaar deed, ongehinderd uitzicht op haar kruis. Dat was helemaal gladgeschoren. Niet één haartje. Ik bedacht ineens dat ze misschien helemaal geen existentialiste of een Turkse Juliette Gréco was. Want vrouwen die hun vagina – en hun oksels – scheren zijn vaak vrome moslims. Ontharing is een teken van persoonlijke verzorging. Het staat voor geestelijke en morele gezondheid.

Het koude zweet brak me uit. Ik voelde mijn handen trillen. Ik keek naar haar. Ze glimlachte.

Ik vond dat het weer mijn beurt was iets zeggen. 'En u… Hoe heet u, bedoel ik?'

Ze maakte een wegwuivend gebaar. 'Ach, ik heb de lelijkste

naam die je maar kunt bedenken. Ik geef de voorkeur aan de namen die mijn vrienden me geven. Hoe zou ik volgens jou moeten heten?'

Ik kon geen vrouwennaam bedenken – behalve die van mijn moeder. 'İpek.'

Ze knikte tevreden, hief toen haar glas. 'Heel goed. Vind je dat die naam bij me past?'

Zijzelf vond van wel. İpek betekent 'zijde'. 'O, absoluut…'

Ze boog zich voorover om haar sigarettenkoker en aansteker te pakken. 'Heel galant van je…'

Deze keer zag ik de volledige contouren van haar billen. Ik was zo opgewonden dat ik al voor me zag hoe ik mijn onderbroek bevlekte.

Ze stak haar sigaret op alsof ze een ritueel uitvoerde.

Ineens bedacht ik dat een sigaret mijn geval tot bedaren kon brengen. 'Hebt u er voor mij ook een, alstublieft?'

'Natuurlijk.'

Ze boog zich voorover en stak haar koker naar me toe. Terwijl ik er een sigaret uit nam, zag ik haar borsten. Zoals me al was opgevallen, waren die niet zo groot. Maar ze hingen er als om te zoenen bij. Donkere tepelhoven. Spitse tepels.

Ik zag dat ze naar me keek. Alweer keek ik geschrokken de andere kant op.

Ze stak mijn sigaret aan. Haar hand raakte de mijne. 'Lieve hemel. Je handen zijn helemaal nat.'

Mijn handen waren klam van de opwinding, het zweet droop ervan af. 'Ik…'

Ze sprong op. 'Jij zit hier helemaal doorweekt door de regen en ik kwek maar een eind weg.' Ze trok mijn trui uit voordat ik me daartegen had kunnen verzetten. 'Oké, laten we eerst deze uitdoen!' Ze trok aan mijn overhemd. 'En deze ook!'

'Nee, dat hoeft niet.'

'O nee? Je bent drijfnat. Uit dat ding!' Snel maakte ze de knopen los en trok ze mijn hemd ook uit.

Ik zat er als versteend bij, kon geen vin verroeren.

'Je onderhemd is net zo nat.' Ook dat trok ze uit. 'Het is zo weer droog.'

Ik vond dat ik iets moest doen om mijn naakte borst te bedekken. Maar ik was niet in beweging te krijgen.

Ze aaide me over mijn schouders. 'Sterke jongen, of niet? Jij doet zeker veel aan sport.'

'Klopt.'

'Wat doe je zoal?'

'Zwemmen. Gewichtheffen. Worstelen.'

'Een worstelende Pomak! Kijk eens aan!'

Nu keek ik haar aan. 'Verbaast u dat?'

'O nee. Ik vind het juist geweldig. Het wordt tijd dat de Pomaken laten zien hoe sterk ze zijn.'

'Bent u ook een Pomak?'

'Nee.'

'Wat dan?'

'Een beetje van alles. Het lijkt me zo opwindend, dat worstelen. Het ene lichaam verstrengeld in het andere... Net seks, lijkt me...'

'Eh... Ik zou het niet weten...'

'O nee? Je hebt toch wel eens...'

'Het is niet zomaar een beetje stoeien, worstelen bedoel ik... Je moet er veel bij nadenken, over je volgende zet. Net als bij schaken...'

'Net als bij schaken? Dat maakt het nog opwindender. Die posities die telkens veranderen. De ene minuut lig je bovenop. Dan weer onderop...'

'Nou, niet helemaal...'

'Volgens mij ben jij er heel goed in.'

'Valt wel mee. Ik denk niet snel genoeg. Ik ben beter in gewichtheffen...'

'Wat ben je toch bescheiden. En heb je ooit geworsteld met een vrouw?'

Mijn erectie begon te kloppen. 'Eh… Hoe…?'

Ze giechelde. 'Maar je zou het wél willen, of niet? Je bent een jongen met een wellustige aard. Ik zie het aan je ogen…'

Ik stond op het punt te ejaculeren. 'Kunt u dat zien?'

'Maar dat geeft niet, hoor. Want zo hoort het.'

'Echt waar?'

Ze glimlachte en knikte, toen voelde ze aan mijn broek. 'En deze. Is die ook nat?'

'Een beetje maar.'

'Uittrekken!'

'Nee, alstublieft… Het valt wel mee…'

'Hè, doe toch niet zo preuts.'

'Ja, maar…'

Ze trok me uit de bank. 'Kom op. Niet zo verlegen.' Ze trok mijn broek omlaag en zag de bobbel in mijn onderbroek. 'O, lieve help…'

Ik zal de kleur gebloosd hebben van een zonsondergang. Maar waar bleef het duister waar ik me in kon hullen? Ik probeerde mijn erectie achter mijn handen te verbergen, maar was vergeten dat ik nog een glas vasthield. Zo knoeide ik ook nog raki over het tapijt. Ik kon wel janken. 'Het… het spijt me…'

Ze verloste me van mijn sigaret. 'Til je been op.'

Ik gehoorzaamde haar en zij trok een broekspijp naar beneden.

Ondertussen bleef ik mompelen. 'Het spijt me…'

Ze drukte mijn sigaret uit. 'Andere been.'

Ik tilde mijn andere been op.

Nu trok ze de rest van mijn broek uit.

'Het spijt me echt…'

'Geeft niet. Tapijten zijn dol op raki.'

Nu lukte het me wél om mijn erectie met mijn handen te bedekken. 'Ik… Ik weet niet wat ik moet zeggen. Ik… Ik kon het niet… kan het niet helpen.'

Ze bekeek mijn erectie en schoot in de lach. 'O, je bedoelt dat…' Ze streelde erover. 'Daar hoef je je niet voor te verontschuldigen. Ik voel me gevleid.' Ze pakte mijn kleren bij elkaar. 'Ik zal deze voor je te drogen hangen. Ik ben zo terug…'

Ik voelde dat ik ging ejaculeren. Ik was het punt gepasseerd vanwaar geen terugkeer mogelijk is en het kwam snel. Ik beet op mijn lippen in een wanhopige poging de eruptie tegen te gaan.

Ze stond stil bij de deur. 'Je kleren zijn drijfnat, het is beter als ze gewassen worden.'

'Alstublieft, doe geen moeite.'

'Zeg, trouwens: moet je dit weekeinde naar huis?'

Ik begon te trillen. 'Wablief?'

'Je zou ook hier kunnen blijven. Dan kan ik ze voor je strijken…'

Ik zakte weg in de bank. En kreeg een zaadlozing. 'Maar ik…'

'Jullie gaan toch niet elk weekend naar huis, of wel? Ik heb gehoord dat jullie soms voor straf een weekend moeten overblijven…'

Gutsend kwam ik klaar, er ontstonden vlekken in mijn ondergoed. 'Ja, maar…'

'Aardig idee, vind je niet? Ik kan je ouders bellen. Doen alsof ik de huisbeheerster ben. Hun zeggen dat je voor een of ander kattenkwaad niet naar huis toe mag. Makkelijk zat…'

Ik kwam heerlijk klaar. Toch kon ik er niet van genieten. In plaats van het uitzinnig uit te schreeuwen moest ik stil blijven, veinzen dat er niets aan de hand was. 'Ik… Ik…'

'Het kan heel gezellig worden. Denk er eens over na.' Ze wapperde met mijn kleren als met een vlag. 'Denk er even rustig over na, dan hang ik deze te drogen. Schenk ondertussen nog een drankje voor ons in!'

Even later kwam ze terug. Toen ze zag dat de glazen nog steeds leeg waren, keek ze me vragend aan. 'Waar zijn de drankjes?'

Die was ik vergeten. Op de rand van de bank zittend probeerde ik met mijn handen voor mijn onderbroek te bedenken hoe ik de kamer zou kunnen uit lopen om me te wassen zonder dat zij kon zien dat ik mezelf had bevlekt, en hoe ik daarna om mijn kleren kon vragen. 'Het... Het spijt me...'

Ze zag mijn paniek. 'Gaat alles goed?'

'Ja hoor. Ik... Ik moet eh... Kan ik gebruikmaken van de wc?'

'Die is boven. De deur recht voor je uit.'

Ik stond op terwijl ik nog steeds mijn hand voor mijn kruis hield, dat helemaal plakkerig was.

Ze lachte. 'Wat ben je toch een preutse jongen!'

'Ik heb...'

Toen zag ze het. 'O jee, ik zie het...'

'Sorry...'

Ze stapte op me af, trok mijn handen weg en inspecteerde mijn onderbroek. 'En nog wel zo veel...'

'Ik... Ik kon er niks aan doen...'

Ze trok mijn broek omlaag. 'Wat een compliment! Wat een juichkreet. Ik voel me vereerd...'

Ik probeerde weg te schuifelen. 'Alstublieft... Ik zou me graag willen wassen...'

'En deze heerlijke crème verspillen?'

'Wablief?'

Ze duwde me terug in de bank. 'Achterover jij!' Ze trok mijn broek omlaag. 'Wat een feest!'

Met ontzetting zag ik dat ik weer een erectie kreeg. 'Wat?'

Glimlachend hield ze mijn penis vast. 'Mmmm, wat een viriele jongen...'

Ik protesteerde zwakjes. 'Ik moet me eerst wassen...'

Ze begon me te liefkozen. 'Ik wil je een voorstel doen. Nadat ik mezelf aan je heb verzadigd, bel ik je ouders op. Ik zeg dat je huisarrest hebt gekregen. En dan...' Ze nam me in haar mond.

Ik kreunde en gaf me over aan een zachtheid die onvoorstelbaar is, die alleen maar kan worden ervaren.

En in een mum bereikte ik weer een hoogtepunt.

Maandagochtend bracht ze me terug naar school. We hadden het hele weekend lang de liefde bedreven en bij wijze van afscheid nog één keer, vlak voordat we het huis uit gingen. Ze bleek een vrouw te zijn die al bij de minste aanraking opgewonden raakte en onophoudelijk kon vrijen, alsof ze ervoor was geboren – een zeldzaamheid, zoals ik op latere leeftijd zou ontdekken. Maar die ochtend, toen ze zo mogelijk nog vuriger was geweest en zich aan me had vastgeklampt gedurende haar intense en herhaaldelijke orgasmen, die ze 'getuigenissen van het opperwezen' had genoemd, mijn favoriete Soefi-metafoor, had ik gesmeekt of ze me niet los wilde laten. Ik had gezegd dat ik bereid was van school te gaan, van huis weg te lopen, te bedelen, te stelen, als het moest een moord te doen, om maar aan haar geklonken te kunnen blijven. Dat had ze geweigerd: op die manier zouden we elkaars slaven zijn, had ze gezegd; geen vreugde zo groot zou het verlies van onze vrijheid kunnen compenseren.

Wanhopig had ik het over een andere boeg gegooid. Ik beloofde haar alle vrijheid van de wereld. Ik zou met toewijding en geduld haar onafhankelijkheid respecteren. Ik zou er niets voor terug vragen behalve dat ze een paar uur per week met mij zou doorbrengen.

Ook dat had ze geweigerd, deze keer door te zeggen dat ik trouw moest blijven aan mijn politieke overtuigingen. Ik mocht dan wel een zelfverklaarde *aficionado* zijn van de dichter Nâzım Hikmet, ik moest ook kunnen laten zien dat ik een praktiserend socialist was, een egalist die alles wat het leven hem had geschonken met zijn kameraden zou delen, inclusief de vrouw van wie hij hield. Mijn vrienden van de slaapzaal – tenminste de jongens die ze inmiddels had gehad – hadden immers hun waardigheid getoond door hiermee in te stemmen. Meer precies: zij hadden respect getoond voor haar vertrouwen in hen – wat ze ook van mij verwachtte – door te zwijgen als het graf over hun omgang met haar.

Toen kreeg ik door wat de oorzaak was geweest van de melancholie waaronder Agop, Cengiz, Dimitri, Eşber, İsmail en Kâzım gebukt gingen. Ze had meteen voorzichtig, maar duidelijk toegegeven dat ik nummer zeven was van het vierentwintig koppige slaapzaalgezelschap. Dat wilde niet zeggen, stelde ze me gerust, dat ik een middelmatig minnaar was, maar simpelweg dat ik in de alfabetische orde op de zevende plaats kwam. (Toch kwelde ik mezelf nog jarenlang – zelfs nog regelmatig toen ik volwassen was – met de gedachte dat de zevende plaats niet zo goed kon zijn als de eerste; dat Agop, de eerste, ons misschien had overtroffen door een superieure 'getuigenis van het opperwezen' bij haar los te krijgen.)

En zo zette ze mij die maandagochtend af bij school, of eigenlijk bij de kiosk.

Het regende niet meer. En de felle zon leek, zoals in het beroemde gedicht van Nâmık Kemal, alle ramen in Kandilli aan de overkant van de Bosporus in vuur en vlam te zetten. De lucht, die haast tastbaar was geworden door de zachte wind en de zoete geur van de uitbottende knoppen op de heuvels, leek eetbaar... De zee was als kwik: kalm en vlak, maar met een stroperige dichtheid die duizelingwekkende diepten deed vermoeden. Ik registreerde deze indrukken doelbewust, alsof ik de inventaris van mijn leven opmaakte, met de gedachte dat deze maandagochtend mijn laatste ochtend op aarde zou kunnen – zou moeten – zijn.

Toen zag ik Dimitri, Eşber, İsmail en Kâzım, respectievelijk nummer drie tot en met zes, samen bij de poort staan, naar mij kijkend. Achter hen drentelden de andere twee rond: Agop, nummer één, en Cengiz, nummer twee. (Wat een geluk dat mijn naam niet met een 'S' of een 'T' begon, of erger nog, met een 'Z', zoals van die arme Zeki – hij zou nummer vierentwintig zijn geweest – omdat je, ten eerste, na intrekking van het verlof een paar weekenden lang op het internaat moest blijven en ten tweede, omdat ons semester uit achttien weken bestond, dus ook als van niemand het verlof was ingetrokken, de laatste zes jongens in de alfabetische volgorde tot het volgende semester zouden hebben moeten wachten...)

Ik liep naar mijn vrienden, haatte hen, kon ze wel in elkaar rammen. Ik zag dat ze uit mijn gezichtsuitdrukking probeerden op te maken of ik ook door haar was afgewezen zoals zij hen had afgewezen, of dat onze beminde met mij verder wilde gaan. Boosaardig zinspeelde ik erop te doen alsof ik beter had gepresteerd dan zij, maar ik had niet de wilskracht om de belofte te breken ons weekendje geheim te houden en al was ik zo verraderlijk geweest, dan had ik de energie niet om het te doen. Ik ontdekte snel dat ik voor geen enkele activiteit nog energie kon opbrengen, zelfs niet voor een romantische zelfmoord. Nu ben ik daar heel dankbaar voor. Stel je voor hoeveel wonderen des levens ik gemist zou hebben als ik in staat was geweest mezelf van kant te maken.

Terwijl ik doorliep kwamen mijn slaapzaalgenoten achter me aan. Zwijgend liepen we de heuvel op. We lieten onze spullen achter in de slaapzaal en gingen daarna door naar de les.

Later, toen in de daaropvolgende weken de nummers acht tot en met dertien zich bij onze gelederen voegden, bleven we er koppig over zwijgen.

Daarna begon de zomervakantie.

Toen we in de herfst terugkeerden, ontdekten we dat onze slaapzaalgroep tot grote woede van Âşık Ahmet uit elkaar was gehaald.

Daar viel misschien nog mee te leven. Erger was het verlies van onze geliefde.

We hebben Suna nooit meer teruggezien.

Uiteraard deden wij, de dertien jongens die haar minnaars

waren geweest, navraag over haar in het dorp en we wisselden zelfs het beetje informatie uit dat we hadden ingewonnen. Halverwege de zomer was ze vertrokken, plotseling en tot ieders verrassing. (Haar huisbaas vertelde dat ze volgens het huurcontract nog een jaar te goed had.) Ze had geen doorstuuradres achtergelaten.

Enkelen onder ons dachten dat ze een echte man had ontmoet en liever met hem verder wilde dan met jongens zoals wij.

Toen begonnen we roddels op te vangen over onze 'verdorvenheid'. Aanvankelijk dachten we dat de woede van Âşık Ahmet meer te maken had met onze seksuele escapades dan met het uit elkaar vallen van onze slaapzaalgroep. Daarna dachten we dat aangezien hij geprobeerd had onze slaapzaal intact te houden, hij niet al te boos over die activiteiten kon zijn geweest. We redeneerden dat hij, gezien zijn radicale principes en zijn geloof in de zegeningen van de vleselijke geneugten, de wijze van onze initiatie misschien wel zou goedkeuren. Derhalve stelden we vast dat er andere factoren geweest moesten zijn die onze geliefde tot haar vertrek hadden gedwongen.

Gelukkig is roddel nooit selectief. Er begonnen details uit te lekken over intriges. En die bleken waar te zijn.

Een buurman van onze geliefde, die de vrijpartijen in het weekend had opgemerkt, had een in Bebek woonachtige lerares van ons college ingelicht. (Een uit wraak geboren aangifte, zo ging het gerucht. De buurman, een man van middelbare leeftijd die dacht een Don Juan te zijn, had geprobeerd onze geliefde te verleiden en liep een blauwtje.)

De lerares, een vrome Amerikaanse weduwe die vreesde dat wij, jonge en ontvankelijke jongens, voor de rest van ons leven waren getraumatiseerd en dromen zouden krijgen over heksen die ons in een pan kookten en opaten, had onmiddellijk het schoolbestuur gewaarschuwd.

Alleen Âşık Ahmet had onze geliefde verdedigd. Nadat hij had uiteengezet dat de hysterie van de lerares gebaseerd was op de sprookjes van Grimm, beweerde hij verder dat de boze heks een geïmporteerde figuur was die geen invloed had op de Turkse jongensziel omdat voor Turkse jongens de vrouw – alle vrouwen – liefde, tederheid en paradijselijke geneugten vertegenwoordigde.

De lerares, die door de vrijzinnigheid van Âşık Ahmet nog meer was geshockeerd, haalde er toen een groep geestelijken bij van verschillende godsdiensten. Deze eminenties, stuk voor stuk beroepskwezels, waren het met de lerares eens dat wij allemaal psychisch onherstelbaar waren beschadigd, en zij hadden zelfs het feit betreurd dat de lichtekooi wegens de seculiere grondwet van Turkije niet tot stervens toe gestenigd mocht worden zoals de religieuze wet voorschreef.

Weer was Âşık Ahmet opgestaan om onze beminde te verdedigen. Terwijl hij deed alsof hij haar kende – we hebben dat nooit kunnen achterhalen – had hij haar voorgesteld als een morele pionier, een leerlinge van de filosoof Sartre en diens partner Simone de Beauvoir, die door zelf het voorbeeld te geven de weg wees naar een nieuw, tolerant en seksueel bevrijd Europa. Ze was het type feministe waar het moderne Turkije behoefte aan had; zij zou onze vrouwen bevrijden van de taboes, ongelijkheden en onrechtvaardigheden die nog steeds schering en inslag waren, alle emancipatiepogingen ten spijt.

Maar het bestuur was niet op zijn argumenten ingegaan. Zij die handig de namen van Allah, Jezus en Yahweh ijdel weten te gebruiken winnen nog steeds elk dispuut. Niet alleen in Turkije, maar overal ter wereld.

En dus eiste het schoolbestuur dat onze geliefde Bebek verliet; als ze dat niet deed, hadden ze gedreigd aangifte te doen bij de politie.

Nog één woord over onze slaapzaal. Aanvankelijk waren degenen onder ons die onze geliefde hadden gekend opgelucht toen de slaapzaalgroep uit elkaar werd gehaald. De hele zomer hadden we ons afgevraagd of we opnieuw de band zouden kunnen smeden die we hadden voordat onze geliefde in ons leven was gekomen en of we dat eigenlijk wel wilden. Maar nadat we hadden gehoord hoe Âşık Ahmet haar had verdedigd waren we in een rouwstemming. Ik ben ervan overtuigd dat we nog steeds geloven dat we, als men onze slaapzaal intact had gelaten, het harmonieuze evenwicht van voorheen hadden kunnen herstellen – al was het maar omwille van Âşık Ahmet.

Als een slaapzaalgroep op een internaat dat voor één individu kan doen, waarom kunnen de Verenigde Naties dat dan niet voor de hele mensheid?

En zo eindigde mijn eerste, onvergetelijke liefde zoals de meeste in afschuwelijk liefdesverdriet. Ik was ontroostbaar, onherstelbaar beschadigd, voor eeuwig vervloekt.

Maar daarna werd ik zoals alle beschadigde spullen, denk maar aan de gebarsten urnen uit de Oudheid, een goed gebruikt voorwerp. Ik verwierf de wijsheid der ervaring en mijn hart stond open voor iedere bezoeker die er zijn of haar naam in wilde zetten.

Bovenal leerde ik meer over de liefde, vooral over de lichamelijke liefde. Ik leerde dat het een honger is die je, als hij niet gestild wordt, net zo meedogenloos uitholt en kapotmaakt als de honger naar eten. En ik leerde God te danken dat hij ons die honger had gegeven.

Ik leerde dat geen vreugde op aarde vergelijkbaar is met die tussen twee mensen die naast elkaar liggen en vol zijn met lichaamssappen. Pas dan voel je werkelijk dat je leeft.

Ik leerde dat er geen heiliger creatie bestond dan het menselijk lichaam.

Ik leerde dat trage bewegingen prachtig zijn, dat zacht kreunende, in elkaar vergrendelde lichamen het soort sublieme elektriciteit genereren dat de wereld nodig heeft, maar afwijst, omdat de wereld gelooft in eeuwige activiteit, wat altijd neerkomt op eeuwige strijd.

Ik leerde dat er evenveel seksuele spelletjes zijn als sterren in de hemel, dat men zich met zijn partner kan verenigen als een duizendpoot of als een stier, en dat er gelukkig nog steeds vrijgevochten mannen en vrouwen zijn die blijven zoeken naar nieuwe manieren om de liefde te bedrijven.

Laat me met dit beeld besluiten: ik lig uitgestrekt op de bank. Mijn geliefde wil mijn leeftijd vaststellen. Daar heeft ze een onfeilbare methode voor: de manier waarop men de leeftijd van een boom vaststelt: door de ringen te tellen in de stam. Daarop neemt ze mijn lid in haar mond. Haar lippen zijn vet van haar lippenstift. Beginnend bij de wortel van mijn penis klimt ze naar boven. Om de halve centimeter drukt ze met haar lippen een rode ring af op de schacht. Ze houdt dit vol tot aan het eind. Ze telt de ringen. Deze keer telt ze er zesendertig. (Een uur daarvoor waren het er eenenveertig.) Ze kruipt dicht tegen me aan en lispelt. 'Meer dan dertig ringen. Wat een rijpe eik voor zo'n jonge jongen!'

We omhelzen elkaar. Ze smeert haar borsten en vagina in met rozenblaadjesjam. Ze gaat gehurkt boven mijn gezicht zitten zodat ik haar heerlijkheid in me kan opnemen. Ze zakt neer tot aan mijn mond en laat me de jam tot het laatste restje aflikken. Dan bestijgt ze me en als ze me begint te berijden wrijft ze haar borsten uit over mijn gezicht. Ik ben in zo'n extase dat ik bereid ben te sterven. Ik wil zelfs sterven omdat ik weet dat ik deze hemel nooit meer terug zal vinden, de zevende hemel.

9: Attila

Gebarsten kruiken uit een ruïne

Orhan kwam op een vroege zondagochtend aan bij de *lokanta* van Konstantin Efendi, lang voordat de oude Roemeen of iemand uit zijn familie vanuit de woning boven het restaurant naar beneden was gekomen om te beginnen met de voorbereidingen op de dag. Gehurkt bij de hoofdingang en geen vin verroerend had hij – bijna twee uur lang – gewacht totdat Ebony Nermin op het snuggere idee kwam om op de slaapkamerdeur van Konstantin Efendi te bonzen en te roepen dat hij bezoek had. Inmiddels had bijna de hele buurt – en vooral het jonge grut – zich op het plein verzameld en gaf iedereen zijn mening over de identiteit van de vreemdeling en waar hij vandaan zou kunnen komen. Velen waren ervan overtuigd dat de man, te oordelen aan de manier waarop hij schijnbaar eeuwig op zijn hurken kon blijven zitten, uit het oosten van Anatolië kwam, waarschijnlijk een ongeschoolde arbeider die naar Istanbul was gekomen om werk te vinden. Anderen, die getroffen waren door zijn hoge Aziatische jukbeenderen, meenden dat hij een Koerd was uit Perzië of Azerbeidzjan. Dan waren er nog die wezen naar het grijze Hollywood-pak, met brede witte strepen als de banen van een atletiekcircuit, naar de blauwe das die losjes over zijn crèmekleurige overhemd hing – dat wijd openstond zodat je zijn dikke zwarte borsthaar kon zien – naar zijn leren schoenen die glansden als metalen daken op een zonnige dag en naar de vette laag brillantine in zijn haar, en zeker wisten dat hij een gangster was, waarschijnlijk lid van de kozakkenmaffia. Hij kwam vast protectiegeld eisen van Konstantin Efendi. De oude Roemeen, wiens keuken uit de Balkan populair was geworden bij een select gezelschap, verdiende per slot van rekening geld als water. Bovendien konden de kozakken de Roemenen nauwelijks verdragen omdat de laatsten vonden dat hun religieuze waarheid, die door de patriarch van Konstantinopel – de basis van de Heilige Roomse orthodoxie – nadrukkelijk was goedgekeurd, Absoluut Zuiver was, terwijl de godsdienst van de kozakken – net als andere Slavische orthodoxe richtingen – door de eeuwen heen was bezoedeld door talloze ontaarde ketters.

Eindelijk kwam Konstantin Efendi, nog steeds in pyjama en geëscorteerd door zijn zoons, neven en zijn omvangrijke vrouw Liliana, naar beneden.

Gebogen over de vreemdeling, hun stemmen uit effectbejag met enkele decibellen versterkend, vuurden zij hun vragen op hem af.

'Wie bent u?'

'Wat komt u doen?'

De vreemdeling streek loom zijn robuuste stierenhoornsnor recht, ging rechtop staan en glimlachte als het land na een regenbui.

Op grond van de souplesse van zijn bewegingen deed Ebony Nermin haar duit in het zakje. 'Clark Gable. Maar met een echte snor. Niet zo'n miezerig wenkbrauwtje boven de mond.'

De vreemdeling, die nog breder ging glimlachen, reikte Konstantin Efendi zijn hand. 'Orhan.'

Konstantin Efendi, die hooguit iets minder omvangrijk was dan zijn vrouw, negeerde het gebaar en ging dichter bij hem staan. 'Achternaam?'

Orhan, onverstoord door de intimidatiepoging van Konstantin Efendi, haalde zijn schouders op. 'Dat is alles. Orhan. Ik heb nooit een achternaam gehad.'

Het gezicht van Konstantin Efendi trilde even van medelijden. Hij was verstandig genoeg om te weten dat er zelfs in deze tijd nog mensen waren die verstoken waren van familie – en niet alleen in Turkije. 'Wat wilt u, meneer?'

'Ik heb een voorstel.'

'O ja?!'

Orhan richtte zich tot de oudste zoon van Konstantin Efendi, die een sleutelbos bij zich droeg. 'Als je de deur openmaakt, kunnen we aan die hitte ontsnappen.'

De zoon reageerde hierop alsof het een bevel was en deed de ingang van de lokanta van het slot.

Orhan wandelde rustig naar binnen en ging aan een tafel achter in de eetzaal zitten.

Konstantin Efendi en zijn clan liepen achter Orhan aan alsof hij een gemeentelijke inspecteur was.

De rest van ons, onder aanvoering van Ebony Nermin – die altijd overal als eerste bij was omdat ze verstandelijk een tikkeltje achterliep – dromde achter hen aan.

Twee mannen lokaliseerden Orhans accent in het noordoosten van Anatolië. Dat was onjuist. Het was zuidelijk, uit het Torosgebergte, maar uit een geïsoleerde gemeenschap. Ik wist veel over accenten. Mijn halve leven had ik geluisterd naar komische sketches op de radio.

Orhan ging zitten, trok de stoelen links en rechts van hem bij hun leuningen naar zich toe en liet zijn armen daarop rusten. Hij wenkte ons alsof we oude bekenden waren. 'Konstantin Efendi – laten we een glaasje raki drinken. Om mijn voorstel te besprenkelen.'

Ditmaal boog Liliana zich met heel haar honderdveertig kilo's tellende gewicht naar hem toe. 'Eerst het voorstel.'

Orhan keek haar stralend aan. '*Madamitza* – wat hebt u een mooie stem…'

'O ja?'

Orhan haalde met een glimlach zijn sigaretten te voorschijn en bood haar er een aan. 'En zo krachtig. Hebt u ooit aan een zangcarrière gedacht, Madamitza? Het land zou aan uw voeten liggen…'

Liliana, die normaalgesproken vreemdelingen behandelde

alsof haar vader de bergen en zij de heuvels beheerde, genoot van het compliment. Met een koket knikje weigerde ze de sigaret. 'Het voorstel…'

Orhan stak zijn sigaret op. 'Natuurlijk, Madamitza. Maar neem het me alstublieft niet kwalijk als ik zo meteen omval van de dorst.'

Liliana, die nu glimlachte, gebaarde ongeduldig naar haar jongste zoon. 'Haal een fles raki!'

Konstantin Efendi, ontstemd door de volgzaamheid van zijn vrouw, brulde: 'En vlug wat!'

De jongeman haalde een fles raki, een glas en ijsklontjes.

Orhan bevochtigde zijn mond met een ijsklontje, dat hij daarna in zijn glas liet vallen. Hij schonk een ruime hoeveelheid in zijn glas en dronk dat in één teug leeg. Daarna vulde hij zijn glas bij – deze keer met een normale hoeveelheid. 'Ik ben een *kabadayı*, Konstantin Efendi, Madamitza…'

Kabadayı, letterlijk 'ruwe oom', heeft allerlei betekenissen; maar met wat nuanceverschillen komen die allemaal neer op 'hufter', 'zware jongen' en dergelijke lieverdjes.

Konstantin Efendi knikte. 'Bent u er zo een…'

'Om precies te zijn, ik ben een kabadayı van de oude stempel. Een klassieke kabadayı zou je kunnen zeggen. Niet zoals die schurken, branieschoppers en boeven van tegenwoordig die onze goede naam te grabbel hebben gegooid.'

'Ik wist niet dat er kabadayı van de oude stempel bestonden.'

'Het is helaas een uitstervend ras. Maar ze bestaan nog! Ik ben een van de besten als ik over mezelf mag opscheppen. Een professional, zoals ze tegenwoordig zeggen…'

Konstantin Efendi lachte spottend. 'Een professional?'

Orhan nam een slokje van zijn raki. 'Ik kom u mijn diensten aanbieden.'

Konstantin Efendi begon te lachen. 'Dat is heel attent…'

Orhan negeerde het spottende lachje. 'U hebt een chique tent. U kunt vast wel wat steun gebruiken…'

Konstantin Efendi wees naar zijn zoons en neven. 'Ik heb alle steun die ik nodig heb.'

Orhan nam weer een slok. 'Ik heb geruchten gehoord over kozakkenbenden...'

Konstantin Efendi schamperde. 'En jij denkt dat je die aankunt? In je eentje?'

Orhan zette zijn glas neer en gaf plotseling – zelfs zonder op te staan – een karateklap tegen de stoel aan zijn rechterzijde.

De stoel, die van hout was maar toch stevig, viel uit elkaar.

Orhan glimlachte. 'Ja.'

Er viel een stilte.

We waren allemaal met stomheid geslagen. Hoewel onze buurt niet bovengemiddeld onrustig was, hadden ook wij ons aandeel vechtpartijen gehad en soms zelfs bloed zien vloeien. Maar nog nooit hadden we zoveel kracht en zo'n gezag gezien, zo'n spontaan en terloops vertoon van macht.

Orhan nam weer een slok. 'Om u gerust te stellen – ik ben heel goedkoop voor een kabadayı. Ik vraag geen loon. Ook geen deel van de winst. Alleen mijn dagelijks brood – meloen, kaas, olijven, af en toe een stukje vlees of vis. En raki. Mijn portie is een fles per dag. Ik hoef ook geen eigen kamer. Ik slaap wel in een hoekje. Dat deed ik in het leger ook...'

Konstantin Efendi kreeg zijn stem terug. 'Ik begrijp het niet...'

'Geld heeft me nooit geïnteresseerd, Konstantin Efendi. Ik ben gelukkig zonder.'

'Maar waarom dan... dit werk?'

'Het is mijn roeping. Waar ik vandaan kom, wordt het kabadayı-zijn als een kunst beschouwd. Net als het bespelen van de kanun. Voor mij is dat genoeg.'

'Waar komt u vandaan?'

'Van overal en nergens. Zelfs van de gevangenis.'

'De gevangenis?'

Orhan glimlachte treurig. 'Dat is verplicht hier in dit land. Net als de lagere school.'

'Waar hebt u voor gezeten?'

'Het was een erekwestie. Natuurlijk.'

Weer viel er een stilte. Het uitzitten van een gevangenisstraf in Turkije om een erekwestie – wat betekende dat hij een belediging, verkrachting of ander misdrijf tegen familieleden had gewroken – maakte iemand bijzonder. Hij behoorde tot een elite – net als dichters, kunstenaars en socialisten.

Konstantin Efendi keek hem ernstig aan. 'En als ik weiger? De politie bel?'

Weer gaf Orhan zonder waarschuwing een klap op een stoel, ditmaal die aan zijn linkerzijde. Ook die viel in stukken uit elkaar. 'Dat mag u zelf uitmaken...'

Konstantin Efendi brulde. 'Dat is al de tweede die u kapot hebt geslagen!'

Orhan nipte van zijn glas. 'Ik zet ze wel weer in elkaar. Ook dat kan ik goed.'

Konstantin Efendi keek naar zijn vrouw in de hoop dat zij nog iets te zeggen had.

Orhan stond op, pakte een ander glas, vulde dat met ijs en raki, wachtte tot de drank eerst troebel en vervolgens effen wit werd, en reikte dat de oude Roemeen aan. 'Hier, neem een slokje van het leeuwenzaad! Laten we onze afspraak bezegelen.' Plotseling keek hij beschaamd naar Liliana. 'Het spijt me, Madamitza... Ik bedoelde engelenmelk...'

Liliana wuifde behaagziek met haar hand. 'Ik geef de voorkeur aan leeuwenzaad.'

Orhan knikte hoffelijk. 'U hebt gesproken als een echte leeuwin, Madamitza... Allah zij geprezen voor vrouwen zoals u...'

Toen Orhan opmerkte dat Konstantin Efendi met afkeuring naar zijn woorden had geluisterd, gaf hij hem een knipoog.

Tot zijn eigen stomme verbazing gaf Konstantin Efendi een knipoog terug.

Orhan richtte zich tot ons. 'Laten wij allen het glas heffen! Maar jullie moeten wél betalen!'

Om recht te doen aan Konstantin Efendi: hij weigerde niet alleen iedere betaling voor de drankjes, maar sloot zelfs het restaurant tijdens de lunch – de meest lucratieve tijd van de dag. Toen enkele buurtgenoten, die vrolijk zwalkten van de raki, hem plaagden om zijn vrijgevigheid en vroegen waarom hij de vreemdeling zo in de watten wilde leggen, moest hijzelf ook even nadenken. Een van zijn zoons, die probeerde namens hem antwoord te geven, zei dat Konstantin Efendi een groot hart had – wat iedereen al wist. Volgens een andere zoon had zijn vader bewondering voor Orhans dapperheid, een eigenschap die hij met weinig succes had geprobeerd aan te kweken bij de mannen in zijn eigen familie. Een derde zoon, verreweg de slimste, stelde dat zijn vader Orhan had aangenomen als bewaker. De geruchten over benden – en niet alleen die van de kozakken, maar ook van Albanezen en andere bevolkingsgroepen – die geld afpersten van ondernemers waren geen loze praatjes. Afpersing was een groeiende bedrijfstak. Het was voorstelbaar dat de aanwezigheid van een kabadayı deze benden zou afschrikken of dat die, als ze werden bedreigd, Konstantin Efendi voldoende tijd gaf om de politie te waarschuwen.

Maar alleen Ebony Nermin leek de ware reden te bevroeden. 'Omdat Efendi hem graag mag. Daarom heeft hij hem aangenomen.'

De forse Liliana, als altijd lichtelijk verontwaardigd – al was ze nu niet meer zo boos als toen haar man besloot het restaurant tijdens de lunchtijd te sluiten – keek naar haar alsof ze een orakel was. 'Maar hij heeft hem pas net ontmoet!'

Ebony Nermin knikte argeloos. 'Ik ook! En ik ben dol op hem!'

Niemand durfde dat te bestrijden. Ebony Nermin was misschien traag van gedachten maar net als de schildpad die tegen de haas racete, eindigde zij altijd als eerste bij de finish. Volgens haar enige familielid – een oude tante die pas was overleden – had ze deze gave geërfd van haar Nubische overgrootmoeder, die in haar tijd een bekend orakel was geweest en de levens van minstens drie sultans had gered van samenzweringen aan het hof. (Toevallig had Mahmut de Simurg, de verhalenverteller, een van zijn profetes op deze overgrootmoeder gebaseerd.)

'Ik ga met hem trouwen', besloot Ebony Nermin.

Ik, Atilla, hoorde dit en werd jaloers. Net als iedere jongen in de buurt was ik verliefd op Ebony Nermin, ook al was zij met haar negentien jaar een paar jaar ouder dan ik. Ik was niet op haar verliefd omdat ze zo mooi was – er waren wel meer mooie meisjes in de buurt. En ook niet omdat ze het profiel van Ava Gardner had – al bekoorde dat me ook. Maar omdat ze door en door goed was. Een kindergeest, zoals men zegt. De enige persoon die alles geloofde wat men zei en iedereen vertrouwde die haar pad kruiste. Ze keek altijd vriendelijk, zei altijd iets aardigs tegen iedereen, raakte altijd zacht je hand als ze je begroette, liet altijd op verzoek haar intieme delen aan je zien (en vroeg daar nooit geld voor zoals sommige andere meisjes). En ze snauwde je nooit af.

Vandaar dat ik ellendig bij Orhan rondhing. Ik had grof tegen hem willen zijn – hem misschien zelfs woedend willen aankijken en waarschuwen dat ik over een paar jaar zijn vijand zou zijn.

Tot mijn verrassing vermaakte hij kort nadat hij zich had geïnstalleerd de mensen door gedichten voor te dragen. En hij declameerde goed – plengde zelfs af en toe een traan. Hij leek elke regel van Orhan Veli te kennen en vele gedichten van Nâmık Kemal, Fâzıl Hüsnü Dağlarca en vele anderen. Als mensen vroegen waar hij deze gedichten had leren appreciëren, antwoordde hij dat hij ze in het leger had geleerd, waar de overheid eindelijk haar plicht had gedaan en hem had leren lezen en schrijven. In feite was het zijn liefde voor Orhan Veli, bekende hij, waardoor hij de naam van de dichter had overgenomen. Deze bekentenis, die in tegenspraak was met zijn eerdere bewering dat Orhan de enige naam was die hij ooit had gehad, veroorzaakte een stortvloed aan vragen over zijn ware identiteit.

Hij kon daar alleen maar om lachen. 'Orhan is waar ik naar luister!' zei hij steeds.

Dat maakte zijn mysterie alleen maar groter.

En al snel hadden wij Ebony Nermin hoffelijk uit ons hoofd gezet. Binnen enkele dagen erkenden we dat zij Orhan werkelijk adoreerde. Voor dag en dauw stond ze op, waste zich snel, rende naar de lokanta, vond hem dan waar hij toevallig sliep – 's zomers in de tuin, 's winters in de keuken – en maakte hem voorzichtig wakker. Terwijl hij zich waste, maakte zij het ontbijt klaar. Hij was een zuinige eter, nam genoegen met wat brood, kaas, olijven en uien. Daarna schonk ze twee glazen raki voor hem in – volgens hem was raki een veel beter begin van de dag dan koffie – en legde ze drie sigaretten klaar die hij achter elkaar oprookte om lucht te krijgen in zijn borstkas. Daarna liep hij naar zijn tafeltje achter in het restaurant, naast de keuken, maar met een goed uitzicht op de eetzaal en maakte hij zich gereed voor de dag. Hij plaatste een kruk – eens had hij ons uitgelegd dat mensen eerder konden opstaan van een kruk dan van een stoel – aan het hoofd van de tafel en zette daar aan beide kanten een stoel neer – stoelen die hij misschien kapot zou slaan om ruziezoekers te waarschuwen. Dan zette hij twee lege raki-flessen naast elkaar op tafel, beide binnen handbereik. (De fles waaruit hij dronk hield hij onder de tafel, in een ijsemmer.) Vervolgens bond hij zijn stiletto om zijn linkerkuitbeen – hij was linkshandig – en tot slot ging hij bijna ceremonieel op de kruk zitten. Daarna sloot hij zijn ogen en mediteerde hij een kwartiertje om in de kabadayı-stemming te komen. Ebony Nermin zat op de grond bij zijn voeten en bleef zo tot negen uur vol bewondering naar hem staren of praatte tegen hem op haar mededeelzame manier die hem deed glimlachen met een tederheid die ik nooit bij een andere man heb gezien.

Rond negen uur kwamen Liliana en haar zoons en neven naar beneden om de boel schoon te maken en de tafels te dekken. (Orhan werd nooit betrokken bij de werkzaamheden in het restaurant, dat hoorde niet tot de taken van een kabadayı.) Om tien uur kwam Konstantin Efendi terug met verse producten van de markt en begon de hele familie de lunch voor te bereiden. Op dit punt van de dag ging Orhan naar de tuin om te trainen. En de jongens uit de buurt, tenminste degenen van wie de ouders de eigen bijdrage voor de middelbare school niet konden betalen, stonden naar hem te kijken. 's Middags toog Ebony Nermin naar haar werk – ze werkte als schoonmaakster – en ging Orhan weer aan zijn tafeltje zitten, waar hij tot vier uur 's middags bleef, wanneer het restaurant een paar uur dichtging voor de voorbereidingen op het avondeten. Tijdens deze pauze trokken hij en Ebony Nermin zich terug in hun eigen kamertje – daar had Konstantin Efendi voor gezorgd door Orhan toe te staan een afscheiding te maken in de voorraadkamer – om te praten over baby's en de toekomst. (Ja, binnen drie maanden waren zij getrouwd. De huwelijksreceptie die Konstantin Efendi en Liliana aanboden, waarop alle vrienden en vaste gasten van het restaurant waren uitgenodigd, maakte deel uit van de plaatselijke folklore.)

Stipt om zeven uur 's avonds ging Orhan als een uitgeruste Turkse soldaat weer op zijn post zitten en terwijl hij nipte van zijn raki hield hij tot sluitingstijd – rond middernacht – scherp toezicht op de gasten en de vele straatverkopers die bloemen, loterijkaartjes, prenten van het Exordium of kralen tegen het boze oog verkochten. Hij lette vooral op als de zigeunerinnen aan hun buikdansvoorstelling begonnen. Deze danseressen, die langs alle restaurants in de buurt gingen, werden voortdurend lastiggevallen door wellustige, dronken kerels.

Rond tien uur ging Ebony Nermin als ze klaar was met haar werk terug naar het restaurant, waar ze tot sluitingstijd een beetje rondhing. Konstantin Efendi vroeg altijd of ze wat wilde eten, maar ze nam nooit iets vóór middernacht, wanneer Orhan aan zijn tweede maaltijd van de dag begon. (Om lenig en alert te blijven at hij nooit als hij in functie was.)

Hun liefde, zoals Liliana iedereen vertelde, was een groter wonder dan de onbevlekte ontvangenis. Waar of wanneer had iemand een man gezien die zo toegewijd was aan zijn vrouw, alsof zij alle zegeningen van de wereld in zich had? Waar of wanneer had iemand een man spontaan, wel om de minuut, het gezicht van zijn vrouw zien strelen en kussen? En hij kuste niet alleen haar wangen, maar ook haar lippen, armen, handen, vingers, knieën, ja zelfs haar voeten. Sterker nog, waar of wanneer had iemand gezien dat een man zijn vrouw naast hem liet lopen, met zijn wijsvinger stevig om die van haar gehaakt, in plaats van een meter of twee achter hem aan? En nog wel in het openbaar! Waar iedereen bij stond! Zelfs waar de imams bij stonden! Ja, zelfs politie, wijkopzichters en regeringsfunctionarissen!

Een jaar ging voorbij.

Orhan was al lang geen buitenstaander meer. Een zoon van Konstantin Efendi en twee van zijn neven waren naar Amerika geëmigreerd om daar 'het grote geld' te verdienen, zoals ze het noemden. (Volgens de berichten waren zij met hun keten van hamburgerzaken inderdaad hard op weg dat doel te bereiken.) Hierdoor namen vele mensen uit de buurt aan dat Konstantin Efendi en Liliana, wanneer zij met pensioen zouden gaan, Orhan zouden vragen of hij met hun overige zoons en neven mede-eigenaar van de zaak wilde worden. Ze waren zelfs zo aan hem gehecht geraakt dat ze hem als lid van de familie behandelden. De meeste mensen in de buurt moesten eraan worden herinnerd dat Orhan nog steeds een werknemer was, de kabadayı van de Roemeen.

Inmiddels hadden Orhan en Ebony Ermin hun huwelijk bekroond met een dochtertje en wilden zij graag nog meer kinderen. (Sinds hun huwelijk moest Ebony Nermin per decreet van Liliana kortweg Nermin genoemd worden.)

Orhan en Nermin bleken een perfect paar – zeker het gelukkigste dat de oudere mensen ooit hadden gezien. Maar Orhans toewijding voor zijn baan verslapte niet, noch door zijn liefde voor Nermin noch door zijn verantwoordelijkheden als vader. Sterker nog, hij bemande zijn post met nog meer waakzaamheid. In die tijd namen de geruchten toe dat een syndicaat van benden die belust waren op de gemakkelijke buit van het protectiegeld, Istanbul verdeelde in exclusieve territoria.

Een paar uur na de geboorte van zijn dochter kwam Orhan naar de vochtige kelder die mijn vader ons thuis noemde. Orhan had net de lokanta gesloten, maar wist dat ik altijd lang opbleef om naar de radio te luisteren. (In die tijd wilde ik acteur worden of, nog beter, komiek, en probeerde ik de verschillende regionale accenten onder de knie te krijgen, naast het deftige Turks van de nieuwslezers.)

Hij had een paar flessen raki bij zich en glimlachte zoals Allah moet hebben gedaan nadat hij het universum had gecreëerd. Hij vertelde dat de wereld was verrijkt met een nieuwe bloem. Met zowel Nermin als Çiçek – 'bloem', dat was de naam die hij aan de baby had gegeven – ging alles goed. We hadden iets te vieren. Bovendien zou ik als de zon opkwam, een belangrijke les hebben geleerd: hoe te drinken zonder dronken te worden.

We gingen dus naar het strand, zaten aan het water en turend naar het onophoudelijke scheepsverkeer door de zeestraat, dronken we leeuwenzaad.

Terwijl ik dronk zonder dronken te worden, durfde ik te vragen waarom hij juist mij had gekozen om dit heugelijke feit te vieren. Ik was een stille jongen; hoewel ik altijd in de buurt was, dwaalde ik veel rond; meestal bemoeide ik me met niemand, keek en observeerde ik alleen maar. Sommigen meenden dat ik een boos oog had en vroegen me wat er zoal in mijn hoofd omging – waar ik nog zwijgzamer van werd. Zelfs mijn vader wilde niets met mij te maken hebben.

Tot mijn verrassing zei Orhan dat wij geestverwanten waren. Gebarsten kruiken uit een ruïne ergens in de verte. We probeerden water te dragen voor goede mensen. Al lekten we uit elke breuk, toch hadden we degenen met dorst genoeg te bieden. Maar dan, voordat we iemands dorst zouden kunnen lessen, zouden we door schurken in één klap worden verpulverd. Gereduceerd tot zinloos stof in de wind. We waren met andere woorden: kabadayı.

Ik vroeg of hij daar over wilde uitweiden. Toen viel ik van mijn stokje.

En erover uitweiden deed hij, een paar weken lang, terwijl hij mij ondertussen leerde te drinken en rechtop te blijven.

Kabadayı zijn geen schurken. Ze zijn vergelijkbaar met de vogelvrij verklaarden van weleer – mensen als Pîr Sultan Abdal, Köroğlu, Karacaoğlan en Şeyh Bedreddin – die de mensen beschermden tegen wrede vorsten, corrupte ambtenaren en inhalige landeigenaren. In onze tijd hadden we natuurlijk voorzieningen als de politie, wijkagenten en de nachtelijke *bekçi* die deze taak vervulden. Maar hoe ijverig deze korpsen ook zijn, ze zijn niet effectief genoeg om de allerslechtsten af te schrikken. Bovendien zijn ze door en door corrupt. Dus de mensen lijden nog steeds, of het nu boeren of vissers zijn, dichters of musici, werknemers of winkeliers. De echte vogelvrij verklaarden, dat mag men niet vergeten, vormen nog steeds het establishment: de wrede leiders, corrupte ambtenaren en inhalige landeigenaren. Terwijl het arme volk hele-maal wordt uitgekleed, trekken zij een nieuw rokkostuum, uniform of nieuwe turban aan of veranderen van naam.

Vandaar dat er, om dit onrecht te bestrijden, nog steeds kabadayı nodig zijn.

De kabadayı kennen hun geboden, vergelijkbaar met die in de heilige boeken. Maar hun regels zijn niet opgeschreven. Omdat blinde gehoorzaamheid aan de kanon altijd heeft ge-leid tot onderdrukking, hebben de kabadayı ervoor gekozen hun principes uit hun hoofd te leren.

Men zou kunnen zeggen dat kabadayı met hun bijzondere talenten worden geboren; ze kunnen niet gevormd of opgeleid worden zoals mensen in andere beroepen. Hierin lijken ze op grote dichters en musici. Velen worden zich vroeg in hun leven van hun gaven bewust. Anderen zijn zo bescheiden dat ze hun intuïtie liever wantrouwen. (Orhan beaamde dat ik zo was.) Gelukkig zijn meester-kabadayı altijd op zoek naar vers bloed en halen zij deze zichzelf wegcijferende mannen bij de broeder-schap. Onnodig te zeggen dat talent niet altijd aan zijn belofte voldoet. Vandaar dat een meester, voordat hij verklaart dat een kandidaat de ziel heeft van een kabadayı, hem eerst een tijdlang observeert; haastige beslissingen dragen altijd het zaad van de duivel in zich. Grondig onderzoek naar de ziel van de kandi-daat is een vereiste, omdat er, net zoals er talloze valse dienaren Gods bestaan, ook talloze valse kabadayı zijn – allemaal zelf-verklaarde kabadayı uiteraard. In het algemeen, rekening hou-dend met de gebruikelijke spanningen bij de verlegen en nederige beginner, kost het een meester ongeveer zes maanden voordat hij zeker weet dat zijn kandidaat het kabadayı-schap in zijn bloed heeft zitten. Daarna onthult de meester de kabadayı-regels en leert de wijdeling die uit zijn hoofd.

En Orhan koos niemand anders dan mij, Attila, uit als zijn kandidaat – mij, niemand anders, zelfs niet Tarzan Hamdi, de waaghals van de buurt.

En na vele glazen raki, toen ik eindelijk kon drinken en rechtop kon blijven staan, kreeg ik de kabadayı-regels te horen.

'Eerst en vooral, geloof in Allah – ook wanneer het, omdat het kwaad nu eenmaal meer succes heeft dan het goede, onmogelijk is in Hem te geloven. Het alternatief, klagen en vloeken, is verspilling van energie. Kabadayı gaan zuinig met hun energie om.

Mijd daarom altijd geld. Het bederft de geest.

Blijf kalm. Perfectioneer de kunst van het vredig in je eentje zitten. Maar blijf altijd op je hoede. Observeer elke beweging van de mensen en denk na over wat daarachter zit. Je zult ontdekken dat iedereen altijd overal een bedoeling mee heeft.

Train elke dag.

Begin nooit een gevecht. Probeer zo goed als je kunt gevechten te voorkomen. Bied je tegenstanders raki aan en om ze tot bedaren te brengen zorg je dat hun glas voller is dan het jouwe. Betaal altijd voor de drankjes, maar als dit gebaar beschouwd zou kunnen worden als een belediging, gun dan je tegenstanders het voorrecht van deze beleefdheid. Als al deze hoffelijkheid tekortschiet, zeg dan dat je nog steeds bevriend met hen wil zijn, dat je zelfs bereid bent je keel aan hen toe te vertrouwen door ze toe te staan je te scheren. Als ook dat niet werkt, gooi het dan over een andere boeg, waarschuw je tegenstanders dat je ze hoogstwaarschijnlijk ernstig gaat verwonden. Als bewijs sla je een stoel kapot. Of buig je een ijzeren staaf. Of til je een auto op. Of vang je met je mond een wesp. Als laatste redmiddel doe je of je getikt bent, ga je gekke bekken trekken, handel je als een krankzinnige.

Maar als ook deze waarschuwingen in de wind worden geslagen en je gedwongen bent te vechten, vecht dan als een leeuw.

Soms kom je tegenstanders tegen met een hart van steen. Je herkent die meteen en weet dat je tegen ze zult moeten vechten. Pak deze mensen aan door eerst hun woede op te poken. Maak grapjes, beledig ze, bied ze een druppel raki aan in plaats van een royaal glas. Wanneer een man het bloed naar het hoofd stijgt van woede, krijgt hij een waas voor zijn ogen en slaat hij alle kanten op.

Vlucht nooit en vraag nooit om genade.

Maar geef wél altijd genade. Genade is de enige munteenheid van de kabadayı. Strooi er kwistig mee rond alsof je nog maar een dag hebt te leven, want meestal is er inderdaad geen morgen meer.

Schroom niet in het openbaar te huilen als je geraakt bent door de vreugde of het verdriet van de mensen, door hun liedjes en gedichten, hun ambachten of kunst. Een kabadayı is zijn titel niet waard als hij zijn emoties niet durft te laten gaan.

Wees altijd goed voor vrouwen, kinderen, oude mensen en dieren.

Zorg dat je altijd schoon en goedgekleed bent.

Laat een flinke snor staan. Een snor duidt op integriteit. Vergeet hem nooit te coifferen. Net als de besnijdenis en het knippen van je nagels maakt dat deel uit van de eisen die de profeet Mohammed stelt aan persoonlijke hygiëne en geestelijke en morele gezondheid.

Laat het haar op je borst zien. In de zomer glinstert het van het zweet en dat maakt indruk op je vijand. In de winter komen er ijspegeltjes in en het gerinkel daarvan, dat net als de cimbalen het laatste oordeel aankondigt, zorgt dat hij wegloopt.

Masturbeer nooit. Dat is een belediging voor Allah en vrouwen.

Eet met mate. Een bolle beer kan niet dansen. Drink raki, nooit wijn. Wijn vertroebelt het verstand. Raki maakt het helder. Maar drink alleen maar pure raki. Leeuwenzaad of tijgermelk. Geen aarsvocht.

Draag nooit een vuurwapen. Dat is het wapen van lafaards. Maar bind een mes om je kuitbeen en zorg dat je altijd een lege fles binnen handbereik hebt. Gebruik het mes alleen als het moet.

Maak nooit iemand af. Ook niet als je zelf stervende bent. Waarom zou je naar gene zijde willen gaan met de extra last van je vijands miserabele ziel?'

Er ging weer een jaar voorbij.

Nermin was weer zwanger.

Inmiddels beschouwde ik Orhan als mijn enige familie – als de moeder, broers en zussen, ja zelfs als de vader die ik altijd had willen hebben. In werkelijkheid had ik een vader, Ragıp. Ook had ik twee ooms, Cemal en Bahadur. Goede mannen, stuk voor stuk. Maar ik had altijd het gevoel dat ze geen interesse voor me hadden. Cemal en Bahadur, broers van mijn moeder, waren matrozen en zaten altijd op een of ander schip. Af en toe, als ze toevallig in Istanbul de wal op gingen, hadden ze het druk met het zoeken naar een ander schip of met gokken. Mijn vader, die oorspronkelijk uit Oost-Turkije kwam, had veel familieleden verloren bij de aardbeving in Erzincan in 1939. Maar hij bleef geloven in het leven en hij had zich gered gevoeld door het huwelijk met mijn moeder, die uit het nabij gelegen İzmit kwam en werk had gevonden in een schoenen-fabriek in Istanbul. Volgens oom Bahadur was de bevalling voor mijn moeder kantje boord en kon ze daarna geen foetus meer binnen houden. Toen werd ze tijdens een harde winter geveld door tuberculose. Ik was zes en enig kind.

Na haar dood gaf mijn vader het min of meer op. In de jaren dat hij was getrouwd werkte hij als brievenschrijver voor onge-letterde mensen, maar daar hield hij mee op omdat het te pijnlijk voor hem werd, want de meeste brieven die men hem vroeg te schrijven brachten verschrikkelijk nieuws over bittere armoede, honger, uitzetting en sterfgevallen, vooral sterfge-vallen van kinderen. (In de buurt van Yeni Cami, de moskee bij de Galata-brug, kennen ze hem nog steeds als schrijver van bijzonder mooie condoleances.) Uiteindelijk vond hij een baan als conciërge in een flatgebouw – daar waar die beroemde kanun-speler Handan Ramazan woont. Dat betekende dat hij nog maar één keer per week thuiskwam, op vrijdag, na het gebed. Dan maakte hij voor mij een maaltijd klaar – heel liefdevol, alsof hij me wilde zeggen dat dit de enige traktatie was die hij me kon geven – en daarna ging hij uit. Eerst naar een bordeel met vergunning – die waren relatief goedkoop – daarna naar een meyhane om zich te bezatten. (Met zijn wekelijkse bezoek aan het bordeel, vertelden mensen me, probeerde hij gezond te blijven. Er was geen andere manier waarop een man die geen vrouw kon krijgen of geen tweede huwelijk wilde aangaan, het vol kon houden.) Diep in de nacht kwam hij terug – wankelend op zijn benen. Hij stond toe dat ik hem uitkleedde en op bed legde. Maar ik geloof niet dat hij ooit sliep. In de vroege ochtend glipte hij stilletjes naar buiten en ging terug naar zijn werk. We praatten dus zelden. Schudden elkaar zelden de hand. Hij gaf me nooit een schouderklopje of haalde nooit zijn hand door mijn haar en kneep ook niet in mijn wang zoals vaders doen. We hadden alleen lichamelijk contact wanneer ik hem in bed hielp. Altijd als ik hem uit-kleedde, legde hij zijn hoofd op mijn schouder en huilde hij stilletjes. Ik geef het niet graag toe, maar ik genoot van die momenten. Niet alleen omdat ze mij een gevoel van warmte en liefde gaven, maar ook omdat ik wist dat hij me iets wilde zeggen, misschien dat het hem speet dat hij zo'n wrak was, of dat wanneer ik bij hem zou blijven, hij zou veranderen, dat het hem zou lukken op te krabbelen vanonder het gewicht van alle mensen die hij had begraven.

En toen verscheen Orhan ten tonele. De man die mijn leven zin gaf. Me vertelde dat ik was zoals hij.

Niet zomaar een man die vanuit zijn diepste binnenste tot in de hoogten van zijn ziel zo zuiver was als water. Maar ook een liefhebbende man. Een man die als een moeder met mij knuffelde – die met iedereen als een moeder knuffelde. Een man die zijn vrouw behandelde als zijn mooiste schat, als zijn gelijke, als de zin van zijn leven, als iemand heiliger dan het opperwezen. Een man die me niet alleen de kabadayı-regels leerde, maar me ook leerde zelfstandig te zijn en me bij bracht wat ik wilde weten. Die met me naar de radio luisterde, zich interesseerde voor mijn dromen om komiek te worden, luisterde als ik accenten imiteerde, me prees als ik het goed deed. Die me op mijn rug klopte, over mijn bol aaide, me kuste en in mijn wang kneep – vaak zonder reden, maar gewoon omdat hij van me hield. Die me vroeg of ik al met een vrouw had gerollebold of de toorts voor me uit droeg voor een speciale *houri*. Kortom, die een ouder was zoals we denken dat Allah voor ons is.

En zo werd hij mijn moeder en mijn vader, mijn zussen en broers en alle ontelbare andere familieleden die zich al een eeuwigheid over de rand van hun wolk aan mij hadden geërgerd.

Hij werd zelfs mijn zoon en mijn dochter. De kinderen die ik nooit zal hebben. Zo goed leerde hij mij lief te hebben.

Toen viel de duisternis in.

Het was een zachte zaterdagavond in juli, vlak na elf uur, wanneer de late eters ongeduldig wachten op hun *Bela Rugosi* – het toetje van het huis dat, zo zwoer Konstantin Efendi, door een Franse chef was gemaakt voor Vlad de Spietser, alias graaf Dracula.

Ik was in het restaurant aan het werk. Op aanbeveling van Orhan had Konstantin Efendi me een deeltijdbaantje gegeven. Ik deed eenvoudig werk: afwassen, tafels dekken, drank serveren. En ik deed dat graag omdat ik zo in de buurt van Orhan kon blijven.

Wat mijn geluk nog groter maakte was dat ook Nermin meehielp in het restaurant. Zo kon ik dwepen met Çiçek wanneer ze sliep of haar vreemde kinderspelletjes deed. Nermin was als een oudere zus voor mij. En Çiçek, die zelden huilde, maar druk de wereld om haar heen observeerde – en spontaan glimlachte als ze iemand zag – was me even dierbaar geworden als een kind van eigen vlees en bloed.

Ze drentelden naar binnen, alsof ze de hele wereld in hun zak hadden. Vijf kerels, een met een gladgeschoren kop, als een zeerover uit vroeger tijden. Zware jongens. Geen kozakken, zoals ik eerst dacht. Echte gangsters, die zonder reden iemand een oog uitstaken.

Ze zaten aan een tafel bij de ingang.

Ik keek naar Orhan.

Hij had hen uiteraard al gezien en keek hen onderzoekend aan. Toen knikte hij naar me, onmerkbaar voor hen, om aan te geven dat ik hen moest bedienen.

Ik liep naar hun tafel. 'Goede avond, heren. De keuken gaat zo sluiten. Maar als u snel uw bestelling doet…'

De kaalgeschoren man, duidelijk de leider, brulde. 'Haal Konstantin Efendi!'

'Pardon?'

'Ga hem halen, klein opneukertje! Zeg hem dat Octopus hem wil spreken.'

Toen ik terugliep naar de keuken fluisterde Orhan in mijn oor: 'Drijf iedereen voorzichtig de keuken in. Zeg dat ze daar moeten blijven!'

Ik knikte.

'Daarna schenk je raki voor die zwijnen in. Een drupje maar. Niet meer. Zeg dat het van mij is.'

'Maar dat is een belediging…'

'Dat is de bedoeling.'

'Mannen met een stenen hart dus?'

'Precies.'

'Dat dacht ik al. Meteen toen ik ze zag.'

'Schiet op, vooruit! Daarna ga jij ook naar de keuken.'

'Ik kan je helpen…'

'Dat doe je al. Volg mijn instructies.'

Ik zorgde dat iedereen naar de keuken ging. Daar bleven ze op een kluitje bij de deur staan.

De mannen keken geamuseerd toe.

Ik schonk de raki in volgens Orhans aanwijzingen en zette de glaasjes voor de mannen neer.

De man die zichzelf Octopus noemde, staarde naar de drankjes. 'Wat krijgen we nou?'

'Voor u.' Ik wees naar Orhan. 'Rondje van de zaak.'

Octopus keek naar Orhan en begon toen te lachen.

Orhan nipte glimlachend van zijn raki en stuurde me gebarend naar de keuken.

Met tegenzin gehoorzaamde ik.

Octopus stond op en goot de glaasjes leeg over de vloer. 'Gevoel voor humor, daar hou ik wel van.'

De gasten, die onraad roken, gingen ongemakkelijk verzitten. Sommigen stonden al bijna op, klaar om te vertrekken.

Octopus sprak tot hen. 'Ja, donder maar op, mensen! We hebben hier zaken te bespreken. Wie niet betaald heeft, laat het maar zitten. Konstantin Efendi heeft geld genoeg.'

De gasten keken elkaar aan, wisten niet wat te doen.

Orhan nam het woord. 'Beste gasten, gaat u lekker een luchtje scheppen op het strand. En kom daarna terug. Zeg, over een kwartiertje.'

De gasten, merendeels vaste klanten die bijzonder op Orhan waren gesteld, sloegen kalm op de vlucht.

Octopus draaide zich om naar zijn gezelschap en wees naar Orhan. 'Dit moet de kabadayı zijn over wie we zoveel hebben gehoord...'

De mannen grinnikten.

Octopus begon op spottende toon tegen Orhan te praten. 'Edelachtbare heer, wij zijn gekomen om ons geld te innen van de Roemeense hufter. Verzekeringspremie. Hij betaalt, wij beschermen zijn zaak. Wij zorgen ervoor dat hier geen tandenstoker breekt. Met uw permissie, uiteraard...'

Orhan tuitte zijn lippen alsof hij moest nadenken over zijn antwoord; toen haalde hij zijn schouders op en begon hij ineens rare bekken te trekken en te brabbelen.

Razend brieste Octopus: 'Zeg, pus van een venerische zweer! Ik heb het tegen jou!'

Orhan kakelde en keuvelde mogelijk nog zwakzinniger.

Octopus gaf een van zijn kompanen een stootje. 'Zorg dat die klootzak zijn muil houdt.' Hij blikte de anderen in hun ogen en wees naar de keuken. 'Breng die ouwe gek hier!'

Toen de mannen naar de keuken wilden gaan, liet Orhan zich van zijn kruk glijden en schreeuwde: 'Halt!'

Onder de indruk van het onverwachte gezag in zijn stem, bleven de mannen staan.

Orhan gebaarde hen weg te gaan. 'Ga langzaam terug naar jullie plaatsen. Neem daarna jullie Octopus mee. Vaarwel...'

De mannen weifelden, keken elkaar aan en vervolgens Octopus.

De laatste gilde: 'Grijp die miet bij zijn ballen!'

Ze stormden naar voren.

Toen ging alles zo snel dat ik het bijna niet kon volgen.

Orhan schopte zijn kruk voor de voeten van de drie mannen die naar de keuken waren gelopen, waardoor ze voorover vielen. Bijna op hetzelfde moment haalde hij uit naar de vierde man, raakte die op de brug van zijn neus en sloeg hem neer. In een en dezelfde beweging pakte hij de lege flessen op zijn tafel en sloeg die stuk op de hoofden van twee van de gestruikelde aanvallers. Toen die flauwvielen trok hij hen aan hun haren omhoog en sloeg hij hen met hun gezichten tegen het hoofd van de derde man die hij over zijn kruk had laten vallen.

Toen hij even later rechtop stond, had hij zijn mes getrokken en hield dat gericht op Octopus.

Octopus stond verstijfd, staarde verbijsterd naar zijn gevelde jongens.

278

Orhan, die met zijn mes cirkels in de lucht trok, zei tegen Octopus: 'Ik zou mijn naam in je borst kunnen kerven. Maar dat zou dom zijn. De politie zou erbij betrokken raken. Konstantin Efendi zou allerlei problemen krijgen.'

'Ik krijg je nog wel!' siste Octopus.

Orhan grijnsde. 'Sssst. Ik schijt in mijn broek...'

Een paar mannen stond kreunend op.

Orhan gaf hun een por met zijn voet. 'Vooruit, neem je jongens mee. Eruit!'

Het duurde een paar minuten voordat Octopus zijn jongens naar buiten had gesleept. Nadat hij ze in de Pontiac had gestouwd die bij de ingang van het restaurant stond geparkeerd, draaide hij zich om, zette toen zijn duim op zijn tanden en mimede het 'wraakteken'.

Wij waren inmiddels allemaal de keuken uit gerend en stonden om Orhan heen. Maar hij duwde ons weg en zocht naar een emmer met zaagsel.

Toen ik begreep wat hij zocht, pakte ik de emmer en strooide een dikke laag zaagsel uit over de vloer waar de bloedplas van de mannen lag.

En net op tijd ook. Want even later stormden enkele politieagenten binnen van het plaatselijke bureau.

Een paar gasten, duidelijk degenen die hen erbij hadden gehaald, kwamen achter hen aan.

'Wat is hier aan de hand?' brulde de leidinggevende rechercheur.

Konstantin Efendi drong zich naar voren. 'Aha, rechercheur Dursun...'

'Vanwaar al deze commotie?'

Konstantin Efendi keek hem onschuldig aan. 'Waar hebt u het over?'

Rechercheur Dursun, die de zucht slaakte van de vermoeide, ervaren politieagent, begon om zich heen te kijken, ongetwijfeld speurend naar enig bewijs van het opstootje. 'Over de commotie die zelfs tot in Roemenië was te horen, Konstantin Efendi...'

Konstantin Efendi legde zijn hand op zijn voorhoofd, alsof hij zich plotseling iets herinnerde. 'O, u bedoelt dat stelletje dronkelappen. Ja, wat een luidruchtig stel! Ik zei dat ze konden ophoepelen en toen vertrokken ze.'

Rechercheur Dursun keek naar Orhan.

Plotseling zag ik dat Orhan probeerde zijn mes te verbergen achter zijn rug. Ik besefte dat als de politie dit mes bij hem zou vinden, hij gearresteerd kon worden wegens het dragen van een wapen en deed een stap naar voren, alsof ik de weg wilde vrijmaken voor de rechercheur. Toen liet ik mezelf struikelen en terwijl ik naar voren stuntelde duwde ik een van de agenten naar de rechercheur toe. Terwijl die zich in evenwicht probeerde te houden, pakte ik het mes van Orhan en liet dat in de zak van mijn schort vallen.

Ik draaide me om naar rechercheur Dursun, keek daarbij zo schuldbewust als ik kon. 'Sorry, meneer...'

Woedend keek hij op me neer.

Ik ging terug naar de keuken, me nog steeds verontschuldigend. Met nog steeds een gekwelde blik ging ik naar de gootsteen en legde het mes op de stapel af te wassen bestek.

Rechercheur Dursun stond stil bij de omgekeerde kruk en de gebroken flessen. 'Wat heeft dit te betekenen?'

Orhan pakte de kruk op. 'Iemand heeft hem waarschijnlijk omver gestoten, meneer.'

'En die gebroken flessen?'

Liliana kwam giechelend naar voren. 'De dronkelappen. Ze deden of ze Russen waren. Eerst drinken, dan de fles kapotslaan...'

'Hebben ze hier maar twee flessen gedronken?'

Liliana keek verontwaardigd. 'Ik wilde niet dat ze er nog meer kapotsloegen. Die twee zijn er twee te veel.'

Rechercheur Dursun was niet overtuigd. Hij richtte zich

opnieuw tot Orhan. 'Heb je ze gebruikt tijdens een gevecht?'

'Wie, ik? O, nee, hoe kunt u dat nou denken?'

'Kabadayı – zo noemen ze u geloof ik.'

'Om me te plagen.'

'Om te plagen?'

'Ik ben de nachtwaker... Mensen maken graag een geintje...'

'Wat is uw naam?'

'Mijn naam is Orhan.'

'Orhan wat?'

'Orhan Veli. Net als de dichter.'

Rechercheur Dursun lachte schamper. 'Het is niet waar?'

'Daarom ken ik heel zijn werk uit mijn hoofd. Van veel andere dichters ook...'

'Dat meent u niet.'

'Jawel, echt waar. Luister... *Wat we al niet voor ons land hebben gedaan, sommigen van ons zijn gestorven, anderen trokken van leer...* "[1] Vindt u het niet prachtig?'

'Bent u in het bezit van een geweer? Of een mes?'

'Ik? Absoluut niet!'

Rechercheur Dursun gaf een van zijn mannen het bevel Orhan te fouilleren.

Hetgeen gebeurde. Orhan werkte volledig mee.

De politieagent schudde zijn hoofd. 'Hij is schoon, meneer.'

Rechercheur Dursun, nog steeds niet tevreden maar niet bij machte iets incriminerends te vinden, zei tegen Konstantin Efendi: 'Er is hier iets niet pluis. Ik kan het ruiken. Wees dus gewaarschuwd. Ik hou u in de gaten...'

Hij riep zijn mannen en vertrok.

De gasten gingen zitten.

Anderen, die buiten stonden te drentelen, druppelden binnen.

Konstantin Efendi, die van opluchting bijna in tranen was, omhelsde Orhan. Daarna ging hij met Liliana langs de tafels en schonk een feestelijke schuimwijn.

Teruglopend naar zijn tafel om weer de wacht te houden, drukte Orhan me tegen zijn borst aan. 'Dankjewel, broeder…'

Ik probeerde mijn schouders op te halen, maar was zo dankbaar dat ik stokstijf bleef staan.

Toen kuste Nermin me op mijn wang. 'Lieve, lieve Attila…'

Nog meer in verwarring haastte ik me naar de keuken en zocht naar een klusje om iets om handen te hebben.

In de vroege ochtend van de daaropvolgende zaterdag brandde de lokanta af. Ik had die avond daarvoor niet gewerkt – vrijdagavond is mijn vaders vrije avond – dus ik kan niet zeggen dat ik de brand had kunnen voorkomen als ik er wél was geweest. Maar die hele vrijdag had ik al zo'n voorgevoel dat er iets verschrikkelijks ging gebeuren. Maar ik dacht dat dat met mijn vader zou zijn. Hij zou door een bus worden geschept of een hartaanval krijgen. Hij was een zware drinker geworden en niemand – ik ook niet – kon hem ervan weerhouden zichzelf dood te zuipen.

Degenen die de brand hadden gezien zeiden dat de lokanta snel door de vlammen was verteerd. De tijd die een lucifer nodig heeft om af te branden. Een ster om te vallen. Een pan met olie om vlam te vatten.

Een oliepan die vlam had gevat zou de oorzaak van de brand zijn geweest. Iemand had hem op het fornuis laten staan en was vergeten het gas uit te draaien en toen – boem! Ook al zwoeren Konstantin Efendi en het voltallige personeel dat dit soort nalatigheid nooit kon voorkomen. Geen restauranthouder sluit zijn zaak voordat alle pitten zijn uitgedraaid en het kookgerei is afgewassen en opgeruimd. Dat is regel nummer één. Zelfs beginners weten dat, laat staan oude rotten als Konstantin Efendi.

Ik wist dat Konstantin Efendi gelijk had. Maar misschien… Ik vervloekte het Lot dus omdat ik die avond niet had gewerkt.

Was ik er wél geweest, dan had ik de gaspitten gecontroleerd – een paar keer. Dat deed ik altijd.

Bovendien, als ik die avond had gewerkt, had ik misschien nóg iets gezien, misschien wel de ware oorzaak van de brand. Misschien had ik bijvoorbeeld een auto weg zien rijden, dezelfde Pontiac die een verliefd stelletje geparkeerd had zien staan bij het Vrijerslaantje – dat afgelegen voetpad, een eindje voorbij het restaurant. Als het de Pontiac van Octopus was geweest, zou ik hem hebben herkend. Ik had het kenteken onthouden toen ik de bende zag afdruipen na de afranseling die Orhan hun had gegeven.

Op zijn minst had ik als ik die avond had gewerkt de brand kunnen zien terwijl ik naar huis liep en terug kunnen rennen. Misschien was ik op tijd geweest om Orhan en Nermin te redden... en het kind dat over een paar maanden zou worden geboren.

Maar terwijl zij door verbranding om het leven kwamen, legde ik mijn vader op bed en luisterde ik naar zijn stille geschrei.

Zo zijn ze omgekomen.

De brand begon rond halftwee 's nachts, men neemt aan in de keuken.

Liliana, die aan insomnia lijdt, kon niet slapen en merkte dat er rook kwam door de houten vloer van de slaapkamer, die pal boven de keuken lag. Ze wekte haar man en de rest van de familie, en iedereen kon zonder ongelukken naar buiten komen.

Ze renden terug naar binnen, naar de voorraadkamer, waar Orhan, Nermin en de kleine Çiçek sliepen.

Tegen die tijd stond de voorraadkamer, die aan de keuken grensde, in lichterlaaie, nog woester brandend dan het restaurant zelf.

Bijna meteen zagen ze Orhan uit de vlammen verschijnen

met Çiçek in zijn armen. En ze zagen dat hij achteromkeek, in de veronderstelling dat Nermin achter hem aan kwam. Maar ze was er niet. Toen keek hij snel om zich heen, zich daarbij ongetwijfeld afvragend of ze via een andere route was ontsnapt. Wanhopig schreeuwde hij een paar keer haar naam. Nadat hij Çiçek aan Konstantin Efendi had gegeven, rende hij terug de voorraadkamer in.

Precies op dat moment vond er een reeks ontploffingen plaats – volgens Konstantin Efendi ontploften er wijnflessen, sterkedrank, olie en paraffine. Even later stortte het dak in. Daarna de muren.

Nadat de brandweer het vuur had geblust vonden ze na enig zoeken de lichamelijke overschotten van Orhan en Nermin. Onherkenbaar verbrand, maar elkaar innig omarmend.

Rechercheur Dursun leidde het onderzoek. Hij weigerde de mogelijkheid te overwegen dat de brand misschien was veroorzaakt door iets anders dan een brandende oliepan. Hij sloot onverbiddelijk de mogelijkheid van brandstichting uit, die gepleegd zou kunnen zijn door de bende die een week daarvoor het restaurant van Konstantin Efendi had bezocht. Om te beginnen had Konstantin Efendi niets gezegd over dergelijk bezoek de avond dat hij, rechercheur Dursun, op het rumoer was afgekomen. Deze bewering zou nu beschouwd kunnen worden als een manier om geld los te krijgen van de verzekeraar – vooral omdat de andere hoofdgetuige, Orhan, treurig genoeg het verhaal niet meer zou kunnen bevestigen. Ook kon het zijn, en dat was waarschijnlijker, dat Konstantin Efendi aan waanvoorstellingen leed. Een veelvoorkomend verschijnsel bij een shock.

En niemand nam de verklaring serieus van het verliefde paartje over de Pontiac die bij het Vrijerslaantje geparkeerd zou staan. Ten eerste gingen zij, zoals alle smoorverliefde stelletjes, op in hun eigen wereld. En bovendien, wat ze ook gezien dachten te hebben – als ze al werkelijk iets hadden gezien – dan was dat midden in de nacht en in het pikdonker waardoor zelfs lippen die elkaar vol verlangen wilden kussen elkaar nauwelijks konden vinden.

En toen deed rechercheur Dursun zijn botte mededeling.

'Na mijn aanvaring met Orhan vorige week was ik nieuwsgierig naar hem geworden. Ik vond hem een arrogante kwast – en achter arrogantie schuilt altijd modder.

Afijn, ik heb nu een behoorlijk dossier over hem. Hij had verschillende schuilnamen. Allemaal namen van dichters. Dat hij van poëzie hield was niet gelogen.

Wat misdaad betreft: geen ernstige misdrijven. Hij was een geboren zwerver. Af en toe een vechtpartij – die hij meestal won. Hij liet zich niet arresteren, begon altijd te vechten. Kruimeldiefstal – altijd voedsel – als hij op de vlucht was.

Toen vond ik iets totaal onverwachts, wat ongebruikelijk is voor een zwerver. Hij bleek een rokkenjager. Een bigamist. Had minstens twee vrouwen, op verschillende plekken. Misschien nog twee anderen, maar ik heb nog niet alle feiten kunnen achterhalen.

En een paar kinderen. Dat lijkt me niet verwonderlijk. Wat betekent dat Nermin zijn derde of vijfde vrouw is en Çiçek zijn zevende kind. Niet slecht voor een man van half in de dertig.

Geloof het of niet, maar alle vrouwen houden nog steeds van hem. Hij was blijkbaar heel goed voor ze. Behandelde hen zacht…'

Op dat moment liep ik weg.

Ik pakte de weinige kleren in die ik had. En nam het beetje geld mee dat ik had gespaard. Ik liet een briefje achter voor mijn vader. Daarin vertelde ik dat ik zou gaan waar de bus me heen bracht en een baantje zou zoeken. Ik voegde eraan toe dat ik hem zou missen. En nu ik niet meer in zijn buurt was om hem aan mijn moeder te herinneren, hoopte ik dat hij een beetje gelukkig zou worden. Ik weet niet waarom ik dat laatste erbij schreef. Uit verdriet, denk ik. Dat moest ik op iemand afreageren.

Daarna ging ik terug naar de lokanta. Rechercheur Dursun was vertrokken. Maar Konstantin Efendi en Liliana waren er nog. Ze zaten bij de verkoolde resten op de stoep te wachten op de schadetaxateurs. Konstantin Efendi hield Çiçek in zijn armen, waardoor hij zijn woede niet kon ontladen. Dat deed Liliana wel voor hem.

Ze hadden geen woord geloofd van wat Dursun had gezegd. Daar was ik blij om. Ze zouden niet kunnen begrijpen dat de kabadayı moeten zwerven van de ene naar de andere plek om de mensen te kunnen helpen. Dat dit deel uitmaakte van hun roeping. Uiteraard zijn hun vrouwen daar niet blij mee, maar ze begrijpen het. En zij accepteren dat als de wil van Allah. Zodat ze van hun kabadayı blijven houden, zelfs nadat hij is vertrokken.

Dursun was een achterbakse vent. Iemand die een lam deelt met een wolf en het verlies ervan betreurt bij de herder. Hij had afscheid van Konstantin Efendi en Liliana genomen met de botte opmerking dat ze blij moesten zijn dat ze van Orhan waren verlost, en nog blijer met het aanzienlijke bedrag dat ze van de verzekering zouden krijgen. Nu konden ze met pensioen gaan, of een groter en duurder restaurant beginnen.

Dursun was ook een schurk. Het gerucht ging dat de reden waarom hij de brand in de lokanta duidelijk geen brandstichting vond, het smeergeld was dat hij van Octopus had gekregen.

Ik vertelde Konstantin Efendi en Liliana dat ik vertrok. Ik vroeg of ik Çiçek mee kon nemen. Ik probeerde hen ervan te overtuigen dat ik goed voor haar zou zorgen, mijn leven voor haar zou geven.

We maakten er de rest van de dag, de hele avond en de daaropvolgende dag ruzie om.

Eindelijk hadden ze me overtuigd. Ik was een goede jongen, maar nog heel jong – pas vijftien. Een baby had voortdurend intensieve zorg nodig. Al deed ik nog zo mijn best, die zou ik nooit kunnen geven.

Toen deden ze me een belofte. Ze zouden haar niet in een weeshuis stoppen. Ze zouden zelf voor haar zorgen. Haar zelfs adopteren. Al zouden ze haar natuurlijk wel een mohamme-daanse opvoeding geven.

En als ik terugkwam, zou ze klaar staan. Een jonge vrouw. Rijp voor het huwelijk. Misschien werd ze wel mijn bruid – waarom niet?

Ik ben nu drieëndertig.

Çiçek moet nu achttien zijn. Ik neem aan dat ze nog steeds bij Konstantin Efendi en Liliana woont.

Vaak fantaseer ik erover om terug te gaan. We herkennen elkaar meteen. En leven samen verder alsof we al die jaren niet van elkaar gescheiden zijn geweest.

Maar ik ga niet terug. Daar heb ik voor gezorgd door het nieuwe adres te verscheuren van Konstantin Efendi nadat hij de grond van de lokanta had verkocht aan een oude Armeniër die was teruggekeerd na vele jaren in Canada te hebben gewoond en die had besloten om daar een nieuw restaurant te beginnen. Die Armeniër is inmiddels dood, maar zijn vrouw runt de zaak nog steeds en vaak voel ik de verleiding om naar haar toe te gaan en het adres van Konstantin Efendi te vragen. Maar alleen de verleiding. Zoals ik al zei, ik ga niet terug.

Ik ben een kabadayı nu – al een jaar of tien. En een goede. Orhan zou trots op me zijn. Ik probeer als hem te leven. Alleen begin ik niets met vrouwen. Niet omdat ze mij niet mogen. Ik heb via koppelaarsters al verschillende aanzoeken gehad. Wat dat betreft volg ik ook mijn vader. Een man verlamd door te veel doden. (Ik heb gehoord dat mijn vader een aantal jaren geleden is overleden. Aan levercirrose. Er was niets veranderd in zijn leven.)

Af en toe ga ik naar de hoeren.

Ik ben van hoeren gaan houden. Ze begrijpen wat pijn is. Ze geven je de moed om verder te gaan, de volgende hoek om te slaan.

Ik wou echt dat ik terug kon.

Maar ik zie het nut er niet van in.

Ik wil geen weeskinderen nalaten.

Ik blijf een kabadayı. Zoals Orhan al voorspelde, zijn wij een uitstervend ras – dat spreekt me aan. Misschien zijn we wel een ras met een hang naar de dood. Ook dat is aansprekend.

Ik ga door totdat iemand mijn kamer in brand zet. Of me in de rug schiet. Of me omverrijdt met zijn auto.

En als er in het hiernamaals een plek is voor de kabadayı, zal Orhan er zijn. En zal ik naast hem gaan zitten.

10: Zeki

Wanneer een schrijver wordt vermoord

Mijn ballingschap begon op mijn twaalfde, zeven jaar voordat ik daadwerkelijk het land uit ging.

Op 31 december 1947 kregen wij, de eersteklassertjes van het college, aan het einde van het eerste semester onze traditionele traktatie: een gezellig middagje in çayhane Emirgân, al eeuwenlang een van Istanbuls beste theehuizen aan de Bosporus, waar onze wereldvreemde literatuurdocent Âşık Ahmet ons mee naartoe nam.

Een van de doelen van dit uitje was het nieuwe jaar in te luiden met voordrachten van de mooiste gedichten; een ander doel was om van ons, jongens op de drempel der volwassenheid, de belofte te krijgen dat wij bleven werken aan de door Atatürk gekoesterde droom om Turkije te veranderen in een van de meest vooruitstrevende naties ter wereld. Want zoals ons al zo vaak was onderwezen had de Vader der Turken, nadat hij een doodziek land er weer helemaal bovenop had geholpen, ons in de laatste jaren van zijn leven voortgebracht als zijn erfopvolgers; het was onze plicht zijn wonder te bestendigen.

Het derde doel was Âşık Ahmets improvisatie op het tweede. Op deze dag zou iedere leerling zijn toekomstige beroep kiezen en daarna zweren dat hij niet op deze beslissing zou terugkomen. Bovendien mocht hij deze keuze niet maken om er financieel op vooruit te gaan, maar omdat de door hem gekozen loopbaan voorzag in een van de vele diensten die nodig waren voor de verdere ontwikkeling van het land. Alleen door onbaatzuchtige toewijding konden we het paradijs terugkrijgen dat door de laatste Ottomaanse sultans zo schandelijk was verkwanseld.

Het was een heldere winterdag, zo een waarop Istanbul zijn verborgen kleuren laat zien. De zon en de sneeuw gingen ofwel gepassioneerd in elkaar op of zaten achter elkaar aan; en de ramen van de oude statige huizen aan de Bosporus veranderden in spiegels om hen te weerkaatsen. De wind verspreidde de unieke stadsgeur van zee, dennen, honing en rozenwater. De enorme plataan die de tafeltjes van het theehuis beschutte, fluisterde tijdloze wijsheden. En Âşık Ahmet, die enthousiast de ene na de andere sigaret rookte, was helemaal zijn charmante zelf.

De thee stroomde als water, wat thee altijd en overal in Turkije doet. Mezes en de specialiteit van het huis, aubergines op negenennegentig verschillende manieren bereid, werden op grote koperen schalen naar ons toe gebracht. (Volgens een Turkse folkloristische wijsheid kan de mens slechts op negenennegentig manieren aubergines klaarmaken; men neemt aan dat er nog minstens negenennegentig andere recepten zijn, maar die zijn alleen Allah bekend.) Belangrijke onderwerpen als sport, meisjes, de puberteit, masturbatie, natte dromen en de ontelbare mysteriën van de vagina die ons geopenbaard zouden worden, werden vrijelijk besproken.

Terwijl we er allemaal prettig loom bij lagen en opkeken naar Âşık Ahmet als onze profeet, stond hij op en nam het woord. Het werd tijd, zei hij, dat wij – poppen van het mooiste land ter wereld – uit onze cocon kropen en de wijde wereld in vlogen. Ter plekke moest ieder van ons in alfabetische volgorde opstaan en vertellen wat hij later wilde worden. We kregen vijf minuten om daarover na te denken. Behalve beroepen als arts, ingenieur en bedrijfskundige, waar het land een groot tekort aan had, mocht niemand een beroep uitkiezen dat al door een ander was gekozen. Ruilen, iets waar besluiteloze slappelingen zich aan bezondigden, was verboden. Ongetwijfeld zouden enkele jongens die achter in de alfabetische volgorde stonden, teleurgesteld worden omdat hun beroep al door een ander was gekozen. Maar dat zou op zichzelf een waardevolle les zijn, een kennismaking met de eerste onomstotelijke waarheid van het leven, namelijk dat het menselijk bestaan zelfs voor geluksvogels hardnekkig oneerlijk is.

En zo maakten mijn klasgenoten hun keuzes kenbaar: beroepen van arts tot ingenieur, van scheikundige tot accountant, van koopman tot bankier, van geoloog tot metaalbewerker, van soldaat tot piloot en van hotelier tot boer werden genoemd. Als iemand weifelde omdat het door hem gewenste beroep al was gekozen of omdat hij het nog niet wist, stelde Âşık Ahmet of iemand van ons een alternatief voor.

Ik kwam als laatste. Trillend van de zenuwen stond ik op. Ik had al besloten wat ik wilde worden toen Âşık Ahmet het uitje had aangekondigd. Het was een impulsieve beslissing geweest, bedoeld, moet ik toegeven, om indruk op hem te maken. Maar het liet me niet meer los en ik had gebeden dat niemand anders het zou kiezen.

Âşık Ahmet keek mij aan. 'En jij, mijn joodse vriend, wat wil jij worden?'

Enthousiast antwoordde ik: 'Professor, meneer. In de letterkunde.'

'Professor in de letterkunde?'

'Ja, meneer.'

'Waarom heb je hiervoor gekozen, Zeki?'

'Hoezo?'

'Heldenverering? Uit verlangen mij te zijn?'

Ik kon wel door de grond zakken. Het lag er dik bovenop dat ik hem vereerde. Dat deden we allemaal. Maar ik had daar goede redenen voor. Ten eerste behoorde hij tot de groep mensen die mij en mijn moeder hadden geholpen tijdens de hongersnood in de tijd van de Varlık, die vervloekte Weeldetaks die minderheden kregen opgelegd. Ten tweede was hij een fervent voorstander van iedere goede zaak; in sommige kringen stond hij zelfs bekend als 'de nobele democraat'. Ten derde wist hij alles over de wereldliteratuur wat je weten moest. Ten vierde omdat hij, aangezien hij deze kennis door het hele land wilde verspreiden, lesgaf in het hele onderwijskundige spectrum, van lagere school tot universiteit. Ten vijfde omdat hij zó mannelijk was dat alle vrouwen, en ook de meisjes van onze leeftijd, zich tot hem voelden aangetrokken.

'Nou, Zeki?'

'Eh... Misschien, omdat ik...'

'Tijdverspilling, jongen. Jij kunt mij niet zijn!'

'Dat weet ik. Maar ik wil het graag proberen, meneer...'

'En stel dat het je lukt, wat zou je dan zijn geworden?'

'Een edel mens, meneer.'

'Nou niet dus, meneer. Je zou een imitatie zijn.'

'O!'

'Is dat wat je voor dit land wilt zijn? Een na-aper? Een suïcidale papegaai?'

'Nee, meneer.'

'Denk dan nog eens goed na. Waar ben je goed in?'

'In niet zoveel dingen, meneer. Hardlopen misschien. Ik heb sterke longen.'

'Met hardlopen kun je geen carrière maken. Hooguit een olympische medaille winnen. Wat denk je van de literatuur?'

'Maar daarom wilde ik juist leraar worden, meneer. Ik hou enorm van literatuur.'

'Je bent er goed in, dat moet ik je nageven. Je kent het verschil tussen proza en poëzie. Je hebt gevoel voor taal en schrijft goede opstellen. Ik beschouw jou als mijn beste leerling totnogtoe! Voor een jood is dat werkelijk fenomenaal!'

'Meent u dat, meneer?'

'Ook heb je een wat groot voorhoofd met veel ruimte voor heel veel woorden.'

Ik kreeg een kleur. Vaak werd ik door mijn klasgenoten om mijn grote hoofd geplaagd. Totdat ik begon te beseffen dat ik, al was ik lang en dun, niet per se een zwakkeling was. Dus op een dag kwam ik in opstand tegen een pestkop en ik sloeg hem helemaal verrot; ik had niet omgekeken. Boos antwoordde ik: 'Aan de omvang van mijn hoofd kan ik niets doen, meneer. Zo ben ik geboren.'

Âşık Ahmet grinnikte. 'En om een heel goede reden. Je hebt het hoofd van een schrijver. En daarom moet je dat worden! Schrijver.'

'Ik, meneer? Schrijver?'

'Je hebt het in je! Voel je dat niet?'

'Ik weet het niet, meneer...'

'Verdomme, jongen! Doe niet zo onnozel! Luister naar je gevoelens!'

'Ik weet niet hoe dat moet, meneer...'

'Wees niet zo verlegen tegenover mij!'

'Dat ben ik niet, meneer.'

'Goed dan, zeg mij na: Ik ben een schrijver. Ik voel dat ik het in me heb. Kom op!'

'Ik ben een schrijver. Ik voel dat ik het in me heb.'

'En dat is wat ik later word. Romanschrijver. Dichter. Toneelschrijver. Essayist.'

'O.'

'Laat maar horen!'

'En dat is wat ik later word. Romanschrijver... Dichter... Toneelschrijver... Essayist...'

Âşık Ahmet klapte in zijn handen. 'Dat is dan afgesproken!' Hij riep de ober. 'Schenk deze jongen een glas raki in! Zet maar een paar flessen neer. We hebben iets te vieren.'

Met stomheid geslagen keek ik naar mijn vrienden, die juichten en in hun handen klapten. Ondertussen vroeg ik me af of ze mijn beroepskeuze toejuichten of het vooruitzicht dronken te worden.

Âşık Ahmet stond op en begon te dansen. Toen droeg hij een gedicht van Nâzım Hikmet voor:

Denk je eens in TARANTA-BABU
Hoe verheven het leven is
Het te begrijpen als een meesterlijk boek
Het te beluisteren als een liefdeslied
Te leven
In verwondering als een kind
O, hoe verheven is het te leven
*TARANTA-BABU...*²

Later kwam Âşık Ahmet dronken maar plechtig naast me zitten en schonk hij mijn glas nog eens vol. 'Hoe gaat het, mijn jonge joodse vriend.'

Dronken en aangemoedigd door de raki citeerde ik: *'O, hoe verheven is het te leven...'*

'Vind je het een mooi gedicht?'

'Ja, meneer.'

'Weet je waar het over gaat?'

'Het is tegen het fascisme. Het is geschreven toen Italië zich voorbereidde op de invasie van Abessinië. Het zijn brieven van een Ethiopische student in Rome aan zijn vrouw thuis.'

'Een Hikmet-aficionado!'

'Aficionado' was dat jaar een modewoord. Âşık Ahmet had het geleend van Hemingway, die volgens hem door zijn zwierige mannelijkheid de meest Turkse onder de buitenlandse schrijver was.

Ik knikte trots. 'Ik heb alleen gelezen wat nog van hem verkrijgbaar is. Bijna al zijn werken zijn verboden.'

'Dat geldt ook voor "Taranta-Babu".'

'Mijn vader heeft er een exemplaar van. Had hij gekocht toen het uitkwam.'

'Je vader... Ach, natuurlijk... Vitali Behar, de advocaat. De man die de rechtelozen verdedigt, toch? Ik zou hem eens moeten ontmoeten.'

'In feite hebt u zijn leven gered.'

'Echt waar? Hoezo?'

'Door eten te geven aan mijn moeder en mij in de Varlık-periode… Mijn vader zat toen in het werkkamp in Aşkale…'

'Wacht even. Was hij niet degene die daarna van zijn eerste loon een encyclopedie voor zijn zoon had gekocht? Toen hij terugkwam uit het kamp?'

'Ja, meneer.'

'En jij bent die zoon?'

'Ja, meneer.'

'Geen wonder dat je zo geworden bent. En hij is een liefhebber van Hikmet?'

'Joden weten wat fascisme is.'

'Er schiet me nog iets te binnen. Een van je familieleden is gesneuveld tijdens de Spaanse Burgeroorlog…'

'Een Franse neef van mijn vader. Dat klopt.'

'Een links nest. Reden te meer hem eens te ontmoeten. Dat wordt dan een links onderonsje.'

'Waarschijnlijk wel, meneer.'

'Bij nader inzien kan hij maar beter niet met mij worden gezien. Voor sommige mensen ben ik nog erger dan links…'

'Nog erger?'

'Ja, een rioolrat, waarmee ze "pluralist" bedoelen, en bij uitbreiding iemand die het nationalisme ondermijnt. Of een socialistisch zwijn, waarmee ze bedoelen, vijand van het kapitalisme en al het goede in het leven. En natuurlijk ben ik communistisch ongedierte – een worm die knaagt aan het hart van het land.'

'Hoe durven ze?'

'Als geesteloze mensen – opportunisten, reactionairen, religieuze zeloten – aan de macht komen, proberen ze die koste wat het kost te behouden. En dat krijgen ze het beste voor elkaar door onze angsten te voeden. Denk maar aan die anti-communistische hysterie van tegenwoordig. Wij zijn de zondebokken…'

'Maar u bent een beroemde patriot. Een oorlogsheld...'

'Ja, dat geluk heb ik. Sommigen blijven daardoor wat terughoudend. Aan de andere kant, ik stel niet zoveel voor. Ze willen niet minder dan de ziel van Turkije. En die hebben ze gevangen en in de boeien geslagen...'

'U bedoelt Hikmet?'

'Precies.'

'Hebt u hem gekend?'

'Ik heb hem een paar keer ontmoet.'

'Wat is hij voor iemand?'

'De geïncarneerde Orpheus.'

'Wat zou ik hem graag eens ontmoeten...'

'Op een dag... als alles goed gaat... Er wordt campagne gevoerd om zijn vrijlating.'

'Ondertussen kan ik veel van zijn werken niet lezen!'

'Dat kun je wél, als je contact zoekt met de ondergrondse literatuur.'

'Waar moet ik beginnen?'

'Ik leid een ondergronds netwerk. We stencilen al zijn verboden werken en verspreiden die waar we maar kunnen.'

'Echt waar, daar wil ik me bij aansluiten!'

'Maar ik waarschuw je. Het is niet zonder gevaar...'

'Dat begrijp ik, meneer.'

'Is dit raki-moed? Of ben je van nature zo dapper?'

'Geen idee. Misschien wel allebei...'

Âşık Ahmet stak nog een sigaret op en bood mij er een aan.

'Misschien had ik je dit al moeten vragen voordat je besloot wat je wilde worden, Zeki...'

Ik nam de sigaret aan.

Hij gaf me een vuurtje. 'Stel dat ze, als je eenmaal schrijver bent, jouw boeken gaan verbieden...?'

'Ik kan me niet voorstellen dat iemand daarin geïnteresseerd zou zijn...'

'In een groot deel van de wereld is de vrijheid van het woord een luxe. Vooral als de mensheid je ter harte gaat. Als je de vrijheid en de democratie verdedigt. Als je machthebbers, regeringen en instituten kritiseert. Als je net als Hikmet je inzet voor gelijkheid, het beëindigen van oorlogen, voor de wereldvrede… Voor sommige regimes zijn deze thema's ernstige misdaden…'

Ik keek hem geschrokken aan. 'Nu begrijp ik het…'

'Ik neem aan dat jij als jood hierover zult gaan schrijven. Dus zullen ze je brandmerken als subversief. Ze zullen de furiën achter je aan sturen. En wat dan?'

'Geen idee… Wat denkt u?'

'Het risico van vervolging en opsluiting hoort bij het beroep van schrijver…'

'Dan kan ik misschien maar beter niet schrijver worden…'

'En je belofte verbreken?'

'Maar de gevangenis…'

'Die kan heel heilzaam zijn. Het gevang kan op verschillende manieren bijdragen aan iemands persoonlijke groei.' Hij schonk me weer bij. 'Wat zeg je ervan?'

Ik sloeg mijn glas achterover. 'Heb ik een keuze?'

Tot mijn grote verrassing – en volgens mij tot die van iedereen – sloeg hij zijn armen om me heen. 'Jij duivelse jood. God sta je bij!'

Die avond vertelde ik mijn ouders over mijn besluit.

Mijn moeder, die een artistieke inslag had – ze was een zeer begaafd miniaturiste – barstte meteen in tranen uit. Maar dat deed ze bij elk nieuws, of dat nu goed of slecht was. (Tot mijn grote schaamte lijk ik daarin op haar.) Toen ze eindelijk tot rust was gekomen, liep ze naar mijn vader – die nog geen woord gezegd had – en somde ze redenen op waarom ik schrijver zou moeten worden. 'Ongetwijfeld', vertelde ze hem, 'zit er een Tolstoj, een Rabelais, een Cervantes of een Shakespeare in hem, misschien zelfs wel een Homerus of een Rûmi, of wie weet een schrijver die nog beter is.'

Mijn vader bleef zwijgen.

Later, toen er mensen op de koffie kwamen, werd mijn keuze onderwerp van gesprek. Ik zat huiswerk te maken, maar hield daar soms mee op om het gesprek af te luisteren.

Op een gegeven moment hoorde ik mijn oudoom Lazar bij wijze van troost tegen mijn vader zeggen dat mijn zogenaamde beroepskeuze louter een puberale bevlieging was die snel weer vergeten zou zijn; over een paar maanden zou ik zoals iedere keurige joodse jongen tevreden kiezen voor een studie medicijnen, tandheelkunde of economie of, nog beter, de handel in gaan.

(Geen minzame man, oudoom Lazar. Hij was boekhouder bij een overheidsinstantie, een man met stellige overtuigingen en een opvliegende aard, een ware bullebak voor kinderen. Hij had zo'n hekel aan kinderen dat telkens wanneer hij de moëddzin de gelovigen tot het gebed hoorde roepen, hij Elohim bedankte dat zijn vrouw onvruchtbaar was – dat bazuinde hij tenminste rond. Maar oudere mensen wisten te vertellen dat zijn grootspraak diende ter zelfbescherming; hij was zelf onvruchtbaar, want mijn arme, lieve oudtante had tijdens de Onafhankelijkheidsoorlog het leven geschonken aan een zoontje, toen ze nog een jong meisje was. Tragisch genoeg moest ze, nadat haar geliefde was gesneuveld in de slag van İnönü, haar kindje afstaan voor adoptie.)

Tot mijn verrassing bevestigde mijn vader dat hij heel trots zou zijn als zijn zoon schrijver werd. Wat hem zorgen baarde was dat in de treurige werkelijkheid schrijvers zelden een fatsoenlijk inkomen hadden en altijd afhankelijk waren van de grillen van zelfverrijkende uitgevers, van recensenten, columnisten en kunstpauzen, om maar te zwijgen van presidenten en politici. Zolang hij leefde wilde hij mij maar al te graag steunen, maar wie zou er na zijn dood voor me zorgen?

Toen mijn moeder dit hoorde barstte ze uiteraard weer in tranen uit. (Ik overigens ook!)

Toen ik de volgende dag naar school ging, zag ik mijn ouders op een eigenaardige manier glimlachen. Blijkbaar hadden ze om mijn keuze te vieren elkaar uitzonderlijk gelukkig gemaakt die nacht. Als ik al had overwogen om af te zien van een loopbaan in de letteren, dan hadden die glimlachjes op hun gezicht die gedachte voorgoed verdrongen.

En zo was mijn lot bezegeld. Zonder dat mijn ouders of ik het wisten, was mijn ballingschap begonnen.

Binnen een paar weken had ik alles van Nâzım Hikmet gelezen wat clandestien verkrijgbaar was of nog niet door de autoriteiten was verboden. In dezelfde periode had ik me aangesloten bij de groep ondergrondse stencilaars en kreeg ik veel lof van Âşık Ahmet voor alle uren die ik in de weekends naast een aftandse Gestetner doorbracht.

Ook begon ik poëzie te schrijven en ik publiceerde een paar gedichten in de schoolkrant. Helaas waren het deerniswekkende Hikmet-imitaties – dat zag ík zelfs. Ik had mijn dichterslier meteen aan de wilgen gehangen als Âşık Ahmet niet had gezegd dat sommige metaforen 'vonken van originaliteit' bezaten.

Binnen een jaar werd ik de belangrijkste verspreider van Hikmets poëzie onder alle middelbare scholieren aan de Europese oever van de Bosporus. Twee keer werd ik op heterdaad betrapt en gearresteerd – volgens Âşık Ahmet was ik verraden door een paar achterlijke leraren. De eerste keer belandde ik op het plaatselijke politiebureau en kwam ik er met een waarschuwing van af. De andere keer werd ik meegenomen naar het districtskantoor, waar de commissaris vond dat ik een lesje moest leren. Dus kreeg ik een nogal flink pak ransel. De klappen, dreigementen en beledigingen deden geen pijn, maar de angst, die de smaak heeft van bedorven vlees, veroorzaakte in mij een gevoel van verlamming dat me nog parten speelt. Ook kreeg ik te horen dat er nu een dossier over mij bestond, geheel gewijd aan mijn verheven persoontje, dat prominent in de bak 'In behandeling' werd gelegd van de Nationale Veiligheidsdienst; nog één vergrijp en ik zou vanachter de tralies naar de zon kijken.

En toen was het plotseling 1950.

In mei was Adnan Menderes met zijn Democratische Partij aan de macht gekomen. Zij die snoefden aficionado's van Hikmet te zijn, waren opgetogen. Dat zou gratie betekenen; de gevangenispoorten gingen open; zo ging dat na verkiezingen. En aangezien al een tijdlang invloedrijke groeperingen en studentenorganisaties voor vrijlating van Hikmet hadden gestreden, geloofden we dat de nieuwe regering over haar afschuw van het communisme heen zou stappen en hem onmiddellijk zou vrijlaten. We hielden ons vast aan deze hoop, ook toen oudgedienden ons waarschuwden dat de toenemende afkeer tegen linkse zienswijzen, opgeklopt door het machtige propaganda-apparaat van de Verenigde Staten – en tot waanzin opgezweept na het uitbreken van de oorlog in Korea – nog sterker was dan in de periode waarin Hikmet werd opgesloten.

Met een razende woede die deze hysterie evenaarde stencilden wij nog fanatieker.

Toen werd het juni.

Berichten dat Turkije werd gevraagd zich aan te sluiten bij de NAVO zweepten de anticommunistische sentimenten nog hoger op. Zij die waarschuwden dat de prijs voor toelating tot deze 'elite-organisatie' talloze soldatenlevens zou kosten omdat Turkije gedwongen werd zich te storten in de Koreaanse Oorlog, werden weggetreiterd en in sommige gevallen vervolgd en gevangengezet.

Toen we de hoop op gratie voor Hikmet begonnen op te geven werd hij op 15 juli vrijgelaten.

Onze blijdschap was ongekend. We geloofden dat de verdedigers van het woord altijd zegevierden, dat het Lot hen op een of andere manier beschermde, soms zelfs paradoxaal genoeg repressieve regimes als die van Menderes gebruikte om hun de pen terug te geven.

De rest van de zomer bracht ik door bij het stencilapparaat. Er waren weken dat ik nauwelijks sliep. Maar dat vond ik niet erg. Ik verkeerde permanent in een staat van euforie. Mijn held was vrij; en wat nog belangrijker was, zijn totnogtoe onbekende werken kwamen ook vrij. Hikmet, die maar al te graag weer wilde publiceren, verzamelde de gedichten die hij in de gevangenis had geschreven en naar familieleden en vrienden had gestuurd om ze te bewaren. Veel van die gedichten kwamen bij Âşık Ahmet terecht. Hij gaf die vervolgens aan ons stencilaars door. Hierdoor werd Hikmet door de altijd actieve reactionaire wormen nog meedogenlozer te schande gezet; wij, zijn volgelingen, werden afgeschilderd als zijn '*moujiks*, zijn slavinnen en schandknapen'.

Maar wij, zijn moujiks, zijn slavinnen en schandknapen, moesten erom lachen. Wij maakten onze borst nat en daagden hen uit tot een gevecht. We noemden hen een uitstervend ras; en wij hadden geen medelijden met hun doodspijnen; wij waren Atatürks kinderen en deden belangrijk werk. We beweerden zelfs dat Atatürk veel van Hikmet had gehouden en dat hij hem, als hij niet was gestorven, had beschermd tegen de fascisten die hem gevangen hadden gezet. En bij wijze van lijflied citeerden wij Hikmets beroemde gedicht dat hij vanuit de gevangenis aan Piyale, zijn eerste vrouw, had opgedragen:

Zij zijn de vijanden van de hoop, mijn liefste,
vijanden van het stromend water
van de bomen die hun vruchten dragen
van het leven dat zich ontrolt en rijpt.
Want de dood heeft hun voorhoofd getekend –

De rottende tanden, het schilferende vlees.
En zeker, lieve schat, vast en zeker,
zal de vrijheid
weer dwalen door dit prachtige land
en zwaaien met haar armen
in haar allerbeste kleren,
het werkpak van de arbeider.[3]

Zouden jongeren van dit kaliber ook maar een zier geven om gewapende generaals, gezwollen politici of de goddeloze dienaren van God?

De rest van dat jaar vloog in een oogwenk om.

Door mijn werk voor de clandestiene pers kwam ik terecht in de kringen van Hikmet. Af en toe woonde ik de voorleesavonden bij die hij aan vrienden gaf. Soms sprak ik zelfs met hem, of beter gezegd, sprak hij tot mij en zag ik vol bewondering naar hem op. Zoals Âşık Ahmet had gezegd, was hij de geïncarneerde Orpheus.

Eens, in de tuin van een villa van een bewonderaar, sloeg hij zijn arm om me heen alsof ik zijn gelijke was en stelde hij voor, terwijl we door de boomgaard liepen, vrij te associëren met de gevoelens die de verschillende fruitbomen bij ons opriepen. Ik stamelde wat onnozelheden, dat de moerbei een tepel was die het antwoord bevatte op de mysteriën van het leven, de perzik het symbool van de perfectie van de wereld en de vijg een bewaarplaats voor de zaden die de aarde opnieuw zouden bevolken. Mijn pretentieuze associaties werden genereus geprezen, maar hij merkte erbij op dat hoewel een vrucht een wonder op zichzelf was, de boom die hem droeg een nog groter wonder was. En terwijl hij wees naar de bomen om ons heen, liet hij me zien hoe elke boom met zijn individuele kracht en schoonheid getuige was van het grootse, maar mysterieuze plan van de schepping. Zijn lofzang op de bomen deed me denken aan de beroemde regels uit *Kuvâyi Milliye*, zijn epische gedicht over de Onafhankelijkheidsoorlog:

Te leven als een boom alleen en vrij
En in broederschap als een woud
Dat is onze ambitie…[4]

Ook fysiek was hij de opmerkelijkste man die ik ooit heb ontmoet: lang, jongensachtig, met een groot, smal hoofd, dik kastanjebruin haar als een eeuwige dageraad en met een natuurlijke elegantie. Een altijd aanwezige pijp waar hij ofwel aan zoog ofwel mee zwaaide als met een dirigeerstokje, vergrootte zijn autoriteit. De trek die ik persoonlijk het meest kenmerkend vond was zijn voortdurend verwonderde blik – alsof hij telkens als hij naar iets keek een nieuw wonder zag gebeuren. Hoe hadden die helderblauwe ogen de verlatenheid van jarenlange gevangenschap doorstaan, vroeg men zich af. (In die tijd deed de grap de ronde dat men de Voorzienigheid moest danken dat Hikmet en Atatürk elkaar nooit in levenden lijve hadden ontmoet, ook al waren ze gesmeed in dezelfde smeltkroes, Thessaloniki. Want ze hadden allebei zo'n indrukwekkend uiterlijk dat iedereen die hen samen zou zien niet zou weten wie hij moest vereren.)

Al snel echter begonnen we ons zorgen over zijn toekomst te maken. Hij had een hartkwaal en moest spanningen vermijden. Maar wegens gebrek aan geld en omdat hij geen werk kon vinden in een maatschappij die hem als een paria behandelde, was hij samen met zijn tweede vrouw, Münevver, afhankelijk van de gastvrijheid die eerst een goede kameraad en daarna zijn moeder hun boden. Uiteindelijk had een oude kennis een baan voor hem gevonden in een filmstudio en trok het echtpaar Hikmet in een souterrainwoning.

Onze grootste angst was de voortdurende dreiging dat hij weer gearresteerd en gevangengezet zou worden. De overheid beschouwde zijn populariteit, vooral onder intellectuelen, linkse organisaties en studenten, als een mogelijke bron van oppositie. Vandaar dat de politie hem constant in de gaten hield, en om te laten zien dat het hun menens was, deden ze dat openlijk. Bovendien maakte het feit dat hij een internationale bekendheid was geworden – het Tweede Wereldvredecongres in Warschau had hem onlangs, samen met Pablo Neruda, Pablo Picasso, Wanda Jakubowska en Paul Robeson de vredesprijs toegekend – hem een nog charismatischer tegenstander. (Onnodig te zeggen dat hij wegens het anticommunistische standpunt van de regering niet naar Polen mocht om de prijs in ontvangst te nemen. Dat had Neruda namens hem gedaan.)

In het voorjaar van 1951, dat een uitzonderlijk gelukkige periode had moeten zijn omdat zijn vrouw pas was bevallen van zijn zoon Memed, waren we ten einde raad. We bleven geruchten opvangen dat ondanks de internationale druk de autoriteiten nieuwe redenen zochten om hem op te pakken.

Als reactie op deze dreiging zochten een paar goede vrienden naar mogelijkheden om de dichter het land uit te smokkelen. De Sovjet-Unie werd beschouwd als het meest voor de hand liggende land dat hem asiel zou geven.

Toen sloeg begin juni de overheid haar slag. Hikmet ontving een oproep waarin stond dat hij, aangezien hij in zijn gevangenisjaren niet in militaire dienst was geweest, werd verzocht zijn dienstplicht te vervullen op een kazerne ergens in het oosten van Anatolië.

Een dag later riep Âşık Ahmet me op zijn kamer. Hij vertelde over alles wat voorafging aan de oproep van Hikmet: dat eerdere pogingen van de dichter zélf om vrijstelling te krijgen van militaire dienst op grond van zijn zwakke gezondheid op niets waren uitgelopen; dat een speciaal benoemde en dus vooringenomen medische commissie hem volledig had goed gekeurd. We wisten allemaal dat het oosten van Anatolië een bergachtige streek was met extreem strenge winters. Gegeven Hikmets zwakke hart was deze legering een doodvonnis. Hij zou binnen zes maanden dood zijn.

En toen, nadat hij me absolute geheimhouding had laten zweren, vertelde Âşık Ahmet me dat hij en zijn vrienden een plan hadden bedacht om Hikmet de Sovjet-Unie in te smokkelen. Omdat de dichter vierentwintig uur per dag in de gaten werd gehouden, was het plan vrij ingewikkeld en had men een paar medewerkers nodig die fungeerden als lokvogels. Aangezien deze medewerkers niet betrokken zouden worden bij de feitelijke ontsnapping, liepen zij hoogstwaarschijnlijk geen gevaar. Maar elke ondergrondse operatie droeg uit de aard der zaak een zeker risico in zich en dat gold ook voor deze actie. Als er door pech iets misging en de lokvogels werden opgemerkt, werden ze opgepakt en misschien zelfs mishandeld.

Hier zweeg hij even en keek hij me onderzoekend aan.

Ik keek in zijn ogen. Ik had de vraag begrepen die hij in het midden had gelaten. Mijn hart begon luid te bonzen. 'U vraagt of ik als lokvogel wil meewerken?'

Hij lachte. 'Wat ben je toch een fijn joods ventje!'

Zo had hij me talloze keren aangesproken. Maar deze keer irriteerde het me. 'Waarom noemt u me altijd zo?'

Hij keek me verrast aan. 'Hoe noem ik je altijd?'

'Joods.'

'Vat je het op als een belediging?'

'Soms.'

'Waarom?'

'Het klinkt zo antisemitisch. Ik begrijp het niet uit uw mond. U noemt de andere jongens ook niet bij hun ras. U zegt niet tegen Agop "Armeens ventje" of tegen Takis "mijn duivelse Griek"...'

'Dat doe ik wel.'

'Ik heb het nooit gehoord.'

'Meen je dat? Ik weet zeker dat ik dat wel eens doe. In gedachten zeker.'

'In gedachten…?'

Hij raakte bevlogen alsof hij een gedicht voorlas. 'Maar dat doe ik ter viering. Ik zweer het je. Voor mij is het alsof ik door een schitterende tuin loop en elke bloem bij zijn naam noem. De vreugde van het pluralisme. Van het verschil. Van diversiteit.'

'Ik snap het.'

'Je klinkt niet erg overtuigd. En er zit wel iets in wat je zegt. Waarom noem ik jou hardop "jood" – vaak zonder dat ik het besef – en geef ik de anderen alleen maar in gedachten een predikaat?'

'Maakt u zich niet al te druk. Het maakt niet uit…'

'Maar voor mij wel. Ik ben geen antisemiet. Of wel? Ik bedoel, ik weet zeker dat ik iemand neem zoals hij is. En van jou, van jou hou ik als van een zoon. Dat weet je best. Ik heb je zien ontwikkelen en ben er trots op dat ik een gids voor je ben geweest.'

'Dat weet ik, meneer.'

'Maar… rest ons de vraag: waarom noem ik jou "jood"? Ligt het in mijn aard? Ben ik diep vanbinnen antisemitisch?'

Ik haalde treurig mijn schouders op.

Hij knikte ernstig. 'Ik zal erover nadenken. Misschien moet ik mijn mening over mezelf herzien. En als dat moet, dan zal ik veranderen, dat beloof ik je.'

Ik ging rechtop zitten. 'En wat moet ik doen?'

'Jij, helemaal niks. Ik ben degene die…'

'Ik bedoel als lokvogel.'

'O, dat.' Hij keek me bezorgd aan. 'Weet je zeker dat je het wilt doen?'

'Ja.'

Hij straalde. 'Jij heerlijk j…' Hij slikte het woord in. 'Nu weet ik niet meer hoe ik je moet noemen…'

'"Zeki?" Of "jonge Turk" misschien?'

'Goed dan, mijn heerlijke jonge Turk. Weet je zeker dat je

het wilt doen? Het kan misgaan. Je kunt in moeilijkheden komen...'

'Ik weet het zeker.'

'Als ze je arresteren, word je ondervraagd. Ze zullen alles willen weten over mij, over de drukpers, de stencilaars, over iedereen die Nâzım heeft geholpen... Ze kunnen zelfs hardhandig worden...'

'Ik zal proberen het uit te houden... Maar wat als ze me toch op de knieën krijgen...?'

'Dan krijgen wij jou er weer bovenop.'

'En als ik hun vertel over u? Over de anderen?'

'Dan dragen wij de gevolgen. Dan berusten wij daarin. Inmiddels is Nâzım dan hopelijk in veiligheid gebracht.

Ik beefde van angst en opwinding. 'Dat is het belangrijkste.'

Hij stond op en klopte me op mijn schouder. 'Vooruit dan maar!'

Terwijl we naar buiten liepen, bleef hij even staan. 'Nog één ding, jonge Turk: vergeet de jonge jood niet. Koester elkaars verschillen. Als we allemaal hetzelfde worden, zijn we gedoemd te vergaan.'

De volgende dag ontmoette ik thuis bij Âşık Ahmet het hele team. (De examens waren achter de rug en over twee dagen begon de zomervakantie; aanwezigheid op school, van leraren noch leerlingen, had daardoor niet veel zin meer.)

Er waren twee 'goochelaars' – zo noemde Âşık Ahmet de mensen die Hikmet het land uit zouden smokkelen – en vijftien lokvogels, mijzelf meegerekend.

Âşık Ahmet had ervoor gezorgd dat de lokvogels uit alle lagen van de bevolking kwamen. Wij stonden symbool voor de verschillende volkeren van het land aan wie Hikmet een krachtige gemeenschappelijke stem had gegeven. Afgezien van mijzelf waren er nog vier andere studenten, allemaal van verschillende faculteiten van de Universiteit van Istanbul.

De 'goochelaars' – Yannis Karolidis, een bekende begrafenisondernemer die zo rijk zou zijn als Croesus, en Aybek, een Circassiër uit Trabzon, beiden van middelbare leeftijd – waren mannen met zo'n sterk contrasterend uiterlijk dat ik ze bij een minder serieuze gelegenheid Laurel en Hardy zou hebben genoemd.

Meteen na de verplichte kennismakingsronde nam Yannis – de dikke – het woord. Terwijl hij op en neer liep, zijn gedachten op een rijtje zette, besefte ik hoe bedrieglijk mijn eerste indruk van hem was geweest. Dit was helemaal geen kwabbige Oliver Hardy, maar een stevig gespierde monoliet.

Hij stelde zich voor als een van Âşık Ahmets oud-studenten; iemand die, ook al was hij door omstandigheden terechtgekomen in de commercie, trouw was gebleven aan zijn eerste liefde, de poëzie. Daarom beschouwde hij het als een eer om Hikmet te helpen – volgens hem de grootste dichter van hun generatie.

Om deze reden – en tot zijn grote vreugde – zou hij zijn professionele vaardigheden ditmaal inzetten om het leven van iemand te rekken in plaats van het tot stof te laten vergaan. Hij zou een exuberante begrafenis regelen, overduidelijk van een *ağa* uit Pontos die in Istanbul was 'gestorven' en die in zijn testament had verklaard dat hij begraven wilde worden in zijn geboorteplaats Çoruk, een dorp vlak bij Trabzon, een stadje aan de Zwarte Zee.

Yannis, die zelf ook uit Pontos kwam, herinnerde ons eraan dat de bewoners van Pontos afstammelingen waren van het Rijk van Trebizonde dat na de val van Constantinopel nog acht jaar lang had standgehouden als het laatste bolwerk van het Romeinse Rijk in het Oosten voordat het uiteindelijk zwichtte voor de Ottomanen. Maar een behoorlijk grote groep van dit volk bleef aan de Zwarte Zee wonen en hield onverdroten vast aan de tradities van de Grieks-orthodoxe kerk en aan het Griekse dialect uit de Byzantijnse periode. Dit gold op allerlei syncretische manieren ook voor die nazaten die zich, zoals hij, uiteindelijk tot de islam hadden bekeerd. Vandaar dat het vervoer van het stoffelijk overschot van de man uit Pontos, ook al ging het om een christen, naar zijn geboortedorp door de autoriteiten niet als vreemd zou worden beschouwd.

En natuurlijk zou Hikmet in plaats van deze fictieve ağa in de kist liggen, tot aan de Turkse noordoostelijke grens met de Sovjet-Unie. Onnodig te zeggen dat er speciaal een kist met luchtgaten zou worden gemaakt, waar je makkelijk in en uit kon stappen en die zo comfortabel was als een harembed. Vanwege Hikmets zwakke hart werd hij niet over de hobbels en kuilen van de provinciale wegen vervoerd. Nee, hij zou met de nodige pracht en praal over zee gaan; daar zouden Yannis' grote fooien aan iedereen, van ambtenaren tot grafdelvers, voor garant staan. Op een nader af te spreken dag zou in alle plechtigheid de begrafenis plaatshebben van de lege kist terwijl Hikmet al een flink eind onderweg was naar de Sovjet-Unie. En dat was het dan.

Hierna nam de Circassiër Aybek het woord.

Terwijl ik toekeek hoe deze man, die zo dun was als een bonenstaak, zichzelf presenteerde als een *iş bitirici*, een 'taak-afhandelaar' van allerlei onmogelijke klussen die totnogtoe niet één opdracht had laten mislukken, moest ik ook mijn eerste indruk over hém herzien. Ondanks zijn penseeldunne snor leek hij telkens als ik naar hem keek in gewicht toe te nemen. Zijn ogen, die bijna mauve waren, als het water van de Zwarte Zee zelf, hypnotiseerden de toeschouwer.

Hij hield het kort. Hij legde uit dat hij onder andere een zeer winstgevende smokkelbende leidde in het gebied bij de Zwarte Zee in samenwerking met een selecte groep grenswachters van Turkse en sovjetzijde. In Trabzon zou Yannis Hikmet aan hem overgeven. Hij zou hem meteen per auto de Sovjet-Unie binnen smokkelen over een weg die speciaal voor hun handel was aangelegd en op geen enkele landkaart stond aangegeven.

Âşık Ahmet sloot de bijeenkomst af. De voorbereidingen zouden tien dagen in beslag nemen. Er werd niets aan het toeval overgelaten. Aybek zou zorgen voor de documentatie van de 'overledene'. Yannis zou alle formaliteiten afhandelen; zijn reputatie en zijn portemonnee hadden zoveel macht dat hij zelfs geen lijk nodig had. Voor de goede orde, de 'begrafenisprocessie' zou zo ver mogelijk uit de buurt van Hikmet worden gehouden.

Alle stappen werden geoefend totdat ze geperfectioneerd waren.

De eerste stap was om Hikmet uit zijn huis te smokkelen zonder dat de politie dat doorkreeg. Dit zou laat op de avond moeten gebeuren, wanneer zijn bewakers hoogstwaarschijnlijk doodop waren of al snurkten. Maar gedurende de vijf of zes dagen die het zou duren om Hikmet naar Trabzon te brengen en vandaar naar de Sovjet-Unie, moest Hikmet 'in huis' gezien kunnen worden.

En hier werden de lokvogels ingeschakeld.

Om te beginnen moest een van ons Hikmet spelen. Zijn bewakers moesten hem regelmatig door het raam kunnen zien, spelend met zijn zoontje of pratend met zijn vrouw. En omdat zijn vrouw, Münevver, met Memed in de kinderwagen, de boodschappen deed, moest men ook kunnen zien hoe Hikmet hen uitzwaaide en verwelkomde.

De andere lokvogels moesten zijn bewonderaars voorstellen. Hikmets populariteit was zo gestegen dat er altijd een stroom studenten, schrijvers, dichters en mensen uit de filmwereld hem kwam opzoeken. Als die stroom plotseling zou ophouden, was dat meteen verdacht.

Tot mijn grote verrassing – en schrik – werd ik uitverkoren om Hikmet te vertolken. Ook ik was lang, slank en had een groot hoofd. En ik had net zo'n bleke huid. Met een kastanjebruine pruik op en de bijzondere manier imiterend waarop de dichter liep, had ik heel veel van hem weg, zeker op afstand.

We spraken af dat 26 juni de 'begrafenis' zou zijn, een paar dagen voordat Hikmet moest verschijnen voor de dienstplichtcommissie.

Wij, de lokvogels, oefenden in de week daarna onze rol.

Mijn routine was als volgt: vroeg in de ochtend zou ik stiekem het appartement van Hikmet binnenglippen, vlak voordat de bewakingsteams elkaar zouden aflossen, wanneer degene die nachtdienst hadden, niet konden wachten tot ze van hun taak werden verlost en de straat in plaats van de achtertuinen in de gaten hielden. Eenmaal binnen zou ik de kastanjebruine pruik opzetten, een overhemd van Hikmet aantrekken en af en toe de deur openen om bezoekers te ontvangen of voor het raam verschijnen, in verschillende stemmingen, maar meestal gekweld, alsof ik leed aan de barensweeen van een nieuw gedicht.

Na een paar dagen zagen we dat mijn vertolking geen verdenking opriep bij de bewakingsteams; zij stonden er verveeld en uitdrukkingsloos bij te kijken. (Deze houding gaf mij zoveel zelfvertrouwen dat ik al snel begon te fantaseren dat ik werkelijk Nâzım Hikmet was.)

Ondertussen kwamen de lokvogels die bezoekers moesten voorstellen regelmatig langs. De bewakers noteerden plichtsgetrouw wanneer ze aankwamen en vertrokken, en beschreven ongetwijfeld ook hoe ze eruit zagen.

Ook hadden we vastgesteld dat de bewakers inderdaad zoals we hadden verwacht onveranderlijk in een staat van bewusteloosheid wegzakten. De meeste bewakers sliepen de hele nacht door; een enkeling rookte onophoudelijk sigaretten of werd stiekem dronken; sommigen zongen zacht een liedje – altijd iets treurigs; en een van hen, een jongeman, verschool zich regelmatig achter een heg – om te masturberen namen we aan.

Op zondag 17 juni, net toen ik op het punt stond naar Hikmets appartement te gaan, kwam Âşık Ahmet langs. Hij zag er bleek en gespannen uit; zijn nicotinegele vingers, waar nu eens geen sigaret tussen stak, trilden.

Terwijl hij boven aan de trap stond, alsof hij zo weg kon vluchten, fluisterde hij luid: 'Vandaag ga je niet naar Hikmets appartement.'

Geschrokken vroeg ik: 'Waarom niet?'

'Blijf binnen, de hele dag. Ik leg het je later wel uit.' Toen vloog hij weg.

Kort daarna belde hij op. En nog verschillende keren die dag. Telkens herhaalde hij dat ik binnen moest blijven. Naarmate de dag vorderde, nam zijn gespannenheid toe; een paar keer dacht ik dat hij eronder zou bezwijken.

Rond middernacht belde hij weer. Deze keer klonk hij opgelucht en leek hij in tranen. 'Alles is goed.'

'Wat is er toch aan de hand?'

'Blijf waar je bent. Doe of je ziek bent. Ik kom bij je zodra dat kan.'

Op donderdag 21 juni kwam hij langs.

Geshockeerd verwelkomde ik hem. Ik had net in de *Cumhuriyet* gelezen dat Nâzım Hikmet naar Boekarest was ontsnapt.

Ik zwaaide met de krant naar hem. 'Is het waar?'

Hij kon zijn blijheid niet onderdrukken. 'Ja.'

'Maar hoe?'

'Dat maakt niet uit.'

'En wanneer?'

'Dat weet ik niet precies. Maar, voor het geval we worden ondervraagd, twee dagen geleden was hij nog hier. Die ochtend vertrok hij vanuit zijn woning naar Ankara om in beroep te gaan tegen zijn oproep.'

'Zijn ontsnapping, was het een opwelling?'

'Maakt het wat uit?'

'Natuurlijk maakt dat uit! Vertrouwde hij ons niet?'

'Wel degelijk. Maar misschien was er sprake van een nood-geval. Of greep hij plotseling de perfecte gelegenheid aan om...'

'Ons plan was helemaal waterdicht!'

'Dat van hem was kennelijk ook niet slecht. Hij greep zijn kans! Neem het hem eens kwalijk. Hij is in veiligheid. Dat is het enige wat telt!'

Ik knikte en begon te lachen. 'Ja! Dat is het enige wat telt!'

Hij pakte me bij mijn arm. 'We hebben iets te vieren! Kom, we gaan de rest erbij halen!'

Vrolijk liep ik achter hem aan, ik voelde me gewichtsloos en wankel. 'In zekere zin is het een opluchting. Ik maakte me voortdurend zorgen. We – of ik – hadden het kunnen ver-knallen.'

'Nee, we zouden het niet verknald hebben. Maar misschien hadden we er later nog gedoe mee gehad. Dat zal ons nu bespaard blijven...'

Nâzım Hikmet kwam op 29 juni 1951 aan in Moskou, waar hij met veel tam tam werd onthaald.

Verder gedoe bleef mij bespaard. En de andere lokvogels ook. Maar Âşık Ahmet niet.

De autoriteiten reageerden woedend op Hikmets ontsnap-ping. Allereerst werd per ministerieel decreet zijn staatsburger-schap ingetrokken. Daarna doorzochten ze de huizen van goede vrienden en medestanders en vernietigden ze al het drukwerk en elk velletje dat een fragment van zijn werk zou kunnen bevatten. Niemand weet hoeveel van Hikmets pen-nenvruchten zo voorgoed verloren is gegaan.

Uiteindelijk lukte het een paar van zijn vrienden en mede-standers het land uit te vluchten en zich in het buitenland te vestigen. Vele anderen werden opgepakt, stonden terecht en werden tot lange gevangenisstraffen veroordeeld. Een aantal onder hen, onder wie Âşık Ahmet, werd ook zwaar mishandeld.

Hikmets vrouw, Münevver, en zijn zoontje Memed, die niet met hem mee konden gaan zonder de ontsnapping te laten mislukken, werden onder nog strengere bewaking geplaatst en hun paspoorten werden ingenomen. (Deze ellende bleef nog jaren duren, op het eind werden ook zij door vrienden Turkije uit gesmokkeld. In Polen kregen ze asiel.)

Zoals gezegd bleef de lokvogels verder gedoe bespaard. Wél moesten we allemaal, ik ook, verschijnen voor een verhoor. Hoewel ze nooit hebben ontdekt dat ik als Hikmet had gefigureerd, werd ik toch als een verdachte beschouwd omdat ik zijn werken had verspreid. Hikmets bewakers hadden ons immers regelmatig gefotografeerd. Maar wonderlijk genoeg werden we gered door onze leeftijd. Men achtte ons verwarde, makkelijk te beïnvloeden pubers die waren bekeerd door de universele vijfde sovjetcolonne van 'megalomane intellectuelen, ijdele schrijvers en subversieve etnische minderheden'. We moesten tot bezinning komen. En om die reden werden we voorbestemd om onze militaire dienst uit te zitten in het Turkse expeditieleger in Korea. Daar, op die door God verlaten plek, zouden we met eigen ogen kunnen zien hoe ellendig de communistische droom uitpakte.

Ik pakte mijn 'normale leventje' weer op. Het feit dat ik dat kon overtuigde me ervan dat het Lot mij gunstig gezind was. Afgezien van het proces tegen Âşık Ahmet op de achtergrond, had ik geen zorgen.

Bovendien had ik er een onbetaalbare trofee aan overgehouden: een overhemd van Hikmet. Een dag of zo voor zijn ontsnapping had ik er koffie overheen geknoeid en het mee naar huis genomen om te wassen. Na zijn ontsnapping was het te gevaarlijk om het terug brengen.

Het overhemd, gemaakt van kaasdoek uit Sile, Istanbuls badplaats aan de Zwarte Zee, heb ik nog steeds. Ik draag het wanneer ik zelf gedichtjes fröbel in de hoop dat ik de textuur van Hikmets genie in mij opneem. Schrijvers doen alles voor hun kunst: sommige imiteren de groten, andere proberen primitieve magische kunsten uit.

In 1954, mijn laatste jaar op het college, werd het proces tegen Âşık Ahmet afgesloten. Hij werd veroordeeld tot vier jaar gevangenisstraf.

De eerste keer dat hij bezoek mocht ontvangen, zocht ik hem op.

Het was eind februari en ijskoud – zo koud zelfs dat voor het eerst in tweehonderd jaar de Bosporus was dichtgevroren – maar toch trof ik hem aan op een bankje op het binnenplein van de gevangenis, als altijd kettingrokend.

Hij was gekrompen tot een fractie van zijn normale omvang. Op zijn ogen na, die als altijd vonkten, was zijn heldenlichaam gereduceerd tot een mistroostig samenraapsel van botten en vleeskwabben, bijeengehouden door een slappe huid.

'Wat hebben ze toch met u gedaan?'

'O niets. Niets…'

'Hoe durfden ze?'

Hij wees naar de pakketjes die ik had meegenomen. 'Sigaretten en boeken?'

'Ja.'

'Dankjewel. Heb je nog wat geschreven, lieve joodse jongen?'

'Een paar gedichten.'

'Lees eens voor.'

'Hier? Nu?'

'Ja.'

Ik las er een paar voor.

'Niet slecht. Je wordt beter.'

Luisterend naar zijn onvaste stem moest ik bijna huilen. 'Waarom zou ik?'

Hij keek me indringend aan. 'Jij wordt later schrijver! Je bent al een heel eind op weg…'

'Maar kijk toch wat ze met u hebben gedaan!'

'Dat maakt geen donder uit.'

'Misschien kom ik hier ook terecht!'

'Beroepsrisico. Hoort erbij!'

'Ik denk niet dat ik dat aankan.'

'Ach, natuurlijk wel.'

'Ik krijg een beurs. Voor Oxford of Cambridge.'

Hevig trillend keek hij naar me op. 'Twijfelt tussen Oxford en Cambridge.'

'Ik denk dat ik het doe.'

Hij glimlachte geforceerd. 'Gelijk heb je. Grijp die kans!'

Ik dwong mezelf hem in zijn ogen aan te kijken. 'Ik… Misschien kom ik niet terug. Ik kan niet schrijven met de angst te eindigen in het cachot…'

Hij liet zijn woede de vrije loop. 'Denk je dat je in ballingschap kunt schrijven?'

'Waarom niet?'

'Je wortels liggen hier, koekenbakker! Daarom! Je bent een Turk! Geen Engelsman!'

'Ik ben een jood, weet u nog?'

'En wat dan nog? Je blijft door en door Turks! Dat bewijs je met iedere stap die je zet!'

'Maar de gevangenis… Ik ben zo bang…'

'Dat was Nâzım ook.'

'Die is dan ook gevlucht.'

Âşık Ahmet trok me naar zich toe. 'Luister goed naar me, dwaas. Hij moest vluchten omdat hij anders zou omkomen. Maar in Rusland, ver van zijn geliefde Turkije, sterft hij een andere dood. Een dood die nog erger is. Zijn geest kwijnt weg. Al die fantastische gedichten die nooit in druk zullen verschijnen! Snap je dat niet, Zeki? Je land is je voedingsbodem! De tradities, de volkeren zijn de zaden en de regen die je nodig hebt! Zonder dat ben je kale grond waar niks op groeit. De schrijver in je zal sterven. Dat betekent dat ook jij zult sterven. Een langzame, onverbiddelijke dood!'

'Als Turkije zijn grote mannen behandelt zoals u wordt behandeld, dan verdient ons land hen niet!'

'O jawel, dit land verdient hen wel degelijk, mijn beste jood! Turkije is zeker grootse mannen waardig! Onverdiend zijn de machtsbeluste fascisten, de reactionairen en religieuze fanatici! Maar die komen en gaan! Wie zal hen nog herinneren? Zij verdwijnen zonder een spoor achter te laten!'

Ik knikte.

'Goed, lees me nog eens een gedicht van je voor...'

'Ik heb er geen meer.'

'Ga dan en schrijf er nog een paar!'

Ik zag Âşık Ahmet daarna nog enkele malen. Telkens vroeg hij naar mijn gedichten, maar ik had er geen meer. Hij vroeg waarom ik niet aan het schrijven was. Ik loog, zei dat ik moest blokken voor mijn eindexamens. Hij glimlachte alsof hij me geloofde. Maar hij verborg zijn teleurstelling niet.

Een paar dagen voordat ik naar Oxford vertrok, zocht ik hem voor het laatst op. We omhelsden elkaar, tamelijk wanhopig. We wisten allebei dat ik misschien nooit meer terug zou komen, dat ik misschien ook zo iemand van mijn generatie was die zich niet aan zijn woord hield en het land verliet, dat mijn ballingschap misschien al was begonnen.

Nee, niet mijn ballingschap. Mijn dood. Mijn spirituele dood op een veilige plek op de wereld, vrij van angst.

Toen ik op het punt stond te vertrekken gaf hij me een opgevouwen papiertje. 'Ik heb een gedicht geschreven. Voor jou.'

Verrast vouwde ik het velletje open.
Hij wuifde me weg. 'Lees het maar in het vliegtuig.'

Ik las het buiten de gevangenis:

wanneer een schrijver wordt vermoord
verliest de taal
een van zijn woorden
wanneer alle schrijvers worden vermoord
blijven er
geen woorden over
geen taal
alleen
dictators
racisten
nationalisten
oorlogshoeren
valse profeten

alleen
de eredienst van de dood

(De bijzonderheden van Nâzım Hikmets ontsnapping werden ongeveer vijfentwintig jaar later bekend. In een eenvoudige maar gewaagde manoeuvre had op zondag 17 juni 1951 een van zijn grootste bewonderaars, Refik Erduran, de dichter in een krachtige motorboot Istanbul uit gesmokkeld en ging met hem de Zwarte Zee op. Daar onderschepten ze een Roemeens schip, de Plekhanov. Hikmet vroeg meteen asiel aan. Zijn verzoek werd door de Roemeense autoriteiten ingewilligd, zij het pas na goedkeuring van de Sovjet-Unie. Erduran, zijn redder, glipte diezelfde avond nog terug naar Istanbul.)

11 : Aslan

Madam Ruj

De begrafenis van Haydar Koyunlu zou symbolisch geweest moeten zijn; meer een herdenking. Er zou geen stoffelijk overschot mogen zijn om te begraven. Haydar was bekeerd tot het boeddhisme. Zijn lichaam moest eigenlijk achtergelaten worden op een berghelling als voer voor de gieren en het wild of, als dat niet lukte, gecremeerd. Maar in het Turkije van begin jaren vijftig was het organiseren van dit soort rituelen even ongekend als het vinden van een politicus die meer van zijn land hield dan van zijn eigen ambities. Dus kreeg Haydar een traditionele moslimbegrafenis.

Maar omdat hij zijn zelfmoord in de ware geest van Plato had voorbereid, als een trotse en lovenswaardige daad van iemand voor wie het leven ondraaglijk was geworden, besloten wij, zijn vrienden, zijn dood te eren met een gepaste viering. Dat hij zijn lichaam niet door de elementen had kunnen laten ontbinden vonden wij irrelevant. Hij had immers vaak genoeg gezegd dat perfectie was voorbehouden aan de goden; terwijl de mens door zijn falen wordt gekenmerkt.

Hij had meer dan gemiddeld gefaald in zijn leven. Hij was een onvermoeibaar voorvechter geweest van hopeloze zaken. Er werd zelfs gesuggereerd dat de kanker waaraan hij was gestorven, was uitgezaaid door de beproevingen van zijn laatste strijd om de noodzakelijke afschaffing van de grenzen, een voorwaarde voor de wereldregering. Afgezien van een beetje steun van rasdemocraten als professor Ahmet Poyraz, alias Âşık Ahmet, hadden zijn inspanningen alleen maar hoon opgewekt. Dat verbaast niet, want de grondregel om alle nationale belangen op te geven omwille van het welzijn van de wereld als

319

het pad naar de universele vrede, klonk Kemalisten, irreden-
tisten en islamieten als een vloek in de oren. Enkele van deze
facties hadden er zelfs voor gezorgd dat Haydar regelmatig
werd gearresteerd en soms gevangengezet.

De plechtigheden zouden pluralistisch van aard moeten
zijn, vonden wij. We vormden een bont gezelschap en net
als Haydar waren wij zelfverklaarde 'wereldburgers'.

Meteen na de begrafenis, op suggestie van zijn joodse vrienden, kondigden wij een *sjiva* af. Wij zouden echter niet zeven
dagen zitten treuren. In plaats daarvan bedachten wij spelen ter
nagedachtenis van Haydar, zoals de oude Priamus begrafenisspelen had gehouden ter ere van Hector, waarvoor hij eerst
door de handen te kussen van Achilles, de handen die zijn zoon
hadden gedood, toestemming had moeten vragen, zoals we in
de *Ilias* kunnen nalezen. Uit respect voor de godsdienst waartoe Haydar zich had bekeerd, noemden wij die de Karma
Spelen. Ze zouden overal in Istanbul gehouden worden, zodat
ook 's werelds mooiste stad hulde aan hem zou bewijzen. Als
toezichter op de gang van zaken vroegen we Zahir, de Af-
ghaanse tapijtenhandelaar van de Grote Bazaar die volgens
Haydar een sjamaan was geweest.

Het klinkt misschien als een vreemde combinatie, het boeddhisme en de *Ilias*, maar die twee vormden een perfecte
kenschets van Haydar. Hij had het boeddhisme omhelsd toen
hij tijdens de Koreaanse Oorlog in het Turkse expeditieleger
diende. Als overtuigd atheïst gedurende zijn hele volwassen
leven – en als felle tegenstander van alle godsdienstige insti-
tuties – had zijn onderwerping aan een geloof, al was het maar
het boeddhisme, al zijn vrienden verrast. Zelf daarentegen had
hij zo'n bekering wel aan zien komen. Omdat hij in God
geloofd had – of beter gezegd, in een god die oneindig menselijker was dan de opperwezens die door onze monotheïsmen
worden aangehangen – had hij al die tijd geweten dat hij Hem
ooit ergens tegen het lijf zou lopen. Dat ergens bleek Korea te

zijn. En hij bereikte de staat van verlichting niet louter door getuige te zijn van de dagelijkse slachtpartijen die in elke oorlog schering en inslag zijn. Hij verkreeg ook meer inzicht in zichzelf en dus in de mensheid, zoals hij zei, 'door simpelweg de *Ilias* te lezen – de eerste anti-oorlogsroman'. Hij begreep dat we, als individu of als collectief, altijd de keuze hebben tussen oorlog en vrede, maar dat we, aangezien we idiote fans van Ares zijn en geen wijze volgelingen van Afrodite, altijd voor oorlog kiezen. Want wie die bij zijn volle verstand is, zou oorlog verkiezen boven liefde? Zelfs Ares stortte zich op de momenten dat hij bij zijn verstand was in de armen van Afrodite.

Homerus, die Haydar had ontdekt in een kazernebibliotheek, was het eerste Purple Heart dat hij in Korea had gekregen, zou hij spitsvondig opmerken. Het tweede was zijn bekering tot het boeddhisme geweest. En het derde Purple Heart, de echte Amerikaanse militaire onderscheiding, had hij ontvangen na de slag van Kunuri. (Omdat Turkijes enige eerbewijs van heldenmoed, de *İstiklâl Madalyası*, was ingevoerd op basis van een speciale wet uit 1923 voor degenen die hadden meegevochten in de Onafhankelijkheidsoorlog, hadden degenen die zich hadden onderscheiden in de Koreaanse Oorlog uiteindelijk het Amerikaanse ordeteken gekregen.)

Op de eerste dag van Haydars begrafenisspelen liepen we een crosscountryparcours af vanaf de bovenloop van de Bosporus tot aan Belgrad Ormanı, een bos dat was aangelegd ter nagedachtenis aan de verovering van Belgrado in 1521 door Suleyman de Grote.

Op dag twee fietsten we tegen de klok in tien keer de ronde van Büyükada, het grootste Prinsesseneiland.

Op de derde dag raceten we met rubberboten van Florya naar Yalova, zo'n zestig kilometer over de Zee van Marmara.

De dag daarna hielden we een touwtrekwedstrijd in Üsküdar, het eerste dorp aan de Aziatische kant van de Bosporus, zeer geliefd bij Eartha Kitt.

De vijfde dag schoten we pijlen af van de ene oever van de Gouden Hoorn naar de andere.

De daaropvolgende dag worstelden we bij At Meydanı, het terrein van het Byzantijnse Hippodroom, vlak bij de Blauwe Moskee.

En op de laatste dag, als het klapstuk van de spelen, zwommen we de Bosporus over, van Anadolu Hisarı, het fort van Yıldırım Beyazıt aan de Aziatische kant, naar Rumeli Hisarı, de vesting van Mehmet de Veroveraar aan de Europese kant – een afstand van amper zevenhonderd meter, het smalste punt in de zeestraat. (Gezien de onderstromen die door deze zee-engte kolken is dit een zwaardere onderneming dan de oversteek over de bredere stukken.)

De avonden reserveerden we voor het gebed. In navolging van Haydars overtuiging dat elke tempel – vooropgesteld dat er geen dienaar was om te celebreren – een eerbetoon was aan de schepping omdat die uitdrukking gaf aan het menselijk verlangen naar de oorspronkelijke, zachte, moederlijke godheid – de godheid die fallus-georiënteerde godsdiensten nooit begrepen – pendelden we tussen moskee, kerk en synagoge. Aangezien Istanbul toen nog geen stupa had, improviseerden we een boeddhistisch ritueel door olie en wierook te branden onder het aquaduct in Kâğıthane van de beroemde architect Sinan en zongen we onder leiding van Zahir op één toon de mantra 'Om-Mani-Padme-Hum'.

De avonden waren mystieke intermezzo's. Dit is de tijd, had een derwisj ons verteld, waarop men met zijn godheid communiceert en op die manier opnieuw schoonheid creëert. Schoonheid die soms ongrijpbaar is, als de plotselinge nabijheid van de melkweg, en soms tastbaar, als het lichaam van een geliefde.

En 's avonds werd ik Orpheus. Ik pakte mijn saz en bracht

zowel de eerste als de tweede coterie in vervoering. Dat was geen onbeduidende prestatie. De eerste coterie was gereserveerd voor Haydars gelijken, mannen en vrouwen uit zijn schooltijd, het leger en van zijn werk die hij als een eigentijdse Socrates om zich heen had verzameld. De tweede, waartoe ik behoorde, bestond uit de *talebe*, 'leerlingen', de wijdelingen van wie alleen maar blinde loyaliteit werd verlangd. Natuurlijk trok het paternalisme in het Turkse karakter strikte grenzen tussen beide coterieën; maar dankzij mijn virtuositeit op snaarinstrumenten mocht ik, een groentje van achttien, me voegen bij het gezelschap van volwassenen die twee keer zo oud waren als ik.

En terwijl de eerste coterie tijdens het opdissen van Haydars talloze heldendaden verklaarde dat hij vast en zeker in een of andere schitterende vorm zou reïncarneren, vertolkte ik de gevoelens in woorden en muziek.

Daarna huilden we.

De ochtend na het laatste spel gloorde...

Ik was de hele nacht ongekend geïnspireerd geweest. Ook was ik behoorlijk dronken. En ik bleek af te dwalen naar het kerkhof waar Haydar lag, hoog boven fort Rumeli Hisarı. Ik denk dat ik hem wilde bedanken met een lied dat ik speciaal voor hem geschreven had. Want Hayar had niet alleen mijn saz gemaakt toen die op een feestje stuk was gegaan, maar had die ook verrijkt met zulke honingzoete klanken dat hij goed een gereïncarneerde Stradivarius had kunnen zijn. (Dingen repareren – van gebroken harten tot gebroken urnen, van mechanische mankementen tot geesten verward door wiskunde – was een van de andere miraculeuze gaven van Haydar.)

Terwijl ik naar zijn graf liep, zag ik er een vrouw bij knielen...

Eerst dacht ik dat ik een verkeerd pad was ingeslagen. Toen herkende ik haar; ze was op de begrafenis geweest: Mazal Levi, beter bekend als 'Madam Ruj', de beroemde – en voor iemand in haar beroepsgroep verrassend jonge – koppelaarster. (Ze was toen net dertig.)

Toen ze me zag, ging ze rechtop staan.

Ik mompelde wat. 'Het spijt me... dat ik... u stoor.'

Ze herstelde haar evenwicht. 'Dat geeft niet.'

'Ik ben... een vriend... van Haydar.'

Met een zakdoek veegde ze haar tranen af. 'Ik ook...'

'Geweldige man. Een perfect mens.'

Ze schudde hevig haar hoofd. 'Nee. Perfect, nee.'

Ik was verontwaardigd. 'Hoe kunt u dat zeggen? Hij was iemand die het bestaan betekenis gaf.'

Ze keek me aan met felle ogen. 'Als hij zo perfect was, waarom ging hij dan dood?'

Haar schoonheid, vooral haar glanzende zwarte haar, trof me. 'Hij... was... ziek...'

'Hij had beter moeten worden!'

'Hoe dan? Wie kan kanker overwinnen? Maar de manier waarop hij stierf – zo dapper... Dat is het bewijs van zijn perfectie...'

'Alleen zij die de dood overwinnen zijn perfect!'

Ik draaide me om. Ik wilde niet dat ze me zag huilen. 'Hij was een held... uniek...'

Ze raakte mijn arm aan. 'Het spijt me... Vergeef me... Wie verdriet heeft, zegt soms waar wat... Hij was uniek, je hebt gelijk...' Ze streek zacht over mijn wang. 'Ik zal je met hem alleen laten...'

Ik wilde me aan haar vasthouden en mijn tranen de vrije loop laten. In plaats daarvan hield ik onhandig mijn saz omhoog. 'Ik heb een lied voor hem geschreven... Ik was van plan het voor hem te zingen...'

Ze glimlachte. 'Dat zou hij waarderen. Hij speelde ook saz...'

'Dat weet ik.'

Ze liep al weg, maar hield haar pas in. 'Zou ik...? Vind je het goed als ik blijf... luisteren? Ik zal een eindje verderop gaan staan...'

Ik schudde mijn hoofd. 'Nee! Ik bedoel, ja! Ik bedoel, u hoeft niet verderop te gaan staan. U mag hier blijven...'

'Dankjewel.' Ze ging aan de andere kant van het graf staan. Ik stemde mijn saz en zong:

in de schaduw van fort Rumeli
wachtte op mij
wellustig
de dood

ze hield me bij de hand
mijn ogen bange lammeren
ik smeekte

ze fluisterde in mijn oor
mijn hart een kolibri
ik stemde toe

ze wreef haar borsten in mijn gezicht
mijn mond onverzadigbaar
ik zoog

ze spreidde haar benen
mijn mannelijkheid een dolfijn
ik nam een duik

in de diepte van haar bron
vond ik
het enige ware water

Daarna kon ik niet meer stoppen met huilen en vreemd genoeg schaamde ik me daar niet voor.

Ze kwam naar me toe en kuste mijn hand. 'Ik hoop dat je hart altijd vol liefde zal zijn.'

Ik kon niets zeggen. Uit angst dat ik mezelf niet onder controle kon houden, waggelde ik weg.

Boven op de heuvel beheerste ik me en keek ik om.

De zon kwam op aan de Anatolische kust; een rozige dageraad overhuifde het kerkhof.

Madam Ruj zat weer geknield bij het graf. Ze baadde in een gloed die alleen maar van Haydars ziel afkomstig kon zijn. Ze had haar lippenstift uit haar tasje gepakt en bracht die op.

Het onophoudelijke opbrengen van lippenstift was, herinnerde ik me, een van haar tics. Dat wist heel Istanbul. Haar sigarettenkoker, aansteker en lippenstift waren vaste attributen van haar uitrusting. Overal waar ze ging zitten, zette ze die voorwerpen voor zich neer zoals een schaakspeler zijn stukken op het bord zet.

Ik keek naar haar.

Ze leek een slaapwandelaar: onbeheerst maar toch ingehouden. Ze leek geen spiegel nodig te hebben. En ze stiftte haar lippen alsof ze een portret schilderde. Of uitwiste.

Zes jaar later ontmoetten we elkaar weer.

Ik was net terug uit Engeland. Ik zou een jaar blijven, pendelend tussen Istanbul en Ankara – met een paar bezoekjes aan mijn begeleider in Oxford – om onderzoek te doen voor mijn proefschrift. Vastbesloten om een vermoeide geest op te peppen met een goede vakantie, was ik op weg naar Büyükada. Tot grote teleurstelling van mijn ouders had ik me geheel onafhankelijk opgesteld door de villa van mijn familie te versmaden en een kamer te huren.

Als rugbyverslaafde was ik uitgegroeid tot een stevige jongeman. En ik beschouwde mezelf als iemand met een behoorlijk ervaren seksleven – als je tenminste de snelle nummertjes in studentikoze zitslaapkamers, op de laatste rij van de bioscoop of de achterbank van iemands auto ervaring kunt noemen. (Ik verdien weinig lof voor al dat sensualisme; in die tijd was een Turkse man in Engeland nog steeds een zeldzaamheid, ja, zelfs een exotisch dessert voor debutantes die zich gulzig verlustigden aan het studentenvolk van Oxbridge voordat ze aan hun zedige bestijging van de sociale ladder begonnen.)

Ik was helemaal klaar voor de zon, zee en gepassioneerde meisjes van Istanbul. En in mijn jacht op hen zocht ik oude vlammen op.

Met weinig succes. Gepassioneerde meisjes van mijn leeftijd waren niet geïnteresseerd in een zomeraffaire met een stoffige academicus die de eerstkomende jaren zou werken aan een proefschrift en uiteindelijk zou gaan doceren aan een saaie universiteit voor een bespottelijk salaris. Ze waren op zoek naar mannen die waren afgestudeerd als ingenieur, architect, advocaat of arts of die bezig waren grote mannen te worden in de handel of de industrie. Gepassioneerde meisjes van mijn leeftijd onderdrukten zelfs hun gepassioneerdheid omdat ze niet gezien wilden worden als lichtzinnige vrouwen die ongeschikt zijn voor het huwelijk; ze waren vastbesloten om de herfst in te gaan met een verlovingsring zodat ze de zomer daarna bontmantels, limousines, skivakanties in Zwitserland en vooral hun zwangerschap met die van anderen konden vergelijken.

Ik had in een modieus restaurant gedineerd met Emine, met wie ik een opwindende flirtation had gehad voordat ik naar Oxford ging. Omdat ze haar zinnen had gezet op ene Bülent, een student aan de Harvard Business School, had ze weliswaar gulzig gegeten en gedronken, als herinnering aan vroeger, maar me daarna met een zoen op mijn wang en een plichtmatig 'veel succes' afgedankt.

Dus had ik de laatste veerboot genomen naar Büyükada,

en om in afzondering mijn trots te herstellen reisde ik eerste-klas.

Terwijl de hoorn van de veerboot het vertrek afkondigde, zag ik een vrouw over de Galata-brug rennen en op een drafje over de loopplank dribbelen.

Ze werd gevolgd, een paar seconden later, door een knokige, middelbare man die ik op de pier had zien loeren.

Toen ze het eersteklasgedeelte binnenging, herkende ik haar: Madam Ruj.

Hoewel er verder niemand in het gedeelte zat, kwam ze naar me toe en ging aan mijn tafeltje zitten. 'Kan ik hier zitten?'

Ik knikte. 'Natuurlijk.'

Ze haalde haar lippenstift, sigarettenkoker en aansteker te voorschijn en zette die op de tafel. 'Dan voel ik me veiliger.'

Ik zag dat de knokige, middelbare man op een stoel op het dek was gaan zitten en haar in de gaten hield. 'Valt hij u lastig?'

Ze keek naar de man en gniffelde. 'Dan Weiss? Die doet geen vlieg kwaad.'

Ze stak een sigaret op. 'Demonen.'

'Demonen?'

Ze stiftte haar lippen bij. 'Vanbinnen. Heb jij geen demonen?'

'O, zoveel.'

'Je wordt er moe van – maar wat kun je ertegen doen?'

'Madam Ruj... Toch?'

'Wie anders?'

'Herkent u me niet?'

Ze glimlachte. 'Natuurlijk wel. Het is niet mijn gewoonte aan een tafeltje te zitten met een man die ik niet ken. Alleen namen ontschieten me nog al eens.'

'Aslan. Aslan Erdoğan.'

'Natuurlijk. Ik heb een flink dossier over jou verzameld.'

'U hoeft me niet te paaien. Ik ben niet beledigd.'

'Ik paai je helemaal niet! We hebben elkaar ontmoet aan

het graf van Haydar. Je zong een lied.'

'U weet het nog.'

Ze legde haar lippenstift terug op de tafel. 'Ik heb een bandje waarop je dat lied zingt...'

Daar keek ik van op. 'Echt waar? Ik heb daar maar een paar kopietjes van gemaakt, voor vrienden.'

'Dat kan zo zijn, maar ik heb een kopie van een kopie weten te bemachtigen... Schrijf je nog steeds liedjes?'

'Soms.'

'Alleen maar soms? Waarom?'

'Geen drang meer. En bovendien, mijn studie... Ik ben een tijd weg geweest...'

'Zes jaar.'

'Hoe weet u dat?'

Ze glimlachte, nam een flinke trek van haar sigaret. 'Dat is mijn werk. Zoals ik al zei, ik heb een heel dossier over jou. Ik ben koppelaarster.'

'Ja, maar... Ik bedoel, voor wie ben ik nou interessant?'

'Jij bent vrijgezel. In veel opzichten zou je een goede vangst zijn.'

'Ik?' Ik lachte. 'Trouwen is wel het laatste waar ik nu aan denk. Ik ben bezig met mijn proefschrift!'

'Als je klaar bent. Ze hebben geduld.'

'Wie is "ze"?'

'Belanghebbende partijen...'

'Wie kunnen dat zijn?'

Ze haalde haar schouders op. 'Iedereen.'

'U bedoelt toch niet mijn ouders?'

Ze gniffelde. 'Nee. Jouw ouders zouden mij niet inschakelen. Ik ben joods. Zij zouden een moslimse zoeken. Maar je grootmoeder...'

'Mijn grootmoeder?'

'Die komt uit Thessaloniki. Dat was voor de oorlog een heel joodse stad. Ze voelt zich verbonden met de joden.'

Ik was verbijsterd. 'Mijn grootmoeder heeft u benaderd? U houdt me voor de gek…'

'Ik hou niemand voor de gek als het om zaken gaat.' Ze pakte haar lippenstift en stiftte haar rouge bij. 'Er zijn nog mensen met andere religies… Zie je, we gaan vooruit. Als samenleving bedoel ik. We zetten vooroordelen van ons af. Gemengde huwelijken. Da's heel goed voor mijn zaak…'

'Ik geloof er geen snars van.'

Ze keek me aan – medelijdend, dacht ik. 'Ik heb minstens acht ouders van tienermeisjes die in jou geïnteresseerd zijn. Hun dochters zullen rijp zijn wanneer jij bent gepromoveerd…'

Ik begon te lachen. 'Maar waarom juist ik?'

Ze legde haar lippenstift terug op de tafel en nam een sigaret. 'Je bent betrouwbaar. Goed opgeleid. Aan een Engelse universiteit – en niet zomaar een, maar de beste. Een verstandige man, waarschijnlijk. En dus bij uitstek geschikt voor een gemengd huwelijk. Je bent ongeëvenaard!'

'Ik sta perplex, Madam Ruj.'

'Noem me Mazal. Madam Ruj ben ik voor mijn klanten.' Ze drukte haar sigaret uit en stak een nieuwe op. 'Heb je nog meer liedjes geschreven over Haydar?'

'Ja. In die tijd. Een paar.'

'Mag ik ze een keer horen?'

'Natuurlijk.'

Ze gaf me haar kaartje. 'We moesten eens lunchen voordat je teruggaat naar Oxford.'

Ik las haar visitekaartje. 'Je woont op het eiland – leuk.'

'Ja, maar niet zo leuk in de zomer. Half Istanbul strijkt er dan neer. Maar in de winter is het er heerlijk. Wat mij goed uitkomt. Want dan neem ik vrij.'

'Worden er in de winter geen huwelijken gearrangeerd?'

'Alleen als men wanhopig is. Terwijl in de zomer zelfs Dan er in een zwembroek op het strand aantrekkelijk uit kan zien.'

Ik lachte en wierp een blik op de knokige man. 'Dat kan ik me nauwelijks voorstellen.'

'Laat je niet misleiden door uiterlijkheden. Hij is mijn rots in de branding. Zorgt voor me als een vader.'

'Zo oud ziet hij er niet uit.'

'Dat is hij ook niet. Maar hij heeft de taak op zich genomen om op mij te letten.'

'Waarom?'

'Voor het geval ik Haydar achternaga.'

'Hoe bedoel je?'

'Mezelf ombreng…'

Ik keek haar aan, de rillingen liepen over mijn rug. 'Waarom zou je?'

'Een goede vraag…' Ze legde haar hoofd op mijn schouder. 'Zou ik zo een dutje mogen doen? Ik ben uitgeput.'

'Ga je gang.'

Ze sloot haar ogen. 'Ik heb net een *shiddach* afgerond – een match gemaakt. Het was een hoop werk. Maar ik heb er een fortuin mee verdiend…'

'Gefeliciteerd.'

Slaperig brabbelde ze binnensmonds. 'Wil je weten hoeveel?'

'Dat gaat me niets aan.'

'Ik vertel het je toch…'

Toen viel ze in slaap.

Ze hield haar sigaret nog in haar hand. Voorzichtig, om te zorgen dat ze zich er niet aan brandde, haalde ik hem uit haar vingers. Ik sloeg mijn arm om haar heen en impulsief, om Dan te pesten, kuste ik haar wang.

Ik draaide me naar hem om om zijn reactie te zien, maar hij keek al niet meer naar ons en zat de krant te lezen.

Toen we op Büyükada aankwamen stootte ik haar zacht aan.

Ze stond op, een beetje verward en beschaamd.

Snel stiftte ze haar lippen bij.

Ze pakte haar sigarettenkoker en aansteker en kuste toen mijn hand, zoals ze dat had gedaan aan het graf van Haydar. 'Dankjewel.'

Gehaast liep ze weg.

Toen ik van boord stapte, zag ik haar plaatsnemen in een landauer en haar lippen stiften. Ik keek toe hoe de auto in de nacht verdween.

Dan Weiss ging achter haar aan in een andere landauer.

Haydar had zijn zelfmoord zorgvuldig gepland. Op 20 mei om 17.28 uur was hij vanuit Bodrum, het klassieke Halikarnassus, weg gezwommen en hij verwachtte rond middernacht 'als visvoer' net buiten de Turkse wateren aan te spoelen op het Griekse eiland Kos.

Hij had dit in een aantal notitieboekjes uitgewerkt, door de snelheid van de stromen, de grilligheden van het seizoen en de verwaarloosbare getijdenbewegingen van de Middellandse Zee in te calculeren. Maar zijn berekeningen klopten niet of hij was te snel uitgeput. (In de laatste weken van zijn ziekte ging hij snel achteruit.) Vandaar dat zijn lichaam de volgende ochtend was aangespoeld aan de kust op het puntje van het schiereiland Bodrum, opgezwollen maar niet aangevreten door de vissen.

In andere notitieboekjes had hij het over de heilige rol van de dood in het leven, de zegeningen van de terugkeer tot primaire materie en de nog grotere zegeningen van reïncarnatie. ('Hoe kunnen we de staat van nirwana bereiken als we de staat van zijn en niet-zijn van elk organisme niet ervaren?')

In zijn laatste notitieboekje, volgekrabbeld in een nauwelijks leesbaar handschrift, weidde hij uit over de zegeningen van terminale ziekten, vooral als ze gepaard gingen met ondraaglijke pijnen.

De verhandeling, deels het geijl van een man die heen en weer geslingerd werd tussen de euforie van de morfine en de ellende van het tekort daaraan, deels een omhelzing van de idee van verlossing door lijden – dat uitvloeisel van het monotheïsme dat, hoewel hij het voorheen krachtig had afgewezen, telkens naar boven kwam om zijn bewustzijn te vergiftigen – en deels een manhaftig verzet tegen het ondraaglijke lijden, boezemde mij afkeer in. Ik beschouwde het als de emotionele leegte van een man die doodsbang was. Terwijl ik had gewild dat hij het uitschreeuwde van woede om in de kracht van zijn leven te worden weggenomen, zodat ook anderen die voortijdig en op vernederende wijze de dood aanschouwden – welbeschouwd de hele mensheid – die toorn als beurtzang konden aanheffen. Wat voor nut hebben godsdiensten als ze alleen maar de Dood aanbidden?

Deze en andere geschriften van Haydar – gedichten, aan hem gerichte brieven, kopieën van verzonden brieven, pamfletten voor gelijkheid voor de Koerden en erkenning van hun taal en cultuur, artikelen waarin hij het corrupte en paternalistische bestuur van het Menderes-regime kritiseerde, veroordelingen van de moorddadige behandeling van dissidenten in de Sovjet-Unie, lofzangen op de Universele Verklaring van de Rechten van de Mens, verhandelingen over het pad naar de vrede voor heel de mensheid door middel van een wereldregering – inderdaad, ongeveer alles wat hij had bezeten, geschreven of met hem te maken had, inclusief de geluidsband met het liedje dat ik bij zijn graf had gezongen – werd door Madam Ruj bewaard in haar villa op Büyükada, in een blauwe kamer die schijnbaar naadloos overging in de zee en die zij 'de schrijn' noemde.

Ik werd een aanbidder van deze tempel der liefde en archiveerde elk document. (Door deze toewijding liep mijn promotie enige maanden vertraging op. Aan de andere kant, het lukte mij een uitgever te vinden voor de verzamelde gedichten van Haydar, die bovendien gunstige kritieken kregen.)

Mijn betrokkenheid begon nadat ik Madam Ruj zoals beloofd had bezocht om de liedjes te spelen die ik al die jaren geleden voor Haydar had geschreven – vijf in totaal. Ze vond ze mooi en wilde dat ik ze de plek gaf die hun toekwam in de schrijn.

Daarna haalde ze Dan – knokige Dan – erbij om de liedjes op te nemen, me daarbij vertellend dat hij toevallig, net als Haydar, een begaafde alleskunner was.

Aanvankelijk had ik een diepe afkeer van Dan. Deze handige vaderfiguur was, had ik geconcludeerd, een opportunist – ook al wist ik dat Madam Ruj hem in die rol had gedwongen. (Ze had heel open over dit onderwerp gesproken, erkennend dat ze, omdat ze als kind beide ouders had verloren, een ouderfiguur om zich heen wilde hebben.) Maar al snel verdwenen mijn vooroordelen door Dans natuurlijke waardigheid en oprechte fatsoen en werden we goede vrienden.

Dan had Haydar nooit ontmoet.

Hij was een Asjkenazische jood wiens ouders, Berlijnse academici, vakgenoten waren geweest van Erich Auerbach, de schrijver van *Mimesis.* Toen in de nasleep van de Neurenbergse wetten Atatürk asiel had geboden aan de joden van het Derde Rijk, had Auerbach, en later ook Dans familie, deze kans gegrepen en was hij naar Turkije geëmigreerd. Auerbach, die meteen werd aangesteld als directeur van het Vreemde Taleninstituut aan de Universiteit van Istanbul, had op zijn beurt de ouders van Dan een baan gegeven op de universiteit. Toen aan het eind van de oorlog de volledige schaal van de holocaust zichtbaar begon te worden, had Dan het zionisme omhelsd en was hij naar Palestina gevlucht. Hij had gevochten in de Arabisch-Israëlische oorlog van 1948-1949 en ging daarna in een kibboets wonen die door Turkse joden was gesticht. Ongeveer drie jaar geleden had Madam Ruj diezelfde kibboets bezocht, waar ze een weduwe zocht voor een oudere klant; Dan, die haar als gids was toegewezen, was meteen voor haar gevallen. Vervolgens, nadat hij zijn zionistische idealen had afgezworen, ging hij met haar mee naar Istanbul. Vanaf toen bleef hij geduldig in haar buurt, ondanks haar herhaaldelijke verklaring dat ze nooit zou hertrouwen omdat ze nooit meer zoveel van iemand zou kunnen houden als van Haydar.

Ja, zij en Haydar waren getrouwd geweest.

In het geheim. Kort nadat ze elkaar hadden ontmoet op de bruiloft van een vriend van Haydar uit het leger, waar ze eregasten waren geweest: Madam Ruj omdat ze als huwelijks-makelaar had opgetreden – de bruid, een karaïtische jodin, behoorde tot haar clientèle – en Haydar omdat hij het leven van de bruidegom had gered door zijn gewonde lichaam dwars door de Chinese linie heen te dragen tijdens de slag van Kunuri, ook al raakte hij daar zelf gewond bij. (Militair ge-sproken is Kunuri een legende: het Turkse troepencontingent, dat werd omringd terwijl de soldaten granaathulzen verzamel-den die als schroot konden worden verkocht, moest door middel van een bajonetcharge door de omcirkeling heen bre-ken. Door deze verbluffende actie hadden ze zware verliezen geleden. Het feit dat de granaathulzen werden verzameld voor een fonds voor de gezinnen van gevallen kameraden maakte de tragedie compleet.)

De bruiloft sprak heel Istanbul tot de verbeelding. Celâl, de bruidegom, was verlamd voor de rest van zijn leven; zijn bruid, Sara – die vier jaar ouder was dan hij en zó lelijk dat iedereen haar als onhuwbaar beschouwde – had een teruggetrokken leven geleid als verzorgster in een bejaardentehuis. Maar bin-nen een paar dagen waren ze zwaar verliefd op elkaar. In een brief had Haydar de sprookjesachtige sfeer als volgt beschre-ven: 'Deze bruiloft is een voorbode van een betere toekomst, zowel voor het land als de wereld. Ik weet nu dat Mazal mijn bestemming is.' (Ik wijs hier op de frappante woordspeling. 'Mazal' betekent 'geluk' in het Hebreeuws.)

En dus trouwden zij ook. Nota bene in Las Vegas. Toen Haydar als held van de Koreaanse Oorlog op tournee was door

335

de Verenigde Staten om het belang van de NAVO te verkondigen. Haydar, die een hekel had aan al die chauvinistische tamtam, zou niet gegaan zijn als Madam Ruj niet resoluut geweigerd had om openlijk in Turkije te trouwen.

De geheimhouding, nam ik onmiddellijk aan, was ter bescherming van Madam Rujs carrière. Want in die tijd werd Haydars strijd voor een wereldregering zwaar onderdrukt; de huwelijksmakelaardij en de politiek waren nauwelijks geschikte bedgenoten.

Maar Dan, die me verzekerde dat de mensen, ontroerd door Haydars integriteit, het paar aan hun hart gedrukt zouden hebben, onthulde de ware reden: Madam Rujs geobsedeerdheid met haar celibataire plicht.

De verweesde Mazal was grootgebracht door haar oudtante, de legendarische koppelaarster Allegra. Ze werd opgevoed om in het voetspoor te treden van haar voogdes en Mazal probeerde haar na te volgen. Hoe kon zij Allegra beter bedanken voor de jaren die zij aan haar opvoeding had besteed? Maar om succes te hebben moesten koppelaarsters ongebonden zijn, als monniken. Dat was de regel. Haydar had uiteraard de spot gedreven met deze perverse logica. Als koppelaarsters werkelijk inzicht wilden krijgen in hun klanten, betoogde hij, dan zouden ze juist het omgekeerde moeten doen: zichzelf in de strijd gooien en de beproevingen van het huwelijk ondergaan. Maar Madam Ruj, die Allegra's stelling bleef herhalen, zelfs nog jaren na haar dood, hield vol dat kennis van de huwelijkse staat – of het nou ging om de vleselijke lusten of om de onverminderde monotonie van het samenwonen – de visie van de koppelaarster op het grote plan zou vertroebelen, namelijk dat het huwelijk een hemelse verbintenis is. Alleen door het celibaat kon je die oorspronkelijke perfectie zien. De waarheid is dat de meeste huwelijken eindigen in een uitputtingsslag. Echter, als in de hemel gemaakte verbintenissen op aarde mislukten, was dat niet te wijten aan de hemel of de koppelaarster, maar aan de menselijke zwakheid.

Maar op de een of andere manier hadden Haydars inzichten over leven en liefde de overhand gekregen. Mazal was uiteindelijk gezwicht voor zijn vurigheid. Maar niet alleen had ze gestaan op een geheime inzegening in Las Vegas, ook wilde ze apart wonen – op zijn minst de eerste paar jaar – en elkaar in het geheim ontmoeten, zoals ze dat al vanaf het begin van hun verhouding deden.

Uiteindelijk had Madam Ruj ook deze gang van zaken te zwaar gevonden. Haydars sterker wordende verlangen naar kinderen, gecombineerd met haar angst dat iemand zou ontdekken dat ze getrouwd waren, had haar ertoe gedwongen om, nog voordat ze een jaar getrouwd waren, terug naar Las Vegas te gaan en van hem te scheiden.

Maar ondanks dit 'onvergetelijke verraad' – zoals Haydar het in vele liefdesbrieven had genoemd – hadden ze elkaar niet los kunnen laten.

Uiteraard tegen een hoge prijs.

Haydar werd steeds eenzamer. Vooral Mazals onwrikbare weigering om kinderen te krijgen, ervoer hij als een keihard oordeel. In veel van zijn brieven fantaseerde hij om naar een of ander arm land te gaan en terug te keren met een stel weeskinderen. Een korte gevangenisstraf rond die tijd, na zijn verdediging van de Koerdische cultuur, had hem vrijwel geheel gesloopt.

In één brief, geschreven kort voordat hij de diagnose kanker had gekregen, beschuldigde hij Madam Ruj er nogal bot van dat zij 'langzaam maar zeker' zijn dood betekende.

Ik kon helemaal niet begrijpen waarom Madam Ruj, die zó van Haydar had gehouden – en dat nog steeds deed – haar levensgeluk had kunnen opofferen aan een beroep dat niet alleen parasitair was, maar ook een anachronisme.

Dan daarentegen begreep dat wél. De schuld lag, stelde hij, bij haar oudtante, Allegra. Waarom had deze vrouw – die

337

volgens iedereen een ware schoonheid was – gekozen voor een beroep, terwijl in haar tijd vrouwen van haar leeftijd helemaal niet dachten aan werk buitenshuis, maar alleen maar wachtten totdat ze ten huwelijk werden gevraagd? En waarom had ze nou juist gekozen voor zo'n stompzinnig beroep? En die evangelische kletskoek over het celibaat – waar ging dat eigenlijk over? Koppelaarsters weten beter dan wie ook dat de werkelijkheid juist andersom is, dat huwelijken doorgaans worden gesloten in de hel! Dat een huwelijk ondanks alles standhoudt komt doordat echtelieden weten dat de eenzaamheid nog erger is dan de hel. Waarom had Allegra niet voor het minder erge kwaad kunnen kiezen? En waarom moest ze zo nodig ook Mazal met dezelfde angst besmetten?

Welnu, Allegra had duidelijk heel veel meegemaakt in haar leven. Mogelijk was ze misbruikt geweest. Misschien was ze als kind onherstelbaar door haar ouders verwaarloosd. Misschien had een mishandeld familielid haar mannenhaat aangepraat. Misschien was ze bestemd als kostwinner, en dus als man, en mocht ze daarom niet trouwen.

Een paar woorden over de gevangenisstraf – de vierde en laatste – waar Haydar vrijwel aan ten onder was gegaan. Halverwege de jaren vijftig had de regering van Menderes Turkije in een politieke chaos gestort. Met elk beetje kritiek op het beleid – zelfs elk willekeurig controversieel onderwerp – haalde de 'dader' zich onmiddellijk arrestatie, een snel proces en gevangenisstraf op de hals. Onder deze omstandigheden werden zaken als uiting geven aan het progressieve ideaal van een wereldregering of het opkomen voor de rechten van de Koerden keihard onderdrukt. Haydar was zo vermetel geweest beide onderwerpen aan te snijden op een muziekfestival nadat een Koerdische zanger, die had geprobeerd een Koerdisch liedje te zingen, van het podium werd afgevoerd. Nadat Haydar zelf op het podium was gesprongen had hij verklaard dat zodra er een wereldregering zou zijn, alle onderdrukte talen, om te beginnen het Koerdisch, in ere hersteld zouden worden als onderdeel van het culturele erfgoed van de mensheid.

Toen hij daarop meteen zelf van het podium werd afgevoerd, werd hij onmiddellijk gearresteerd omdat hij Turkije had beschuldigd van onderdrukking van de Koerdische minderheid, terwijl de hele wereld wist dat die minderheid helemaal niet bestond omdat iedereen die zichzelf Koerdisch noemde in werkelijkheid een Turk was die zijn 'turksheid' was vergeten en nu terugkwam in de moederschoot.

Ironisch genoeg, ondanks het feit dat hij veel familieleden had verloren tijdens de Koerdische opstand van 1937, had Haydar er aan het begin van zijn strijd voor de wereldregering voor gekozen zijn Koerdische achtergrond af te zweren – zoals geëist werd in de turkificatieprogramma's. Dit had hij niet gedaan omdat de autoriteiten hem daartoe hadden gedwongen, maar in de naïeve veronderstelling dat de droom van de turkificatie een tijdelijke ontsporing was, veroorzaakt door de val van het Ottomaanse rijk. Hij geloofde dat zodra Turkije die klap te boven was, het land snel opnieuw achter het pluralisme van de Ottomanen zou staan – misschien zelfs model zou staan als wereldregering. Maar hij had zich snel gerealiseerd dat samenlevingen die monolithisch willen zijn, geen ruimte kunnen bieden aan diversiteit en dat zij daardoor altijd uit zijn op vernietiging van veelvormigheid. Het gevolg daarvan was, bedacht hij verder, dat als een samenleving erin zou slagen monolithisch te worden, zij aan haar eigen neergang was begonnen. Door het verbod op uitwisseling met andere rassen, nationaliteiten en etnische groeperingen ontnam een land zichzelf de kans op vernieuwing en vers bloed; het pleegde als het ware zelfmoord, door collectief onanisme.

Vanaf toen was Haydar een fel voorvechter van Koerdische rechten.

Op een van die zonnige herfstdagen waarop Büküyada, bevrijd van de vakantiegangers en dagjesmensen van de zomer, aanvoelt als een mythisch koninkrijk, zaten Dan en ik op het balkon van de schrijn van Haydar de grenzen te verkennen van de door raki vertroebelde melkweg, een favoriet tijdverdrijf van de melancholische Turk. Madam Ruj, die haar officiële gezichtsuitdrukking had opgezet – haar 'klantvriendelijke blik' noemde Haydar die altijd – was vertrokken naar een afspraak met een potentiële nieuwe klant. Ik weet nog dat ik dacht, toen we aan onze derde fles begonnen, dat zolang zij in dit bespottelijke beroep bleef werken, er voor geen van ons verlossing mogelijk was, ook niet voor mij, de buitenstaander die dit weemoedige trio had uitgebreid tot een nog weemoediger kwartet.

We zaten zwijgzaam naast elkaar, in onze duffelse jassen schuilend tegen de wind, te kettingroken en te kijken naar hoe de zee en het luchtruim die eeuwige wrede vraag stelden: stel dat…

Als op een teken werd Dan serieus. 'Aslan, hou jij van Mazal?'

Ik gaf een sentimenteel knikje. 'Ik aanbid haar!'

'En verlang je naar haar. Zoals ik?'

'Dan…'

'Eerlijk antwoord geven!'

'Ze is heel aantrekkelijk… maar…'

'Dat betekent dus ja. Mooi zo. Probeer haar te krijgen!'

'Wat?!'

'Jij bent wat jonger dan ik, maar dat zou niets moeten uitmaken. Ze is op je gesteld. Ze bewondert je. Verleid haar!'

'Dan, je bent dronken…'

'Ik meen het!'

Ik werd kwaad. 'Waar zie je me voor aan? Ze is jouw vrouw! Zie jij mij zo? Als iemand die zijn vriend belazert met zijn vrouw?'

'Daar zou ik mee kunnen leven. Trouwens, ze is helemaal mijn vrouw niet.'

'Dat is ze wel – in mijn ogen wél.'

Hij pakte mijn handen. 'Het gaat niet om ons. Zíj moet gered worden. En jij zou haar kunnen redden…'

'Haar redden? Waarvan?'

'Van haarzelf. Ze wil Haydar achterna. Alleen wil ze het beter doen. Verdwijnen zonder een spoor na te laten.'

Ik schamperde. 'Wat een onzin!'

'Ik zweer het je!'

Plotseling herinnerde ik mijn gesprek met Mazal op de boot naar Büyükada. Over de kant op gaan van Haydar. En innerlijke demonen. 'Hoe weet je dat?'

'Ik weet het.'

Ik kon hem niet geloven. Weigerde dat ook. 'Hoe dan?'

'Ik kijk wel eens in haar spullen. Daar ben ik goed in. Ik laat geen spoor na. Ik heb vroeger voor een spionagedienst gewerkt. Ze houdt een notitieboek bij, net als Haydar. Dat verstopt ze in haar slaapkamer. Daar staat het allemaal in…'

'Maar waarom?'

'Schuldgevoel, misschien. Herinner je je die brief nog van Haydar waarin hij schrijft dat zij zijn dood is?'

'Ja…'

'Nu is ze het daarmee eens.'

'Onzin! Ze heeft het me een paar keer gezegd: soldaten overzee lopen allerlei soorten ziekten op, om te beginnen geslachtsziekten. Haydar had pech. Hij liep kanker op.'

'Dat gelooft ze nu niet meer. Die visie verzachtte alleen maar haar pijn, zegt ze. Nu is ze ervan overtuigd dat zij zijn ziekte heeft veroorzaakt – zijn hart gebroken heeft. Ze beweert dat als ze getrouwd waren gebleven, als een gewoon stel hadden samengewoond en kinderen hadden gekregen, hij nog zou leven.'

'Een ridicule gedachte.'

'Dat ben ik helemaal met je eens. Maar zij gelooft erin.'

'En laten we ook niet vergeten hoe Haydar werd behandeld op het politiebureau en in de gevangenis. Mensen zeggen dat hij door die mishandelingen kanker had gekregen.'

'Ja, dat heb ik ook gehoord.'

'Nou, dat moet je haar zeggen!'

'Heb ik gedaan. Maar ze gelooft het niet. Ze blijft erbij dat zij Haydar heeft gedood. Ze wil ervoor boeten.'

'Boeten, hoe dan?'

'Ze wil de zee in zwemmen, ook vanaf Bodrum. Een leven voor een leven.'

Ik kon niet langer meer de waarheid ontkennen die ik diep vanbinnen moest erkennen.

Mijn wanhoop beurde hem op. 'Ik heb er maanden over nagedacht… Hoe kunnen we haar tegenhouden? Ik heb zelfs deskundigen geraadpleegd. Maar niemand kent haar zo goed als ik. Er is maar één manier. Ze moet weer liefhebben. Weer behoefte krijgen aan een man – seksueel gesproken. Ik hoopte die man voor haar te zijn. Maar ze wil me niet.'

'En jij denkt dat ze mij wel wil?'

'Misschien wel, ja…'

'En als dat zo is?'

'Dan hebben we haar gered.'

'En jij? Wat zou er dan met jou moeten gebeuren?'

'Wat maakt dat uit?'

'Wat moet je wel niet van me denken?'

'Ik zou je waarschijnlijk voor eeuwig haten.'

'Geweldig!'

'Laten we onze gevoeligheden erbuiten houden, verdomme. Begrijp je het dan niet? Dit is de enige manier waarop we haar kunnen redden!'

'Het is bezopen…'

'Wil je het doen?'

'Ik weet het nog niet…'

'Wil je het doen?'

'Ik werk aan mijn proefschrift... Ik ben vaak weg...'

'Wil je het doen?'

Ik leunde achterover, te dronken om nog een keer te weigeren.

Hij omhelsde me en huilde, bijna gelukkig.

Het jaar 1958 was een rampjaar voor schrijvers en intellectuelen; 1959 zou, wisten we, nog erger worden. We hoopten dus maar op een wonder en keken op de kalender.

Het gerucht ging dat Madam Ruj van nieuwjaarsfeesten hield. Leden van de beau monde zetten haar altijd boven aan de gastenlijst. Ze bezocht zoveel feestjes als ze maar kon, ging van de ene naar de andere party, ontbeet zelfs met de volhouders in een bekend restaurant in Beyoğlu. (In een brief aan Haydar had ze onthuld dat ze deze party's eigenlijk haatte, maar ernaartoe ging omdat het feestgewoel een lakmoestest was voor haar huwelijkskandidaten.)

Dit jaar echter had ze besloten om niet te gaan. Dat besluit had Dan gealarmeerd, omdat hij het zag als een voorbode van haar 'zwemtocht', bij wijze van goed voornemen voor het nieuwe jaar. Hij smeekte me haar zonder uitstel te verleiden.

Ik nam meteen contact met haar op. Een groot deel van mijn vakantie zou ik hard aan het werk zijn, zei ik; ik kon wel een motivatie prikkelend drankje gebruiken met een goede vriend. Dan, die ik ook had gevraagd om erbij te zijn, zou de avond doorbrengen bij zijn familie, loog ik.

Mazal, die de meeste uitgaansgelegenheden te lawaaierig vond – een reactie waar Dan en ik op hadden gerekend – nodigde me uit voor een etentje bij haar thuis op het eiland. Ze stelde zelfs voor dat ik een nachtje zou blijven omdat de veerdienst van de eilanden naar de stad op nieuwjaarsavond zeer beperkt was.

En zo ging ik met een bos bloemen naar haar toe.

Ze had een feestmaal bereid.

Ik voelde dat ze gespannen was. (Als ze gespannen is, had Dan gezegd, is dat een goed teken; het betekent dat ze is verleid.)

Waarschijnlijk merkte ze mijn gespannenheid ook. (Als ze merkt dat jij gespannen bent, had Dan gezegd, is dat ook een goed teken; dan weet ze dat jij haar wilt.)

We aten rustig, genoten van elke hap, maar dronken met mate. (Als jullie beiden niet te veel drinken, had Dan gezegd, is dat het beste teken; dat zal betekenen dat jullie nuchter willen zijn voor de seks.)

En we praatten. Verrassend genoeg maar heel weinig over Haydar. Een beetje over Dan. We hadden het vooral over aspecten van de moderne poëzie, het onderwerp van mijn proefschrift. Tot mijn vreugde was ze op de hoogte gebleven van de Turkse literatuur.

Toen sloeg de klok twaalf uur.

We kusten, formeel, om het jaar 1959 te verwelkomen.

Ik had een verrassing voor haar. 'Ik heb een lied voor je geschreven.' (Een van je sexy liedjes, speciaal voor haar geschreven, had Dan me verzekerd, zou de doorslag geven.)

Ze klapte in haar handen, blij als een klein meisje. 'Wat leuk! Laat horen, alsjeblieft!'

Ik pakte Haydars saz en zong:

vergeet
de romantische liefde
vergeet
tradities
principes
vrienden
familie
de beau monde

de zee is wellustig
er zit waanzin in ons bloed

dus kom
laten we onszelf
op deze zinnelijke nacht
verliezen
in
elkaars
licht

Ik legde de saz weg en vroeg me af of ik niet te hard van stapel was gelopen.

Ze kwam naar me toe en kuste me, deze keer met iets meer passie.

Ik beantwoordde haar met veel meer passie.

'Hoe lang wil je me al?'

Ik huichelde. 'Vanaf de dag dat we elkaar voor het eerst ontmoetten.'

'Dat heeft Dan me verteld. Ik geloofde hem niet.' Ze wees naar haar slaapkamer. 'Kleed je uit. Ga alvast in bed liggen.' Ze ging naar de badkamer.

Ik deed wat ze zei.

Ze kwam terug, naakt.

Ze stak een kaars aan op het dressoir en deed het licht uit.

Ze zette haar lippenstift, sigarettenkoker en aansteker op het nachtkastje.

Ik zag dat haar handen trilden en haar glimlach gespannen was.

Ik gooide de lakens van me af.

Ze staarde naar mijn erectie – heel droevig – klapte toen in elkaar en stortte in.

Later hadden we het erover.

Ze probeerde me te verzekeren dat het debacle niets met mij te maken had, dat ze al zo vaak plotseling was verkrampt. Ik was een heel aantrekkelijke man, ontzettend lief en aardig. De meeste vrouwen zouden voor mij door het vuur gaan. Maar helaas, telkens als ze samen met een man was durfde ze ineens niet meer, krabbelde ze terug.

Het was niet zo dat ze een hekel had aan seks. Ze vond het heerlijk. Maar op een veilige afstand. Dat was zelfs al zo toen ze nog met Haydar was. Na hun scheiding hadden ze bijvoorbeeld intense seks gehad. Wat misschien ook haar probleem met het huwelijk verklaarde. Je kunt beter genieten van het huwelijk van een ander, zoals haar oudtante altijd zei. Nog beter was het je voor te stellen dat de huwelijken die ze had gearrangeerd haar eigen kinderen waren. Waarom niet? Had ze die immers niet zelf totstandgebracht?

Ze verontschuldigde zich weer. Ze had me gebruikt. Maar, hoe afschuwelijk dat ook was, dat had ze alleen maar kunnen doen omdat ik haar heel dierbaar was. Ze was van Dan gaan houden en wilde met hem trouwen. Maar ze had het lef niet hem op te zadelen met het soort fiasco dat ik zojuist ervaren had. Toch bleef ze hopen dat als ze frigiditeit kon overwinnen, als ze gewoon van het lichaam van een man kon genieten, ze met Dan nog lang en gelukkig verder zou kunnen leven.

Daarna bleven we zwijgend zitten, elkaar bij de hand vasthoudend.

De volgende ochtend vroeg ze of ik wilde gaan.

Dan stond op mij te wachten bij de pier. We namen de eerste boot naar Istanbul.

Hoewel hij duidelijk was opgelucht dat Mazal en ik de liefde niet hadden bedreven, had mijn verslag over de avond hem bezorgd gemaakt.

Hij moest eens openhartig met haar gaan praten, concludeerde hij. Het werd tijd het verleden te laten rusten en aan de toekomst te beginnen. Ze zouden zeker trouwen – ook als ze elkaar nooit zouden aanraken. Ze zouden samen zijn. Elkaar liefhebben. Dat is het enige wat telt.

Hij ging met de eerstvolgende boot naar Bükada.

Maar hij was te laat.

Mazal was al vertrokken.

Dagenlang zochten we de baai van Bodrum af.

Maar tevergeefs.

Ze was spoorloos verdwenen.

Toen ging er een gerucht, dat van de plaatselijke vissers afkomstig zou zijn.

Elke avond vanaf zonsondergang tot aan het ochtendgloren zouden een zeemeermin met glanzend zwart haar en een dolfijn, rond als een boeddhafiguur, gepassioneerd de liefde bedrijven in de zeestraat tussen Bodrum en het eiland Kos.

Wie terugkeert was niet weggegaan

Ik kon niet besluiten of ik om hulp moest schreeuwen of op mijn knieën moest vallen en om genade smeken. Ze waren met zijn vieren. Twee links en twee rechts van me. Ik probeerde onverschrokken tussen ze in te lopen, als een filmheld die naar zijn executie wordt gebracht – was dat niet Ronald Colman? Maar ik trilde op mijn benen en kon amper mijn plas ophouden.

Toegegeven, ik werd niet geëxecuteerd; maar ze zouden me flink aftuigen – dat hadden ze gezegd – wat nou niet bepaald een troost was.

Ik wendde me tot Faruk, de kerel die me bij mijn rechterarm vasthield, de langste van de vier en degene met de pleister op zijn voorhoofd. Hij was het die me ervan had beschuldigd dat ik die wond op zijn hoofd had toegebracht – eigenlijk was het geen wond, maar het type steenpuist dat mannen krijgen die slechts af en toe seks hebben en weigeren te masturberen. Om maar te zwijgen van het feit dat zelfs als ik de klootzak een mep had willen verkopen, ik op geen enkele manier bij zijn voorhoofd had kunnen komen, want hij was wel twee keer zo lang als ik. Om ook maar te zwijgen van het feit dat ik hem nooit eerder had ontmoet, al had ik hem wel eens gezien binnen mijn territorium aan de Bosporus. Deze keer was hij op me afgekomen bij de tramhalte in Arnavutköy en omdat ik dacht dat hij me de weg wilde vragen, had ik mijn pas ingehouden om hem van dienst te zijn. 'Weet je zeker dat je niet met iemand anders in de war bent?'

'Absoluut.'

Hij keek naar de anderen: Nuri, Salih en Hasan – 'broeders'

die hem te hulp waren geschoten om te vechten tegen de superman – daarmee bedoelden ze mij – die hem zo genadeloos in elkaar had geslagen. Niets minder dan de eer van de familie stond op het spel.

Ze antwoordden in koor. 'Nee. Jou moeten we hebben.'

Ik keek weer naar Faruk. 'Zou je op zijn minst willen erkennen dat je een stuk groter bent dan ik? Dat ik je nooit een klap op je voorhoofd zou hebben kúnnen verkopen?'

'Dat zou je wél kunnen – terwijl ik lag te slapen.'

'Maar je sliep niet. Je zei dat we slaags waren geraakt. En dat ik je toen die klap gaf.'

'Ik val wel vaker in slaap als ik vecht.'

Normaalgesproken zou ik hierom hebben gelachen. Het is altijd beleefd om een grapje te waarderen. Maar hoe is dat mogelijk als je trilt van angst? Ik gooide het over een andere boeg. 'Vind je het niet beneden je waardigheid, en beneden die van je stoere broeders, om zo'n zwakkeling als ik af te tuigen?'

'Nou nee. Dat wordt lachen. Trouwens, je bent geen zwakkeling.' Hij wees naar de pleister op zijn voorhoofd. 'Je hebt me geslagen.'

'Ik heb je met geen vinger aangeraakt. Ik kende je niet eens toen je me aanhield en deed alsof je iets wilde vragen.'

'Ik vroeg jou wel degelijk iets. Of tenminste, broeder Hasan. Hij vroeg waarom jij mij die muilpeer had verkocht.'

'En ik zei toen dat jullie de verkeerde voor je hadden.'

'Met alle respect, we geloven je niet.'

Ten slotte probeerde ik mijn laatste redmiddel in situaties als deze. 'Zullen we met zijn allen naar de film gaan? Er draait een goeie. Met Gary Cooper. Ik betaal de kaartjes.'

'Die hebben we al gezien.'

'Welke film hebben jullie dan nog niet gezien?'

'We hebben ze allemaal gezien.'

'Goed – wat zeggen jullie dan van het variététheater? Blote benen kijken…'

'Wil je ons soms aan het masturberen krijgen? En dat we de rest van de dag bevlekt rondlopen?'

'O nee! Nee! Alleen maar om te kijken.'

'En gefrustreerd raken?'

'Kan ik jullie echt niet op andere gedachten brengen?'

'Luister, hou maar op met je slimme praatjes. We tuigen je af en laten je daarna gaan. Over drie dagen ben je weer helemaal de oude. Als je terugvecht, lig je een maand in het ziekenhuis.'

Ik zuchtte. Drie dagen was vergeleken bij een maand zo slecht nog niet. Maar het waren er nog steeds drie te veel. En om eerlijk te zijn had ik mijn buik vol van deze lukrake vechtpartijen. Van al die leeglopers die willekeurige voorbij-gangers lastigvielen alleen maar om te bewijzen – aan wie? aan henzelf? – dat ze sterk en nergens bang voor waren. Ik had niet meer de kracht om me tegen deze dwaasheid te verzetten. Door vechtmoeheid of mijn studentenjaren in Engeland was ik zacht geworden. In alle vrede mijn eigen tuintje cultiveren, meer wilde ik niet.

Ontroostbaar keek ik om naar het café waar Melek op me zat te wachten. Het was drie uur in de middag, het heetste uur van de dag in de heetste maand. Iedereen lag binnen te snurken met de luiken dicht. Daardoor konden Melek en ik elkaar ont-moeten zonder te worden gezien door een familielid – of erger nog, door een roddeltante – want onze families waren al zo woedend om onze verhouding. Een moslimmeisje dat met een joodse jongen vree! En dat niet alleen: we hadden allebei het ouderlijk huis al verlaten en woonden op kamers met vrienden in een flat – dat deed je niet, ook al waren we boven de twintig en had ik al een paar jaar in Engeland op mezelf gewoond. Ongetwijfeld maakte deze onafhankelijkheid ons in de ogen van ouderen tot een soort dégénéré's die de hele dag alleen maar aan seks dachten. (Maar zo zou het toch ook moeten zijn?) Vandaar dat onze ouders, die uiteraard terecht vermoedden dat wij wanneer we maar konden naar de heuvels gingen om te doen wat de natuur ons ingeeft, een heel netwerk van spionnen hadden ingeschakeld. (In het algemeen konden we deze schimmen van ons afschudden. We kenden immers onze Agatha Christie, Dashiell Hammett en Raymond Chandler.)

Ik zuchtte weer eens diep. Niet alleen had dit lamlendige tuig dat zich dood verveelde ons herdersuurtje van ons afgepakt, maar ook de drie dagen daarna verpest – vooropgesteld natuurlijk dat ze zich aan hun woord hielden en me niet het ziekenhuis in sloegen. Ik wierp nog eens een blik op Faruk en zijn broeders; het leken me jongens die zich aan hun woord hielden. Anderzijds, eerste indrukken...

Ik zou het op een lopen moeten zetten. Dat zou niet erg heldhaftig zijn, of Ronald Colman-achtig, maar ik kon niets anders bedenken. Ik was een goede en behoorlijk snelle hardloper. En ik had al gezien dat het goede leven zich in de buikjes van mijn belagers had genesteld; ze zouden na een meter of honderd al naar lucht staan happen. Terwijl ik een groot uithoudingsvermogen had, waar Melek van kon getuigen.

Ik zou mijn kans moeten grijpen wanneer ze er het minst op bedacht waren. Wanneer ze zichzelf gingen overschatten. Op dat punt zouden ze ridderlijk worden en elkaar de eer gunnen de eerste klap aan mij uit te delen.

Ze brachten me naar een smalle steeg die doodliep en donker was. Hier zou het dan gebeuren. Ik bereidde me voor op mijn spurt.

Uit het duister brulde een man. 'Scheer je weg, straattuig!'

Ik herkende het gebrul. Het was Ergun, de deeltijd-politieagent van de buurt. Hij stond te pissen in de goot en wij hadden hem gestoord.

Hij zou mijn redding kunnen zijn. Ik riep: 'Sorry, Ergun! We hadden je niet gezien. Ik ben het, Davut. Goedemiddag nog, trouwens.'

Ook Faruk en zijn maten groetten Ergun.

Ergun kwam uit het donker te voorschijn, zijn broek dichtknopend en met een glimlach. Hij leek goedgehumeurd, helemaal niet boos omdat hij midden in zijn plas was gestoord. Dat was goed nieuws. Ik bedoel, ik was een goede vriend voor hem geweest, had hem geholpen bij zijn studie zodat hij zou afstuderen als volledig bevoegd politieagent, hem geadviseerd condooms te gebruiken om te voorkomen dat hij de lokale vrouwelijke bevolking – voornamelijk dorpsmeisjes – zou bezwangeren en hun vaders met messen achter zich aan kreeg. Maar een politieagent blijft een politieagent en dat betekent dat zijn goede humeur zo kan omslaan, vooral op een warme dag – of op een regenachtige dag, altijd eigenlijk. 'Ik wist niet dat jullie ettertjes elkaar kenden…'

Ik greep naar mijn reddingslijn. 'We kennen elkaar ook niet. We hebben elkaar net ontmoet.'

Faruk keek naar Ergun. 'Ken je hem?'

'Davut? Mijn boezemvriend! En waar kennen jullie elkaar van?'

Faruk keek beschaamd. 'Eh, eigenlijk kennen we elkaar niet. We zijn elkaar tegen het lijf gelopen. En, eh, we waren van plan om hem af te tuigen.'

'Waarom?'

Ik haalde met bravoure mijn schouders op. 'Gewoon voor de lol.'

'Dat slaat nergens op. Ze zouden je compleet in elkaar slaan.'

Ik glimlachte. 'Ach, een beetje vriendschap kan wel tegen een stootje.'

Ik was nauwelijks uitgesproken of Faruk tilde me op en kuste me op mijn wangen. 'Excuses, beste Davut. Een vriend van Ergun is een broeder van ons.'

Daarna kusten zijn broeders me.

Faruk leidde ons de steeg uit. 'Kom op! Laten we op deze ontmoeting drinken. De raki is voor mijn rekening.'

Ergun sputterde tegen. 'Over een paar minuten begint mijn dienst.'

Faruk greep hem bij zijn arm. 'Ach joh, wat kan jou het schelen. Zeg gewoon tegen je baas dat je een stel boeven hebt betrapt en er achteraan bent gegaan.'

'Boeven? Waar?'

'Vlak voor je neus. Wij zijn toch boeven, of niet?'

'Kruimeldiefjes van de zwarte markt die sigaretten verhandelen – Bulgaarse nog wel. Nauwelijks de moeite waard.'

'Gisteren zijn we aan een partij whisky gekomen. Van de NAVO. *Real Scotch.* We geven je een paar flessen mee. Is je baas ook tevreden.'

Ergun knikte. 'Nu praten we eindelijk ergens over.'

Faruk sloeg zijn arm om mijn schouder. 'Je bent toch niet kwaad op ons?'

'Helemaal niet.'

'Beste man. Broeder voor het leven!'

Hij nam ons mee naar het café waar Melek nog steeds op me zat te wachten.

Ze keek me ongelovig aan toen ik ging zitten en met Ergun, Faruk en de anderen een drankje dronk. Ik probeerde haar met gebaren duidelijk te maken dat ik bij hen moest blijven omdat ik anders in de problemen zou komen, en dat ze nog even moest wachten. Uiteraard deed ze dat niet. Vaak was ze het niet met mijn standpunt eens.

Ergun ging na een uurtje aan het werk – met vier flessen Schotse whisky onder zijn arm.

Tot diep in de nacht bleef ik drinken met mijn nieuwe broeders. Ik raakte op hen gesteld, vooral nadat ze aandachtig en welwillend hadden geluisterd naar de inhoud van het proefschrift waar ik mee bezig was, over de tegenstellingen in de Turkse volksaard en de wijze waarop fascisten van de oude garde die contradicties uitbuitten om de nobele ziel van Turkije te knechten. Terwijl we elkaar omhelsden en goedenacht – of eigenlijk goedemorgen – wensten, zwoeren zij dat ze me door dik en dun zouden beschermen – me zelfs zouden helpen ontsnappen als ik ooit in de gevangenis terecht zou komen omdat ik God weet wie zou hebben beledigd met mijn artikeltjes.

Melek was woedend toen ze me de volgende dag ontmoette. Maar ze had haar prioriteiten gesteld en gewacht totdat we waren aangekomen bij ons afgelegen kreupelbosje in de heuvels boven Rumeli Hisarı en daar hadden gevreeën; pas toen gaf ze me een standje omdat ik haar die dag daarvoor had genegeerd. Maar tegen die tijd was haar woede, die genadeloos kon zijn als de glaciale wind uit Hakkâri, afgenomen tot louter een briesje. Er gaat niets boven seks om de frons van man en vrouw glad te strijken; zelfs om vrede onder de mensheid te brengen. (Ik moet hier ook bij zeggen dat Melek en ik wellustiger hadden gevreeën dan normaal. We moesten onze portie binnenkrijgen voor die dag, vervolgens de dag inhalen die we hadden verloren door toedoen van Faruk en zijn broeders, en nog een nummertje inslaan voor de volgende dag, wanneer we naar Bursa zouden reizen om mijn oude leraar Âşık Ahmet op te halen, die werd vrijgelaten uit de gevangenis nadat hij weer een straf had uitgezeten wegens het verspreiden van Nâzım Hikmets werken.)

Melek had met moeite kunnen accepteren dat mijn onvermogen die dag daarvoor iets tegen haar te zeggen, een kwestie van overmacht was geweest, maar ze weigerde met me mee te leven. 'Je had moord en brand moeten schreeuwen.'

'Er was helemaal niemand in de buurt!'

'Ik was er toch? Ik zou flink tekeer zijn gegaan.'

Daar had ik niet aan gedacht. 'Ik wilde je er niet bij betrekken.'

'Leugenaar. Je genoot ervan.'

'Ach, wat een onzin! Ze gingen me in elkaar meppen.'

'Wat van jou een heroïsch slachtoffer had gemaakt. Iedereen zou je hebben bewonderd. Dat vind je heerlijk!'

Melek kende me goed. Waarschijnlijk beter dan ik mezelf. Dat was tenminste tot voor kort zo. Maar dat gold niet meer. Niet meer sinds ik ten prooi was gevallen aan angst. 'Om eerlijk te zijn, ik was doodsbang...'

Het studentenleven in het naoorlogse Engeland – waar mensen elkaar meer op een afstand hielden en men elkaar niet zo snel kuste of knuffelde, en zeker niet voor de lol een robbertje zou vechten – had mij zachter gemaakt. En terwijl ik een chauvinistisch, de confrontatie aangaand Turkije vergeleek met de verfijnde strijdlust van Engeland, begon de angst, die waarschijnlijk al die tijd al ergens diep in mij had gezeten, zich te roeren. Sindsdien was die angst, zich her en der verschuilend en geniepig schranzend in duivelse hoeken en gaten, alleen maar gegroeid. Nu was het een omvangrijk geval, een berg rottende meloenen.

Melek keek me met grote ogen aan, alsof ze was verrast. 'Vertel je me dat je eindelijk een beetje menselijk begint te worden?'

Ik glimlachte onzeker en knikte.

Ik was me pas sinds kort van mijn angst bewust – om precies te zijn, sinds een week of zes daarvoor, toen ik, terugkerend uit Londen voor de zomervakantie, zo'n twee uur lang was verhoord, eerst door de douanepolitie en daarna door agenten in burger die, te oordelen aan hun gladgestreken gezichten, waarschijnlijk agenten waren van de Turkse geheime dienst. Hoewel ik allerlei luxe cadeautjes had meegenomen voor vrienden en familie – aankopen die ik nauwgezet had aangegeven en waarvoor ik dacht zware accijnzen te moeten betalen – waren de douanebeambten vooral geïnteresseerd in de strekking van mijn proefschrift en de twee dossiermappen waarin mijn belangrijkste documentatie zat. Ze keken me aan alsof ik het hoofd had van een zevenkoppige slang, want ze konden maar nauwelijks geloven dat ik me er daadwerkelijk toe had gezet deze hele stapel vellen vol te schrijven en te voorzien van commentaar en verwijzingen. De geheime agenten gingen wat wereldwijzer te werk; ze stelden vragen over mijn politieke voorkeuren die zijzelf waarschijnlijk heel subtiel vonden, terwijl iedereen die hen in de ogen keek daarin met flitsende neonletters de zin 'deze jongen is een communist' kon lezen. Wat betekende dat ik nog gevaarlijker was dan een buitenaards wezen.

Melek kon zien dat mijn gedachten waren afgedwaald. Ze begon zich meteen moederlijk te gedragen. Ze trok me naar haar schoot. 'Wat is er toch, schatje?'

'Niets...'

'Vertel op...'

'Ik vraag me af hoe vaak ik jou op een dag kan laten klaarkomen... Vijftig keer?'

'Wil je me dood hebben?'

'Veertig dan...'

Ze gaf me speels een klapje. 'Serieus! Wat zit je dwars?'

'Niets...'

'Er is iets, ik kan het aan je zien.'

'Ik denk dat ik bang ben...'

'Huh?'

'Dat is geen mooi gevoel. Een kapitein Marvel die bang is.'

'Bang waarvoor?'

Ik vertelde haar over mijn uren bij de douanepolitie en de geheime dienst. En over het hatelijke verhoor. Over de hoofdagent die me de les las over de ware aard van alle drukwerk, dat een gevaar zou zijn voor de hele mensheid wanneer de inhoud niet door wakkere geesten zoals hij weerlegd werd, ja, dat de vrijheid van meningsuiting in feite een levensgevaarlijke mijn was die strategisch onder de fundamenten van de staat en zijn verdedigers was geplaatst. Een andere agent meende dat teksten in het Engels, zoals mijn proefschrift – wanneer ze eenmaal af waren – ongetwijfeld talloze andere gevaren veroorzaakten. (Mijn tegenwerping dat ik van plan was mijn proefschrift naar het Turks te vertalen alarmeerde

356

hem nog meer.) En toen vertelde ik Melek dat ze zelfs mijn onderzoeksopzet in beslag hadden genomen nadat ze hadden gehoord dat mijn proefschrift over de tegenstellingen in de Turkse volksaard zou gaan. Dat mijn belangrijkste aanname was hoe de aangeboren Turkse edelmoedigheid, die werd getemperd door het beste van de islamitische leer, ons tot het tolerantste volk ter wereld maakte, terwijl de talloze complexen die ons werden aangepraat door het slechtste wat de islam zou kunnen bieden – en soms ook bood – ons in monsters veranderde. Natuurlijk had ik moeten liegen en iets simpels en onschuldigs moeten zeggen, maar ik kan niet goed liegen. Bovendien, zoals Melek had opgemerkt, had dat ook niets uitgehaald, want ze zouden mijn opzet toch wel in beslag hebben genomen, zelfs wanneer er op elke pagina alleen maar regels uit het volkslied stonden.

'Bang voor de autoriteiten...'

Melek kuste mijn voorhoofd. 'Laat die toch in hun eigen vet gaar smoren...'

'Het is zo allemaal irrationeel. Die willekeurige beslissingen. Het onrecht dat de macht gedoogt. Niet alleen gedoogt, maar toestaat, aanmoedigt, begaat... Dat maakt me bang... Het is zo'n deel geworden van ons dagelijks leven...'

'Dat is altijd zo geweest.'

'Dat heb ik nooit beseft. Ik stond er zelfs nooit bij stil... En toen...' Ik schoot in de lach. Ik was verbaasd dat door zoiets banaals als het ontkomen aan een afrossing mijn leven ineens duidelijk voor me werd. 'Plotseling – boem! – zag ik het in...'

Melek streelde over mijn borst. 'Soms is het moeilijker om te zien wat er pal voor je neus staat...'

'Ik vind het niet leuk om bang te zijn...'

'Daar kun je niets tegen doen. Zodra je twee gedachten bij elkaar optelt, krijg je angst.'

'Angst voor onszelf?'

'Wat bedoel je?'

'Ik denk dat ik vooral bang ben voor mezelf. Dat ik als een angsthaas ben geboren. Dat ik door angst word beheerst. Je moet erkennen dat dit niet normaal is. Âşık Ahmet is niet bang voor zichzelf. Jij bent ook niet bang voor jezelf...'

'Ik denk dat als we eerlijk zijn, we allemaal moeten toegeven dat we dat een beetje zijn.'

'Maar vroeger was ik het niet. Ik durfde me tot gisteren door iedereen te laten aftuigen. En trots het heroïsche slachtoffer uithangen – om jouw woorden aan te halen. Maar dat is voorbij. Ik heb het lef niet meer. Sterker nog, ik wil het niet meer. Wat het ook was, ik ben het kwijt. En er is angst voor in de plaats gekomen.'

Melek glimlachte. 'Welkom in de wereld der volwassenen.' Ze streek haar hand over mijn kruis. 'En dat terwijl ik dacht dat jij op de rijpe hoge leeftijd van vijfentwintig jaar al een volwassen man was.'

'Melek, je leidt me af...'

'Dat klopt.'

'Maar ik meen het!'

Ze kuste me. 'Hoog tijd dat je wordt afgeleid.'

Ik raakte opgewonden. We vreeën een tijdje. Toen drukte ik haar stevig tegen me aan. 'Nog even over die angst. De angst die mensen op de vlucht doet slaan. Die hen tot deserteurs maakt. Dat is de rat waar ik het bangst voor ben. Gisteren wilde ik zelfs wegvluchten...'

'Heel verstandig...'

'Melek, ik probeer iets belangrijks te zeggen.'

'Zeg het dan recht voor zijn raap.'

'Ik wil iemand worden die goede daden verricht. Die tegen onrecht in protest komt. Als een Emile Zola wil ik *J'accuse!* schreeuwen. Ik wil zijn als Hikmet en iedereen vertellen dat de universele vrede op deze aardbol mogelijk is... Maar ik geloof niet dat ik dat kan...'

'Natuurlijk wel.'

'Hoe dan?'

'Door stoïcijns te blijven. Je bent een Turk. Je kunt wel ergens overheen stappen. De ene dag schijnt de zon; de andere dag brengt hagel. Het lot van de Turk.'

'Maar wat is dat voor een leven?'

'Nu vraag je misschien te veel.'

Melek kon mijn gekweldheid niet begrijpen. Alleen zij die aan hun moed twijfelden, of die wisten dat hun moed hun in de steek zou laten, konden het begrijpen. Maar de moed liet Melek nooit in de steek.

Ik begon haar weer te kussen. Plotseling wilde ik de liefde met haar bedrijven en wel zo intens dat ik er de rest van mijn leven op zou kunnen teren.

Âşık Ahmet leek twee keer zo oud als hij was. Hij was flink vermagerd. En van zijn robuuste zilverachtige manen die vroeger naar de wereld zwaaiden als hij de pas erin zette, waren nog maar enkele plukken over. Ook wankelde hij op zijn benen – volgens Agop was dat het gevolg van een blessure aan zijn ruggengraat die hij had opgelopen door de systematische afranselingen van de politieke gevangenen. Stel je voor, marteling van een van 's lands belangrijkste figuren! Een held uit de Onafhankelijkheidsoorlog! Een van Atatürks eerste hervormers!

Ik had verwacht dat er vele oud-leerlingen van hem naar Bursa zouden komen om hem welkom te heten in het leven buiten de gevangenis. Maar afgezien van Melek en ik waren alleen Agop, Musa, Naim, Zeki en Mustafa gekomen.

De rest, die bang was dat de geheim agenten die Âşık Ahmet in de gaten hielden, misschien ook hen zouden bespioneren, had eieren voor zijn geld gekozen. Maar wie was ik om over hen te oordelen? Ondanks hun angsten waren zij onze mentor blijven steunen en ze zouden altijd achter hem blijven staan.

En natuurlijk was hun vrees voor de geheime dienst gerecht-vaardigd. Ik telde minstens vijf mannen rondom de gevange-nispoort die ons in de gaten hielden toen we Âşık Ahmet opwachtten; en twee agenten in een burgerauto maakten tamelijk ongegeneerd foto's van ons.

Agop en Mustafa hadden hun vrouw mee willen nemen, maar zagen daarvan af omdat ze dachten dat Âşık Ahmet door de aanwezigheid van een vrouw overstuur kon raken. Want de geliefde vrouw van de goede man, Leylâ, had een paar jaar daarvoor zelfmoord gepleegd door een overdosis te nemen. Nadat ze haar man in het ziekenhuis had gezien toen ze hem bijna hadden doodgeslagen, verwachtte ze niet meer dat hij er bovenop zou komen. Ironisch genoeg was haar zelfmoord zijn redding. Haar afscheidsbriefje had zoveel openbare commotie veroorzaakt dat de autoriteiten gedwongen waren geweest het martelen te staken. (De brief is eigenlijk een ode aan de liefde. Eerst beschrijft ze Âşık Ahmet als de 'liefhebbende man' par excellence en als 'de belangrijkste democraat van Turkije', dan verklaart ze dat sterven als zijn vrouw – ze konden pas trouwen toen haar zoon uit haar eerste huwelijk de volwassen leeftijd had bereikt – precies de dood was geweest die ze zich altijd gewenst had.)

Ik daarentegen had juist de redenering van mijn vrienden omgekeerd en had Melek meegenomen. Als verlichte jonge intellectueel leek zij in veel opzichten op Leylâ en ik vermoedde dat haar aanwezigheid, ook al maakte die Âşık Ahmet mis-schien droevig, niettemin gelukkige herinneringen zou oproe-pen aan de gepassioneerde liefde die er tussen hem en zijn vrouw had bestaan. (Ik speelde zelfs met het idee hem op een geschikt moment te vertellen dat het geheime kreupelbosje waar Melek en ik naartoe gingen om de liefde te bedrijven, dezelfde plek was waar jaren geleden Mustafa en zijn slaap-zaalvrienden hen hadden betrapt.)

Agop en zijn vrouw Sabet hadden het huis van Âşık Ahmet

opgeruimd, versierd met bloemen en volgestouwd met eten, boeken en grammofoonplaten. Hij moest de eerste weken vooral goed uitrusten. Vandaar dat we hadden bedacht om meteen met de taxi naar Istanbul te rijden en hem thuis af te zetten. Maar Âşık Ahmet, die snakte naar frisse lucht na al die jaren in de gevangenis, wilde per se met de boot. Op zo'n mooie zomerse ochtend zou varen over zee een bedwelmende ervaring zijn.

Dus gingen we naar Yalova, namen daar de veerboot, zochten een schaduwrijk hoekje onder de luifel van het bovendek en staken de Zee van Marmara over.

Ik nam deze dag zorgvuldig in me op. Want ik wist toen al zeker dat de twee weken die ik nog in Istanbul had voordat ik terug naar Londen zou gaan om mijn proefschrift af te maken, waarschijnlijk de laatste waren waarin ik Âşık Ahmet zou zien. (Ik had nog een – onbewust – motief, dat pas jaren later voor me duidelijk werd. Istanbul is de stad waar de ziel van Turkije tastbaar wordt. En hoewel er vele manieren zijn om je de stad eigen te maken – manieren even talrijk als mensenlevens – is de beste manier om de stad in je op te nemen, of beter gezegd, zijn goddelijkheid te aanschouwen, hem vanaf het water te zien. Elk uitzicht vanaf de Bosporus of vanaf de Zee van Marmara of vanaf de weelderige naald- en pijnbomeneilandjes biedt een blik op eeuwen geschiedenis. Tinten die rechtstreeks van Gods palet afkomstig zijn, worden over de opeengepakte huizen gestreken, over de statige houten *yalis*, over hun zonovergoten daken, over penseeldunne minaretten en hun borstvormige koepels. Ook kun je vanaf het water de magische lokroep van Turkijes bodem horen – een lokroep die, zoals talloze gedichten ons vertellen, altijd paradijselijke visioenen oproept, zowel bij krijgers als bij martelaren, barden en mystici. Geen wonder dat zij die deze hemelse stad aanschouwen, verzuchten, net als de joden over Jeruzalem: 'Als ik jou vergeet, o Istanbul...')

Een groot deel van de boottocht lag Âşık Ahmet te soezen.

Hij zag eruit alsof hij de vermoeidheid van een aantal mensenlevens met zich meedroeg. Om beurten hielden we zijn hand vast. Daardoor – en ongetwijfeld door de geur van de waterdruppels die af en toe door de zachte wind onze kant uit werden geblazen – bleef hij glimlachen. En zoals ik had verwacht, genoot hij van Meleks aanwezigheid. Toen ze even weg was om thee voor ons te halen, zei hij dat hij zich gemakkelijk kon indenken dat zij de dochter was die Leylâ graag had willen hebben, maar nooit gekregen had.

Tussen zijn dutjes door rookte hij als een schoorsteen en vuurde hij allerlei vragen op ons af. Waar we mee bezig waren. Wat onze ambities waren. Of die haalbaar waren. Melek, die nog een jaar had aan de Universiteit van Ankara om haar studie Filosofie af te ronden, moedigde hij aan om door te gaan en om net als ik te promoveren. Hij besprak met mij enkele punten uit mijn proefschrift; hij wist waar ik mee bezig was omdat we regelmatig over de belangrijkste aspecten hadden gecorrespondeerd. Dankzij zijn netwerk van aanhangers uit alle lagen van de bevolking had hij mij inderdaad vele interessante inzichten gegeven. Maar het feit dat de autoriteiten mijn opzet hadden ingenomen verontrustte hem. Hoe vaak ik ook zei dat ik ergens in Londen nog minstens drie kopieën had liggen, hij bleef zeggen dat we moesten proberen het document terug te krijgen.

Daarna werd hij persoonlijk. Hoewel hij nu met pensioen was – en feitelijk onbemiddelbaar, zeker in het onderwijs, vanwege zijn gevangenisverleden – werkte hij harder dan ooit. Hij correspondeerde regelmatig met een aantal ex-leerlingen die om zijn advies vroegen, niet alleen over proefschriften, lezingen of toespraken, zoals in mijn geval, maar ook over intieme zaken als huwelijksperikelen, persoonlijke problemen, opvoedingskwesties, de strijd om de eindjes aan elkaar te knopen enzovoort. De rest van zijn tijd – eigenlijk het merendeel ervan – werd opgeslokt door zijn inspanningen om het nog steeds geldige verbod op de werken van Nâzım Hikmet op te heffen en om, wat net zo belangrijk was, Hikmet internationaal erkend te krijgen als een van de grootste dichters van de twintigste eeuw. Hikmet leefde nog steeds, als balling in Moskou, en hij schreef ook nog. Maar zijn gezondheid ging achteruit en alleen dankzij Allahs genade – omdat Allah net als wij van grote dichters hield – bleef zijn vermoeide hart het volhouden. Hij, Âşık Ahmet, correspondeerde nog steeds met hem en via verschillende – en omslachtige – kanalen ontving hij nog steeds alles wat de grote dichter voortbracht. (Wanneer hij in de gevangenis zat, verzamelden betrouwbare collega's deze gedichten en borgen die veilig voor hem op.) Nog steeds verspreidde hij Hikmets gedichten, toneelstukken, brieven en essays op lycea, universiteiten en onder buitenlandse uitgevers. De volgende dag zou hij deze activiteiten meteen hervatten.

Toen we Âşık Ahmet naar zijn huis hadden gebracht, gingen Agop, Musa, Naim, Zeki en Mustafa naar huis.

Melek en ik bleven om een feestmaal voor hem te bereiden. Hoe Âşık Ahmet ook zijn best deed om de gerechten te prijzen die we hadden gemaakt – auberginesalade, artisjokken met citroensap en olijfolie, zwaardvis met groene pruimen – hij kreeg geen hap door zijn keel. Het eten in de gevangenis was, hoewel weinig, meestal wel voedzaam – en smakelijk – omdat het doorgaans werd klaargemaakt door de gevangenen zelf met ingrediënten die familieleden en vrienden hadden meegenomen. Maar na zoveel jaar mishandeling functioneerde Âşık Ahmets maag nauwelijks meer. Daardoor kon hij alleen maar kleine porties brood, olijven en witte kaas eten en als toetje een beetje yoghurt met stroop.

Eigenlijk zouden we na de maaltijd moeten gaan, maar daar konden we ons niet toe zetten. Âşık Ahmet was uitgeput en we wilden in zijn buurt blijven voor het geval hij nog iets nodig had.

Terwijl Melek en ik onszelf in de woonkamer gereedmaakten voor de nacht, riep hij ons.

We gingen naar hem toe.

Hij zat op bed te roken. De huid van zijn voorhoofd was gebarsten, wat betekende dat hij zich ergens zorgen om maakte. 'Davut, dat proefschrift van jou…'

'Ja?'

'Je zei dat je al je primaire bronnenmateriaal had meegenomen.'

'Een groot deel.'

'Ga het halen, tot de laatste snipper. Laat het hier achter.'

'Waarom?'

'Je kunt beter het zekere voor het onzekere nemen.'

'Maar niets is geheim. Alles is vrijgegeven, iedereen kan die bronnen inzien.'

'Niet iedereen is erin geïnteresseerd. Jij wel. Het vormt de basis van je proefschrift. Dat maakt het bijzonder.'

'Ik kan u niet volgen…'

'Kijk, als ze die opzet van jou zo lang bij zich houden, zijn ze duidelijk ergens bang voor. Geef mij al je materiaal voordat zij iets gaan ondernemen.'

'Wat zouden ze kunnen doen?'

'Een huiszoeking, waarschijnlijk. En alles in beslag nemen. Om je werk te frustreren. Het kan van alles zijn. Ik zal dat voor je uitzoeken. Ik heb nog steeds mijn spionnen in het reactionaire kamp. Ondertussen…'

'Maar het is maar een proefschrift.'

'Een proefschrift bestaat uit woorden. Daar zijn ze bang voor. En hoe waarheidlievender die woorden zijn, hoe groter de angst. Vooruit, ga. En breng alles hiernaartoe. Ik bedenk wel een manier om het allemaal naar jou in Londen door te sturen.'

'Maar… ik zal toch een keer… voor sommige delen van mijn proefschrift zal ik terug moeten komen voor nader onderzoek…'

'Doe dat niet. Blijf in Londen. Totdat de situatie is verbeterd. Alles wat je nodig hebt, kan ik voor je krijgen.'

'En als de situatie niet verbetert? Blijf ik dan in ballingschap?'

'Ballingschap is een groot woord. Trouwens, als ze je hier de mond snoeren, je woorden verbieden of je in de gevangenis stoppen, dan ben je een balling in eigen land. Laten we zeggen dat je je even moet terugtrekken om straks meer vooruitgang te kunnen maken. Ik geloof dat ik Nâzım dezelfde suggestie heb gedaan.'

Ik staarde hem aan, was niet in staat om de gevolgen van zijn woorden te overzien.

Hij keek naar Melek. 'Gaan jullie met elkaar naar bed?'

Melek bloosde. 'Ja.'

'Geniet je ervan?'

Melek glimlachte trots. 'Heel veel.'

Âşık Ahmet knikte goedkeurend. 'Mooi. Alleen wellustige vrouwen kunnen deze wereld redden, als die nog te redden is. Houdt Davut er ook van?'

'O, ja.'

'Dan hoef je je geen zorgen te maken. Zorg dat je honing zoet blijft, dan komt hij altijd bij je terug.'

Het lukte me mijn ongerustheid in bedwang te houden. 'Pardon, gaat dit niet een beetje ver?'

Woedend keek hij naar me om. 'Ben jij nog steeds hier? Vooruit, de deur uit jij. En ga die verdomde spullen halen! En wel nu meteen!'

Ik knikte en haastte me naar buiten.

Toen ik thuis aankwam – ik deelde een flat met een paar vrienden – lag er een berichtje voor me. Een paar agenten in burger hadden gebeld; ze hadden hun telefoonnummer achtergelaten; het was niet belangrijk of urgent; maar of ik hen zo snel mogelijk wilde terugbellen voor een afspraak.

Ik raakte in paniek. Ik wist niet wat ik moest doen. Het lukte me om Âşık Ahmet te bellen.

Hij giechelde meteen toen hij mijn stem hoorde. 'Je bent net op tijd bij mij vertrokken, Davut. De politie is voor je langs geweest. Ze wisten kennelijk dat je bij mij was geweest. Hoe dan ook, ze willen dat je hen belt om een afspraak te maken.'

Mijn stem werd hees, plotseling was alle speeksel weg. 'Ze hebben me thuis ook gebeld.'

Er volgde een dreigende stilte die steeds verontrustender werd.

Bang vroeg ik: 'Bent u nog aan de lijn?'

'Ja.'

'Denkt u dat ze naar me op zoek zijn omdat ze me met u hebben gezien of gaat het om mijn proefschrift?'

'Ik weet het niet. Ik denk om je proefschrift. Wat de reden ook is, ik vertrouw het niet.'

'Wat moet ik doen?'

'Laat me nadenken.'

Ik wachtte ongeduldig.

Toen hij sprak klonk zijn stem weer als vanouds gezagvol. 'Het heeft geen zin om weer door die gangsters verhoord te worden. Ze kunnen je er met alle gemak inluizen en jou eindeloos vasthouden.'

'Wat moet ik doen?'

'Je zult moeten vluchten.'

Ik begon te trillen. 'Waarnaartoe?'

'Je moet het volgende doen. Je pakt je spullen. Vergeet je paspoort niet. Neem geen enkel geschrift mee – zelfs geen krant. Ik stuur een oude bekende naar je toe, Bekir. Hij rijdt in een taxi. Geef hem je dossiermappen. Die brengt hij vervolgens naar mij. Over een paar dagen komen die bij jou in Londen aan. Nadat Bekir is vertrokken, ga jij meteen naar het vliegveld. Je neemt het eerste het beste vliegtuig, naar een willekeurige bestemming in Europa, en vliegt vandaar door naar Londen. Ik regel alles voor je. Melek wacht op je bij de incheckbalie met je ticket...'

'Gaat u niet mee naar het vliegveld? Ik kan toch niet vertrekken zonder afscheid van u te nemen?'

'Dat zal toch moeten. Ze houden me voortdurend in de gaten, ze zouden je vinden. En trouwens, ik heb een hekel aan afscheid nemen. Als jij en Melek even niet kussen, geef haar dan een knuffel van mij. Ik zal die later zeker opeisen.'

'Een paar knuffels.'

'En hou contact.'

'Dat spreekt voor zich.'

Hij hing op.

Terwijl de angst door mijn keel gierde pakte ik mijn spullen.

De eerste vlucht ging naar Wenen. Ik zou daar overnachten en dan een vlucht naar Londen nemen. Zonder extra kosten. De contacten van Âşık Ahmet hadden alles perfect geregeld.

Er werden geen lastige vragen gesteld bij de douane en de paspoortcontrole. Het was kennelijk niet bij de politie opgekomen dat ik zou vluchten.

Melek mocht me vergezellen naar de vertrekhal. Ze had iemand van de paspoortcontrole benaderd en verteld dat we pas getrouwd waren en met pijn in ons hart afscheid namen van elkaar, ook al was het maar voor een paar dagen. Ze vroeg of we nog even van elkaar mochten genieten voordat ik in mijn vliegtuig stapte. De man, die er onverbiddelijk officieel uitzag, was gesmolten en liet ons door. Over tegenstellingen in de Turkse volksaard gesproken!

En zo zaten we tegen elkaar aan op twee stoelen, alsof we een wake hielden bij een lijk.

We zaten inderdaad ook bij een lijk: dat van onze liefde. Ik wist dat. En zij? Op weg naar het vliegveld had ik me gerealiseerd dat ik op het punt stond het dierbaarste in mijn leven om zeep te helpen om mezelf te redden. Ik was – schijnbaar ineens – veranderd in de lafaard die ik vreesde te zijn. Door de angst voor een arrestatie, voor processen in discutabele gerechtshoven, voor gevangenisstraf en marteling liet ik niet alleen al mijn idealen varen – idealen die door Atatürk en ook Âşık Ahmet aan mij waren doorgegeven – maar ook mijn geliefde land en mijn even zo geliefde Melek. Ik ruilde het hard confronterende Turkije in voor de gesluierde hypocrisie van Europa. Wat een paradox! En dat deed ik bij mijn volle verstand, met open ogen. Dus kon ik mezelf niet meer voor de gek houden. Ik kwam niet meer terug – zeker niet in de nabije toekomst. En terwijl velen me mijn desertie zouden vergeven, me zelfs zouden prijzen omdat ik zo verstandig was als Hikmet en vele anderen, wist ik dat ik niet gelijkstond met zovele andere Turken die tot ballingschap werden gedwongen; ik wist dat ik me niet terugtrok om de volgende dag harder terug te vechten. Ook verloochende ik mijn land niet, zoals enkele bekrompen geesten zouden fluisteren, omdat ik als jood nog steeds beschouwd werd als non-Turk of op zijn best als half-Turks. Ik vluchtte alleen maar om mijn eigen huid te redden. Ik had bij het eerste teken van onraad mijn biezen gepakt, wat lafaards doen. Ik stelde mezelf en iedereen die in mij had geloofd teleur. En ik kon niet meer terug, ik kon het niet afkopen, deze teleurstelling.

Ik schraapte mijn moed bij elkaar en keek Melek aan. Een krankzinnig moment had ik de neiging haar vast te pakken, de kleren van haar lijf te rukken, mijn lichaam tegen het hare aan te drukken en eindeloos de liefde met haar te bedrijven.

Ik verzamelde alle integriteit die ik nog in me had en mompelde: 'Ik kom niet meer terug. Dat weet je toch, of niet? Ik durf niet.'

Ze probeerde niet te huilen. 'Dat weet ik.'

'Toen ik je vertelde dat ik bang was voor mezelf, bedoelde ik dit. Maar ik had niet verwacht dat het zo snel zou gaan. Dat ik zo gemakkelijk zou zwichten. Je weet hoe diep ik me schaam, als je dat troost brengt...'

Ze knikte.

Ik hield haar handen vast. Ik legde haar mijn brandende

kwestie voor, hoewel ik al wist wat haar antwoord zou zijn. 'Er is nóg een optie. Dat jij mee naar Engeland gaat... Ik kan lesgeven... Turkse taal- en letterkunde... Een collega heeft me dat min of meer voorgesteld... We zouden de eindjes aan elkaar kunnen knopen. En bij elkaar zijn.'

Ze glimlachte. 'Het klinkt verleidelijk...'

'Maar?'

'Ik kan het niet.'

'Waarom niet?'

'Ik zou wegkwijnen.'

'Ach, onzin.'

'Ik hoor hier thuis, Davut. Ik kan niet zomaar worden overgeplant.'

'Dat weet je niet.'

'Jawel, ik voel het. Ik heb hier al vaker over nagedacht dan jij beseft.'

'Maar toch... Geef Engeland een kans...'

'Nee. Misschien is dat wel míjn angst. Dat het me inderdaad wel bevalt daar. En dat ik blijf. Dat wil ik niet. Er is hier nog zoveel te doen.'

'Dat kun je vanuit Engeland doen.'

'Jij wél. En ik weet zeker dat je dat ook doet. Maar ik niet.'

'En onze liefde dan?'

'Die blijft bestaan.'

'Melek, die zal vergaan.'

'Kan ware liefde vergaan? Nooit! Hij neemt gewoon een ander vliegtuig...'

'Wat heeft dat voor zin? Als we onze liefde niet kunnen voeden? Als er geen contact is...'

'Onze liefde vindt wel een manier om stand te houden.'

'Dat zeg je alleen maar zodat ik je met minder pijn verlaat, afscheid van je neem...'

Plotseling keek ze boos. 'Wat moet ik anders zeggen?'

Ik keek haar aan, zo moedig als ik kon. 'De waarheid.'

Alleen haar tranen verzachtten de woede in haar stem. 'Goed dan. Het klopte niet, wat Âşık Ahmet zei, dat ik alleen maar mijn honing zoet hoef houden om jou terug te krijgen. Want jij komt niet terug, nooit meer. Hoe zoet mijn honing ook voor je is. Je angsten zullen je over de hele wereld doen zwerven. Hier en daar neem je een likje honing en dan denk je dat je bent gered. Maar helaas voor jou zal het een synthetisch zoetje zijn – op zijn best een herinnering aan zoetheid, maar nooit pure honing. Zelfs als je duizenden vrouwen hebt uit alle continenten, zal daar niet één geestverwant als ik bij zijn. Nooit zul je meer zo'n gastvrij lichaam tegenkomen. Lendenen die voor jou geschapen zijn. Je bent voor de rest van je leven verloren. Een dolende pik die langzaam wegteert.'

Ik begon te huilen. 'Wat ben je wreed.'

Ze veegde met haar mouw haar tranen weg. 'Je wilde de waarheid.'

Mijn vlucht werd aangekondigd.

Het vuur, dat nog ternauwernood in onze ogen flakkerde, ging uit.

'Nog één ding. Iets wat nog wreder is omdat het onze ziel betreft. Waar je ook bent, wat je ook doet, ooit zul je ontdekken dat je niet bent weggegaan. Je zult je realiseren dat je onze grond nooit hebt verlaten – noch die van het land, noch die van mij. Ook al lukt het je per toeval hier en daar een arm of been te planten, je geest zal altijd weer terugkeren. Je geweten zal onvergeeflijker voor je zijn dan je lichaam.'

Mijn vlucht werd weer aangekondigd, deze keer in het Engels.

'Je moet gaan.' Ze wreef mijn hand over die van haar. 'Vaarwel.'

Ze draaide zich om, deed een paar stappen en rende toen weg.

13: Âşık Ahmet

Ga als water, kom terug als water

Mijn beste kind,

In den beginne is er de Dood.

Ik probeer me te herinneren wie van jullie me dat vertelde. Helaas wordt het geheugen er met de jaren niet betrouwbaarder op. Het was van een Turkmeense verhalenverteller, weet ik nog. Maar ik heb moeite om me het uiterlijk van mijn jongens en meisjes voor de geest te halen, zelfs hun namen. Vandaar dat deze brief geen geadresseerde heeft en net zo goed aan jou persoonlijk als aan jullie allemaal gericht is. Aan de andere kant is dat misschien wel goed. Zo kan ik al mijn leerlingen – vooral degenen van wie ik zoveel hou (Hoeveel waren het er in totaal? Duizend? Tweeduizend? Vijfduizend?) – abstraheren tot één persoon, hen als het ware samenvoegen tot één caleidoscopisch beeld, zodat ik niet in mijn geheugen hoef te graven om ze te vinden, maar slechts met mijn hoofd hoef te schudden om ze in al hun vormen en kleuren te zien verschijnen.

Naar het begin dus.

De Dood zit tegenover me. En ze – ja, een zij zoals je terecht aanvoelde – is precies zoals jij haar beschreef in je lied. (Verwar ik je met een van mijn meisjes? Of met mijn vrouw?)

Hoe dan ook, ze is naakt – de Dood. Voluptueus. Met flinke borsten. Een perfect ovaalronde vagina, die wijd openstaat als de mond van de Schepper – wat de vagina uiteindelijk is, uiteraard – en op het punt staat het nieuwe begin van Âşık Ahmet af te kondigen.

Op het punt staat – nog niet. Ze is aardig, de Dood. Ik mag eerst deze afscheidsbrief nog schrijven. Ik heb thee voor haar gezet en een vol pakje sigaretten op de tafel gelegd. Ze streelt zelfs mijn voeten – hoe hemels. Mijn voetzolen zijn nooit helemaal hersteld van de *falaka*-klappen in de gevangenis.

Zoals je weet, mijn kind, ben ik geen religieus man. Maar kijkend naar de Dood, die zo bekoorlijk is, me zo graag weer tot leven wil wekken, hoop ik nu dat mijn nieuwe begin een voortzetting zal zijn van mijn oude leven, maar met meer, veel meer tijd met mijn Leylâ.

(Nu ik erover nadenk, moet er nog een Dood zijn – de mannelijke variant. Hij die amok maakt en de wereld overspoelt met stromen bloed. Maar hoe hij ook zijn best doet ons eronder te krijgen, zij – de mooie Dood – redt ons. En zorgt ervoor dat we weer leven. En weer liefhebben.)

Stel je voor: een nieuwe tijd met Leylâ... Hoe lang geleden alweer is ze overleden? Gisteren pas? Vijftien jaar geleden? Het maakt niet uit. Ze heeft me haar aura nagelaten. Dus eigenlijk is ze niet gestorven, heeft ze me niet verlaten.

Je weet helemaal niets over Leylâ en mij, mijn kind. Niemand. Discretie werd zo'n vast patroon in ons leven dat we alles over onze verhouding geheimhielden. Dezer dagen denk ik vaak dat we te geheimzinnig deden, dat we misschien ons verhaal hadden moeten vertellen. Misschien zou het leven deze keer Shakespeares Anthony moeten tegenspreken en de goedheid van een persoon niet met haar beenderen begraven.

Het gaat als volgt...

Ik ben van boerenkomaf. Geboren op dezelfde dag als de twintigste eeuw. In Amasya. Mijn familie had een beetje grond en een appelboomgaard. Grote familie. Grootouders, ooms, tantes, de kinderen. Wat betekende dat we de eindjes aan elkaar moesten knopen.

Net als bijna iedere jongen ging ik naar de *medrese*. Maar anders dan de meeste jongens was ik leergierig. Vandaar dat de *hoca* me aanbeval bij de plaatselijke ağa. Dat was, in tegenstelling tot de meeste rijken, een vrijgevige man die mijn opleiding wilde financieren. Ik werd naar Sıvas gestuurd. Ik ging het huis uit op het moment dat mijn oom, een weduw-naar, helemaal uit Yozgat zijn nieuwe vrouw Zeynep had meegenomen. Ze had een bochel. 'Een harde werker', zei hij bot, om duidelijk te maken dat hij verder niet in haar geïnteresseerd was. Vanaf toen haatte ik hem.

Ik was goed op school. Ik had een inspirerende leraar, Vartabed Uncuyan, een Armeniër. Hij leerde me van poëzie te houden. Ik hield van hem.

Toen kwam de Eerste Wereldoorlog. En daarmee de Armeense genocide. Sıvas, met zijn grote groep Armeniërs, leed het meest. Vartabed Uncuyan, mijn geweldige leraar was – met zijn familie – een van de eersten die werden vermoord; zijn schooltje werd volledig vernield.

Het lukte me op de een of andere manier de troepen, struikrovers, deserteurs, vluchtelingen en slachtpartijen te mijden en thuis te komen. Ik was zo woedend als een jongen van vijftien maar zijn kan die onuitsprekelijke wreedheden heeft gezien. Gelukkig was er in onze streken weinig veranderd. Er waren een paar doden door ouderdom of ziekte, onder wie de oom die met Zeynep was getrouwd.

Zeynep mocht van de familie bij ons blijven wonen. Want ze was werkelijk een fenomenale werker. Verzette minstens het werk van drie kerels. Bovendien was ze een lieve, zorgzame vrouw. Ze veranderde ons huis in een veilig oord. En al de liefde die ze uitstraalde maakte haar mooi. Ondanks haar mismaaktheid. Mooi op een ongrijpbare manier zoals een dag mooi kan blijven, hoe men ook probeert hem te verpesten.

Ik was getuige van deze schoonheid in al haar aspecten. Ik kon in haar ziel kijken. Ik had iets, misschien doordat ik nog steeds rouwde om mijn Armeense leraar, waardoor ze me een aardige jongen vond. Dus was ze extra zorgzaam voor me. Ze hielp me in de boomgaard, bewaarde extra porties eten voor me, bietste sigaretten van de mannen. Altijd uiterst discreet uiteraard. Zij was immers nog een jonge vrouw van amper dertig jaar, en ik begon op huwbare leeftijd te komen, en je weet dat wij allemaal aannemen dat als een man en een vrouw op een armlengte van elkaar verwijderd zijn, zij hoogstwaarschijnlijk in elkaars armen zullen vallen.

En inderdaad vielen wij in elkaars armen. Maar niet zoals je denkt.

Op een ochtend, terwijl ik voor het vee water haalde uit de put, zag ik haar bij het raam staan. Ze was net opgestaan en stond zich te wassen. Ze was helemaal naakt. Ik keek naar haar en stond als aan de grond genageld, alsof ze een houri was die een bezoek bracht aan de aarde. Ze zag me, maar bedekte zich niet en liep ook niet weg.

Vanaf toen ontmoetten we elkaar zo elke ochtend, behalve wanneer ze haar periode had. Ik bij de put, zij bij het raam. Ik vermoed dat ze er behagen in schepte zich aan mij te laten zien omdat ik de enige was in de wereld die haar niet als een gebochelde of als een harde werker zag, maar als een mooie vrouw.

Dit ging zo een aantal maanden door. Inmiddels was ik zwaar verliefd op haar en dacht ik dat ik binnen een jaartje, wanneer het tijd werd dat ik naar een vrouw zocht, met haar zou trouwen.

Toen gebeurde er een ramp…

De Dood heeft haar thee opgedronken. En ze aait niet meer over mijn voeten. Ik zit hier maar te ouwehoeren over Leylâ – ik ben nog niet eens aan haar toegekomen – terwijl ik zou moeten ratelen als Polonius en jou met enkele harde waarheden om de oren zou moeten slaan…

Zal ik nog een kopje thee inschenken voor de Dood? Denk je dat ze…? Da's goed, zegt ze, ze lust nog wel een kopje thee. En nog een sigaret… Mooi, dat geeft me wat respijt.

Goed dan. *Harde waarheid één:* turksheid. De echte betekenis. Die is lichtjaren verwijderd van de turkificatie waar de zogenaamde Kemalisten voor staan. (Atatürk draait zich waarschijnlijk woedend in zijn graf om telkens wanneer hij hoort hoe zijn naam misbruikt en verlaagd wordt.) Laat me je vertellen wat Kemalisme werkelijk betekent. Het betekent bouwen aan een natie op een solide basis van sociale gerechtigheid, godsdienstvrijheid en gelijkheid voor allen, niet het minst voor vrouwen. Het betekent het recht op gezondheid, onderwijs, rijkdom en geluk voor álle burgers, ongeacht ras of religie. Het betekent niet separatisme of elitarisme! Het betekent niet het bestelen van joden, Armeniërs en Grieken door middel van onzinnig hoge belastingaanslagen zoals we in 1943 deden. Het betekent niet de Koerden, Lazen en andere minderheden vervolgen omdat zij een andere taal en cultuur hebben! Het betekent niet het omhelzen van idiote ideeën als de nieuwe pan-Turkse rage om alle Centraal-Aziatische Turkse volkeren in te sluiten en een etnisch puur, ultranationalistisch, ultra-islamitisch rijk te creëren! Ware turksheid betekent zich verheugen over de oneindige pluraliteit van de mens zoals we ons verheugen over de oneindige veelvormigheid van de natuur! Het betekent afwijzing van alle 'ismes' en 'heden', inclusief het begrip turksheid. Het betekent afstand doen van alle eigen culturen, eigen vlaggen, eigen landen, eigen goden en het omhelzen – en behouden – van elke cultuur, elk ras, elk geloof, elke vlag, elk land, elke god om zijn eigenheid en uniciteit. Het betekent zowel Turk als wereldburger zijn, zowel een individu als iedereen!

Je kunt tegenwerpen dat het idealisme me naar het hoofd is gestegen. Dat de Ottomanen dezelfde ideeën hadden maar mislukten. Dat Alexander de Grote die ideeën ook had – en eveneens mislukte. Misschien heb je gelijk. Maar stel dat dat niet zo is? Stel dat ík gelijk heb? Stel dat er, zoals jij en ik diep vanbinnen voelen, een basis is voor het pluralisme? Kunnen we die laten wegkwijnen alleen maar omdat we onze twijfels hebben?

De Dood kijkt me vriendelijk aan. Zeer uitnodigend spreidt

ze haar benen. Ik denk dat ik nu moet gaan.

Nee, wacht. Ze heeft nog een kopje ingeschonken. En weer een sigaret opgestoken. Genoeg gepreek, zegt ze. Ze zegt dat ik over Leylâ moet beginnen.

Goed dan. Waar was ik gebleven? O ja. Toen gebeurde er een ramp…

Het was op een marktdag. We namen deel aan de gebruikelijke bedrijvigheid van kopen en verkopen, laden en lossen. Toen de dag erop zat, was Zeynep nergens te bekennen. Uiteindelijk vonden we haar. Op een veld. Opgekruld als een egel. Ernstig toegetakeld. En verkracht.

Mijn vader vermoedde meteen wie het gedaan had: de commandant van het plaatselijke garnizoen. Het was algemeen bekend dat hij vrouwen aanrandde. Maar we hadden geen bewijs. Zeynep, die volhield dat haar belager haar eerst bewusteloos had geslagen, weigerde de commandant te noemen. Dat was weer zo'n typisch voorbeeld van haar bedachtzaamheid. Als we achter de commandant aan waren gegaan – en dat zouden we hebben gedaan – zouden we allemaal zijn terechtgesteld. Garnizoenscommandanten speelden in de laatste jaren van het Ottomaanse rijk voor eigen rechter.

Zeynap raakte zwanger.

Begrijpelijkerwijs was ze na de verkrachting niet meer dezelfde. Ze liet zich nooit meer naakt aan me zien. Maar omdat er geen erotische spanning meer tussen ons kon zijn, kwamen we nader tot elkaar en zochten we elkaars gezelschap zo vaak mogelijk op. Echter, zij leefde al die tijd – en ik had dit moeten beseffen – toe naar de bevalling. Vaak moest ik haar beloven dat als ze zou sterven, ik voor haar dochtertje zou zorgen en haar zou koesteren – op de een of andere manier wist ze dat het een meisje zou worden. Haar dochter zou het bewijs leveren dat elke ramp een zegen voortbracht.

En toen werd Leylâ geboren.

En zoals ze had beloofd, stierf Zeynep onmiddellijk na de

geboorte. Als je het mij vraagt, hield ze gewoon op met leven. En zoals ik had beloofd, koesterde ik Leylâ als een zegen.

Toen werd het 1919. Atatürk landde op Samsun en riep ons op het land te bevrijden. We vochten een van de gruwelijkste oorlogen die de mensheid heeft gekend. We kwamen met honderdduizenden om. Op een of andere manier wist ik aan de dood te ontkomen.

Toen ik terugkeerde naar huis was Leylâ, ondanks de bijna fatale hongersnood die er had geheerst, uitgegroeid tot een prachtig kind.

Weer zorgde ik voor haar als de enige persoon in mijn leven die ertoe deed.

Toen moest ik weer afscheid nemen. Ditmaal omwille van het hoger onderwijs. Atatürk wilde me hebben als een van zijn baanbrekende leraren. Om het Romeinse alfabet te doceren. Om het Turkse volk te verheffen. Om nieuw leven te blazen in het literaire genie dat we altijd hebben gehad. IJverig zette ik me aan deze taak. Het was, vond ik, het beste wat ik kon doen, zowel ter nagedachtenis aan mijn eerste leraar, Vartabed Un-cuyan, als voor de nieuwe generatie, voor Leylâ. Ik reisde overal naartoe, zelfs naar Europa. Toen ontmoette ik mijn mentor, onze geliefde dichter Nâzım Hikmet. Hij nam me onder zijn hoede. En hij vormde me.

Toen ik me eindelijk vestigde in Istanbul wilde ik Leylâ bij me laten wonen. Maar mijn familie weigerde haar te laten gaan. Zij was toen inmiddels achttien. Ik was over de dertig. Ze durfden haar niet aan me toe te vertrouwen.

Dus ging ik haar halen. Ik ontdekte dat ze een gedwongen huwelijk was aangegaan met een boer die haar als een slavin behandelde. Als een gebroken man keerde ik naar Istanbul terug. Ik wilde zelfmoord plegen. Maar hoewel het me niet was gelukt Leylâ te beschermen tegen het huwelijk met haar brute echtgenoot, stond mijn belofte aan Zeynep nog steeds. Ik moest in leven blijven om voor Leylâ te zorgen.

Na een jaar schonk Leylâ het leven aan een zoon. Nadat ze haar plicht jegens haar man had vervuld, weigerde ze nog meer kinderen te krijgen. Haar man, Rasim, dreigde haar te vermoorden. Mijn moeder waarschuwde me. Zo snel mogelijk reisde ik naar Amasya.

En deze keer ontvoerde ik Leylâ en haar zoon.

Rasim kwam achter ons aan. Maar de voorzienigheid – volgens Leylâ was het de geest van Zeynep – kwam ons te hulp. Rasim stierf aan een hartaanval toen hij in de trein wilde stappen die we hadden genomen.

Rasims familie zwoer wraak. Ze wilden Leylâ straffen, haar stenigen als een overspelige echtgenote. Ik ging tegen ze in. Ik dreigde de hele familie af te maken als ze haar met één vinger durfden aan te raken. Daar schrokken ze van. Als veteraan van de Onafhankelijkheidsoorlog, republikein en een van Atatürks fanatiekste hervormers, had ik behoorlijk veel gezag, ze dachten dat ik alles ongestraft kon doen. Dus wilden ze onderhandelen. Ze accepteerden enige compensatie voor de dood van Rasim. Maar inzake de voogdij over Leylâ's zoontje, Abdullah, gaven ze geen millimeter toe. De sharia, claimden zij, wees het voogdijschap over de jongen toe aan de familie van de vader. En hoe we ook probeerden uit te leggen dat de shariawetgeving geen jurisdictie meer had in de Turkse republiek, zij wilden per se naar de rechter gaan. Turkije, zo redeneerden ze, was nog steeds een moslimland, nog steeds een rijk waarin de rechten van de vader zwaarder wogen dan die van de moeder. Maar Leylâ weigerde naar de rechter te gaan – ondanks mijn garantie dat ze de zaak zou winnen. Een langdurig proces, beweerde ze, zou een negatief effect hebben op haar zoon. Uiteindelijk bereikten we door tussenkomst van bemiddelaars een compromis. Leylâ zou de voogdij krijgen over Abdullah, maar mocht niet hertrouwen – tenminste niet voordat hij volwassen was.

Daarna gingen Leylâ en haar zoon in Istanbul wonen.

Onvermijdelijk begonnen we naar elkaar te verlangen, omdat we zoveel van elkaar hielden. Maar omdat ze Zeyneps dochter was, bleef ik afstand houden. Dit maakte Leylâ boos. Op een dag confronteerde ze me en vroeg ze waarom ik haar afwees. Ik probeerde te liegen en antwoordde dat ik zoveel ouder was. Daar moest ze om lachen. Ik bedacht nog een paar andere smoezen zoals drukte met mijn werk, kwalen als gevolg van oorlogsverwondingen enzovoort. Ook daar moest ze om lachen.

Ten slotte vertelde ik haar over Zeynep, over de platonische, maar erotische relatie die we hadden gehad. Dat vond ze schokkend. Ze wilde me dagenlang niet zien.

Op een avond, toen haar zoon logeerde bij een vriend, klopte ze bij me aan. Nauwelijks was ze binnen of ze kleedde zich uit. 'Heb ik het lichaam van mijn moeder?' vroeg ze. Met moeite gaf ik een bevestigend knikje. (Inderdaad had ze, op de bult na, Zeyneps lichaam. Hetzelfde roze vlees, dezelfde glans van goede aarde.) Toen pakte ze mijn hand. 'Toen ze zich aan jou liet zien, liet ze mij zien. Ze toonde je hoe ik eruit zou zien. En zei dat je moest wachten. Nu hoef je niet meer te wachten.'

En zo werden we geliefden.

En toen haar zoon volwassen werd, trouwden we.

Een terzijde over haar zoon, Abdullah. Dat is een goede jongen. Hij lijkt veel op jou. Een begaafd kunstenaar. Een einzelgänger. Verafschuwt de politiek. Maar zijn doeken spreken boekdelen tegen het onrecht. Tot op de dag van vandaag gelooft hij dat zijn biologische vader een toonbeeld was. Ik vertel je dit om te laten zien hoe loffelijk Leylâ was.

De Dood roert zich weer, mijn kind. Haar portaal glanst van haar dauw. Wat ziet dat er prachtig uit. Deze *aşık*, deze minnaar, kan nu ieder moment getuige zijn van het Opperwezen.

Ik mag van haar nog één sigaret roken. Tijd voor mijn laatste woorden.

Harde waarheid twee: laat je niet van de wijs brengen door mensen die zeggen dat hun culturen en beschavingen superieur zijn aan de jouwe. Een groot deel van Europa en de Verenigde Staten lijdt aan deze waan. Onthoud alleen dat elke cultuur, elke beschaving, elke literatuur zijn eigen grandeur heeft.

Harde waarheid drie: onthoud dat je je wortels niet kunt veranderen of overplanten. Wees er dus trots op. Hou ervan.

Harde waarheid vier: wees een liefhebbend mens. Altijd. En voor iedereen.

Harde waarheid vijf: je ging als het water. Kom nu terug als het water.

De sigaret is opgebrand. Ze vouwt haar benen om me heen.

Vaarwel, mijn kind, mijn aller-, allerbeste kind…

Bronnen

1. Veli, Orhan. *Bütün Şiirleri* ('Complete gedichten')(1953). Varlık Yayınları.
2. Hikmet, Nâzım. *Taranta Babu'ya Mektuplar* ('Brieven aan Taranta-Babu')(1987). Adam Yayınları, vol. 2.
3. Hikmet, Nâzım. *Kuvâyi Milliye* ('Nationalistische krachten')(1987). Adam Yayınları, vol. 3.
4. Hikmet, Nâzım. *Piraye İçin Yazılmış Şiirler* ('Gedichten geschreven voor Piraye')(1987). Adam Yayınları, vol. 3.

Ik heb me bijzonder laten inspireren door *The Romantic Communist*, het meesterwerk van Saime Göksu Timms. Deze biografie is niet alleen een subliem verslag van Nâzım Hikmets gepassioneerde en treurige leven, maar vormt ook een zeer inzichtelijke studie van zijn werk.

Moris Farhi

Moris Farhi werd in 1935 geboren in Ankara, maar verliet op negentienjarige leeftijd zijn geboorteland. Hij wilde ontsnappen aan reëel en tot op zekere hoogte ingebeeld antisemitisme en aan een onderdrukkend politiek klimaat waarin de vrijheid van meningsuiting in gevaar was.

Uit het verlangen naar zijn geboortegrond en uit respect voor de grote culturele rijkdom die hij heeft meegekregen, is de caleidoscopische roman-in-dertien-verhalen *Jonge Turk* ontstaan. De liefde voor zijn vaderland en de zeer multiculturele, multi-etnische staat die Turkije is, is voelbaar op elke bladzijde van deze roman.

Hoewel zelf geen politieke balling, ligt Farhi's hart en geweten bij schrijvers die gevaar lopen vanwege hun werk en wier werk niet uitgegeven mag worden. Farhi was lange tijd een actieve campagnevoerder voor vervolgde schrijvers via PEN en was tussen 1997 en 2000 vice-voorzitter van het International PEN's Writer in Prison Committee.

Met de reeks waarin *Jonge Turk* is opgenomen, bieden Novib in Nederland en 11.11.11 in België schrijvers uit niet-westerse landen een podium met als doelstelling de westerse betrokkenheid bij mensen uit niet-westerse culturen vergroten. De reeks, waarin eerder boeken verschenen van onder meer Batoel Khedairi, Yvonne Vera, Marcelo Birmajer en Sagarika Ghose, wordt voor de boekhandel in het Nederlandse taalgebied uitgegeven door uitgeverij De Geus in samenwerking met Novib en 11.11.11.

Novib streeft een wereldsamenleving na waarin sociaal-economische tegenstellingen tussen arm en rijk worden doorbroken, waarin de welvaart van de wereld rechtvaardig is verdeeld en waarin mensen en bevolkingsgroepen elkaars culturen kunnen leren kennen en respecteren en ten behoeve van hun ontwikkeling samenwerken op basis van gemeenschappelijke verantwoordelijkheid en onderlinge solidariteit. Novib is lid van Oxfam International, een groeiende groep van (nu nog) elf ontwikkelingsorganisaties die samenwerkingsverbanden hebben en ondersteuning bieden aan meer dan drieduizend partnerorganisaties in zo'n honderd landen. Het doel is wereldwijde steun te genereren voor de overtuiging dat armoede en uitsluiting onrechtvaardig zijn, onnodig en niet duurzaam. Oxfam International committeert haar morele, personele en financiële middelen aan het (samen met anderen) bevorderen van een wereldwijde stroming voor economische en sociale rechtvaardigheid: 'Towards Global Equity'.

11.11.11, de koepel van de Vlaamse Noord-Zuidbeweging, bundelt de krachten van 90 organisaties en 375 vrijwilligerscomités, die zich samen inzetten voor een rechtvaardige wereld zonder armoede. In het Noorden staat beleidsbeïnvloeding centraal. In het Zuiden helpt 11.11.11 organisaties door goed doordachte ontwikkelingsinitiatieven te ondersteunen en samenwerking te stimuleren.

Novib, Postbus 30919, 2500 GX Den Haag, is telefonisch bereikbaar op 070 342 1777 en per e-mail op info@novib.nl.
Een overzicht van de leverbare titels van de Novib-De Geus Romanreeks en andere uitgaven van Novib is te vinden op: www.novib.nl/webwinkel. Via de Novib-website is het ook mogelijk een abonnement te nemen op de Novib-uitgaven.

11.11.11-uitgeverij, Vlasfabriekstraat 11, 1060 Brussel, België, is telefonisch bereikbaar op 02 536 1122.
Op internet: www.11.be/uitgeverij.

n(o)vib
OXFAM NETHERLANDS

| 11.11.11 |